DICTIONNAIRE FONDAMENTAL
DU
FRANÇAIS LITTÉRAIRE

Philippe Forest
Gérard Conio

DICTIONNAIRE FONDAMENTAL
DU
FRANÇAIS LITTÉRAIRE

La première édition de cet ouvrage, élaboré sous la direction de Paul Desalmand, est parue chez Pierre Bordas et fils.

Ouvrage réalisé par les
Éditions de la Seine
Direction : Alexandre Falco
Responsable des publications : Françoise Orlando-Trouvé
Responsables édition-fabrication :
Stéphanie Bogdanowicz, Marie-Cécile Jouhaud

Garantie de l'éditeur
Malgré tout le soin apporté à sa réalisation,
cet ouvrage peut comporter des erreurs ou des omissions.
Nous remercions le lecteur de bien vouloir nous faire part
de toute remarque à ce sujet.

INTRODUCTION

Quand on fait un dictionnaire, il se trouve toujours quelqu'un pour dire qu'il manque tel ou tel mot. Le plus souvent, ce type de remarque n'a pas grand sens, car qui dit dictionnaire dit choix et qui dit choix dit arbitraire.

En ajoutant au mot « dictionnaire » le mot « fondamental », nous indiquons les critères qui ont prévalu pour l'élaboration de ce livre. Nous ne cherchons pas à être exhaustifs, car il ne s'agissait pas de produire un doublon des excellents ouvrages qui sont sur le marché. Nous avons voulu nous cantonner au petit nombre des mots qui reviennent sans cesse dans les sujets ou dans les textes littéraires à résumer. Le principe de base est : *peu de mots, mais, pour les mots principaux, des explications fournies.*

Ces explications fournies qui suivent la ou les définitions dégagent les problématiques et apportent des matériaux pour une dissertation sur la question ; ce qui ne se trouve pas dans les dictionnaires actuellement disponibles.

Nous avons aussi voulu un dictionnaire ouvert sur la modernité. Il nous est donc arrivé de négliger des termes de l'ancienne rhétorique plus ou moins tombés en désuétude – et que l'on trouve dans toutes les encyclopédies –, pour privilégier l'état actuel de critique.

Il s'agit donc d'un réservoir de définitions et d'idées sur les notions fondamentales qui doit permettre de maîtriser le savoir requis par les épreuves littéraires. Ainsi conçu, notre dictionnaire est à la fois un ouvrage de consultation et un manuel d'apprentissage. Il fournit bien les « *fondements* » de la culture littéraire, c'est-à-dire les concepts qui permettent de s'orienter dans le monde toujours foisonnant et toujours en mouvement de la création.

Ce livre peut donc être utilisé de deux façons. Il peut être un ouvrage qu'on lit pour acquérir le savoir indispensable dès qu'est atteint un certain niveau d'études, pour obtenir ce qu'il nous arrive d'appeler le SMIC (Savoir Minimal Conseillé). Mais, grâce aux renvois, ce dictionnaire peut être, par ailleurs, un outil pour la recherche des idées. Celui qui, par exemple, doit traiter un sujet portant sur l'engagement va trouver des explications à l'article *Engagement* mais aussi des compléments aux différents articles signalés en fin de développement.

Ainsi conçu, cet ouvrage est bien *fondamental* pour le lycéen ou pour celui qui aborde les études littéraires.

A

ABÎME (mise en) – Procédé de la littérature théâtrale ou romanesque consistant à insérer dans une œuvre un épisode n'ayant pas un rapport direct avec l'intrigue, mais apparaissant comme une sorte de reflet du thème principal.

Le mot *abîme* est un terme employé dans la langue du blason, c'est-à-dire du domaine des armoiries. Il désigne le centre de l'écu lorsque celui-ci simule lui-même un autre écu.

L'expression de *mise en abîme* a été proposée par André Gide. Cette mise en perspective qui consiste à insérer un élément ayant avec le sujet un lien purement thématique ou analogique a pour but d'éclairer le sens de l'œuvre.

Gide a appliqué ce procédé dans *Les Faux-Monnayeurs*, roman critique qui annonce les recherches du nouveau roman. Dans cette histoire très enchevêtrée et donc très « romanesque », le « Journal d'Édouard » (le narrateur) constitue un véritable « roman dans le roman » qui fait de la création littéraire le véritable sujet de l'œuvre.

Le rapport entre les éléments reliés par la mise en abîme peut être très étroit. Ainsi quand Hamlet fait jouer pour le roi la scène du meurtre (théâtre dans le théâtre), l'allusion au thème principal (un meurtre et une usurpation) est très nette.

Dans d'autres cas, le récit enchâssé ou enclavé dans un autre récit peut avoir une relation plus ou moins vague avec celui-ci. On peut citer l'histoire de Madame de la Pommeraye dans *Jacques le Fataliste* de Diderot ou *Un amour de Swann* dans *À la recherche du temps perdu* de Proust. Gide évoque ce procédé dans son journal (août 1893) :

« J'aime assez qu'en une œuvre d'art on retrouve ainsi transposé, à l'échelle des personnages, le sujet même de cette œuvre. Rien ne l'éclaire mieux et n'établit plus sûrement toutes les propositions de l'ensemble. Ainsi, dans tels tableaux de Memling ou de Quentin Metzys, un petit miroir convexe et sombre reflète, à son tour, l'intérieur de la pièce où se joue la scène peinte. Ainsi, dans le tableau des *Ménines* de Velasquez (mais un peu différemment). Enfin, en littérature, dans *Hamlet*, la scène de la comédie ; et ailleurs dans bien d'autres pièces. Dans *Wilhelm Meister*, les scènes de marionnettes ou de fête au château. Dans *la Chute de la Maison Usher*, la lecture que l'on fait à Roderick, etc. Aucun de ces exemples n'est absolument juste. Ce qui le serait plus, ce qui dirait mieux ce que j'ai voulu dans mes *Cahiers*, dans mon *Narcisse* et dans *la Tentative*, c'est la comparaison avec le procédé du blason qui consiste, dans le premier, à en mettre un second "en abyme". »

ABSTRAIT (art) – Peinture et sculpture qui ne se donnent plus pour but la représentation de la réalité, mais se limitent à l'agencement des couleurs, des lignes et des formes.

ÉTYM. : du latin *abstractus*, se rattachant au verbe *abstrahere* signifiant « détourner », « détacher » et proprement « arracher ».

L'invention de la photographie, au XIXᵉ siècle, en séparant les fonctions de reproduction et de création, jusque-là assumées confusément par la peinture, a poussé celle-ci à se dévoiler et à se libérer de la tâche d'imiter le réel.

Cette libération de la création artistique a été proclamée simultanément au début du XXᵉ siècle par plusieurs peintres qui, tout en suivant des voies autonomes, sont parvenus, sans se concerter, à la même conclusion dictée par l'évolution historique des formes : Kandinsky, Malevitch, Mondrian, Kupka, Delaunay. Pour tous ces artistes, « représenter » ne veut pas dire copier, imiter, démarquer le réel, mais « créer », produire une œuvre qui ne représente rien d'autre qu'elle-même. Selon la formule de Klee, « *l'art ne reproduit pas le visible, il rend visible* ».

Le terme d'« art abstrait », imposé par les critiques, a cependant été contesté par les créateurs eux-mêmes. Ceux-ci, et notamment Kandinsky, estimaient, en effet, que l'expression reposait sur un contresens, leur art étant à leurs yeux « concret » et non abstrait, puisque mettant en valeur la matérialité de la peinture, les textures d'une composition picturale et non la chose représentée, le « sujet » du tableau.

Cet art abstrait – qui s'oppose à l'art « figuratif » – a son équivalent en littérature avec l'apparition du formalisme et en musique avec l'atonalisme pratiqué par l'École de Vienne.

→ *Cubisme – Figuratif*

ABSURDE 1. adj. – S'emploie pour parler d'une situation, d'un raisonnement qui n'ont pas de sens, qui ne répondent pas aux exigences de la logique.
2. nom masc. – Ce qui est absurde dans le sens défini ci-dessus.
ÉTYM. : du latin *absurdus* = « discordant », se rattachant à *surdus* = « sourd ».

Le sentiment de l'absurde est le sentiment que la condition humaine n'a pas de sens. Dans cette acception, le mot renvoie donc aux limites de la conscience humaine incapable de rendre compte du mystère de l'existence.

Cette idée de l'impuissance de l'homme devant l'univers et devant sa propre destinée relève d'une tradition philosophique qui s'enracine dans une vision religieuse du monde (saint Augustin, Tertullien, Pascal). Mais le sentiment de l'absurde se rapporte plus précisément aujourd'hui à un courant de pensée dit existentialiste qui prend sa source dans l'œuvre du philosophe danois Kierkegaard (1813-1855), puis se développe en Allemagne avec Karl Jaspers et Martin Heidegger, en France avec Jean-Paul Sartre (*La Nausée*, 1938, *L'Être et le Néant*, 1943). Bien que Camus ait nettement pris ses distances avec les existentialistes, sa pensée se rattache à la philosophie de l'absurde et tente de trouver une solution à la mort de Dieu (*Le Mythe de Sisyphe*, 1942, *L'Homme révolté*, 1951).

CITATIONS : « *L'irrationnel, la nostalgie humaine et l'absurde qui surgit de leur tête-à-tête, voilà les trois personnages du drame qui doit nécessairement finir avec toute la logique dont une existence est capable.* » (Albert Camus, *Le Mythe de Sisyphe*)

« *Le sentiment de l'absurde n'est pas pour autant la notion de l'absurde.* » (Albert Camus, *Le Mythe de Sisyphe*)

→ *Existentialisme – Nihilisme – Théâtre de l'absurde*

ACADÉMIE FRANÇAISE – Institution fondée par Richelieu en 1635 et réunissant des hommes de lettres et de savoir avec pour objectif de perfectionner la langue française.

L'Académie était à l'origine le nom porté par l'école fondée à Athènes au IVᵉ siècle avant notre ère par le philosophe grec Platon. Elle fut un des hauts lieux de la culture grecque. Le mot « académie » est d'ailleurs formé sur le grec *Akadêmia*, proprement « jardin d'Akadémos », à Athènes où se tenait l'école de Platon.

Fascinés par ce prestigieux exemple, les humanistes de la Renaissance, en Italie notamment, tentèrent de renouer avec ce modèle en fondant de nouvelles académies qui, différentes les unes des autres, se proposaient de réunir des hommes de culture pour favoriser le développement du savoir.

C'est en France, cependant, que le mouvement académique connut son essor véritable. Tout au long du XVIIᵉ siècle furent créées des Académies chargées chacune de l'un des domaines essentiels de la culture : peinture, sculpture, science, musique, architecture.

La plus célèbre de celles-ci reste l'Académie française. Elle est l'œuvre du cardinal de Richelieu qui ne fit, en réalité, qu'officialiser les réunions informelles d'un groupe de lettrés qui se retrouvaient pour discuter entre eux des questions de littérature. Dans l'esprit de Richelieu, l'Académie française devait être, dans le champ de la culture, l'un des instruments de la grandeur monarchique de la France : il s'agissait de doter le pays d'une langue unique, normalisée et rigoureuse qui serait l'outil nécessaire d'une culture nationale destinée à rayonner sur le monde.

L'Académie, bien qu'elle ait été la cible de nombreuses critiques, reste aujourd'hui une institution prestigieuse. Elle continue de travailler à un dictionnaire qui n'enregistre qu'avec lenteur les évolutions rapides de la langue et se montre impuissante à agir sur celles-ci : en ce sens, l'Académie est loin de remplir la fonction qui lui avait été assignée par Richelieu.

Même si des écrivains parmi les plus grands n'ont pas été accueillis sous la Coupole (Balzac, Baudelaire, Stendhal, Proust, Gide, Malraux, Sartre, Camus, Céline, etc.), l'Académie française ouvre parfois ses portes à de vrais auteurs (Lamartine, Hugo, Ionesco, Lévi-Strauss, etc.).

ACADÉMISME nom masc. – Esthétique reposant sur la soumission totale aux principes de l'art tels qu'ils sont posés par les écoles et les académies.

Le mot a presque toujours une connotation péjorative. Il sert à discréditer les artistes ou les écrivains qui créent sans originalité en se contentant de reproduire les modèles que leur époque leur propose. Dans ce sens, l'académisme peut être défini comme la maîtrise parfaite d'une technique et comme l'incapacité à dépasser cette base technique en donnant naissance à une œuvre neuve et véritable.

EMPLOI. *Après les grandes expériences d'avant-garde des années 60, on a souvent l'impression que la littérature française se réfugie dans une forme d'académisme en se contentant de copier servilement sans les mettre en question les grands modèles romanesques du XIXe siècle.*

→ *Pompier*

ACCENT nom masc. – 1. Phonétique. Élévation de la voix sur une syllabe dans un mot. On parlera exactement d'*accent tonique*. La syllabe concernée est dite accentuée.

2. Manière particulière de prononcer une langue.

3. Esthétique. Caractère personnel et par là inimitable d'un style.

De l'idée d'accent tonique exprimant une plus grande éléva-tion de la voix sur telle ou telle syllabe, on est passé à une inflexion de voix pour manifester un sentiment (« un accent de douleur »). Par analogie, l'accent peut exprimer également l'inten-sité particulière d'une couleur, d'un son, d'un trait, d'un mot, d'une idée. On retrouve cet emploi dans l'expression « mettre l'accent sur ». La particularisation contenue dans ce sens (= mise en valeur d'un élément particulier) a engendré l'emploi figuré du mot *accent* : il s'applique alors à la singularité d'un style.

CITATION : « *Un accent, cet accent de Vinteuil, séparé de l'accent des autres musiciens par une différence bien plus grande que celle que nous percevons entre la voix de deux personnes, même entre le beuglement et le cri de deux espèces animales [...] c'est bien un accent unique auquel s'élèvent, auquel reviennent malgré eux ces grands chanteurs que sont les musiciens originaux, et qui est une preuve de l'existence irréductiblement individuelle de l'âme.* » (Marcel Proust, *À la recherche du temps perdu, La Prisonnière*)

→ *Prosodie – Scansion*

ACCEPTION nom fém. – Sens particulier que l'on donne à un mot.

ÉTYM. : du latin *acceptio* se rattachant au verbe *accipere* = « recevoir ».

Dans son premier sens, l'acception signifie l'action d'admettre de préférence : « La loi ne fait acception de personne. » Par extension, l'acception désigne le sens particulier d'un mot admis par l'usage et que l'on distingue, par opposition implicite, de ses autres emplois (on parlera, par exemple, de l'« acception propre », de l'« acception figurée »). Le terme peut s'employer, de manière encore plus particulière, pour un mot qui, dans un contexte donné (une doctrine, un système de pensée), prend une signification nouvelle et spéciale.

EMPLOI. *Dans son acception janséniste, la grâce suppose une réduction de la liberté consentie à l'homme.*

Le romantisme a ôté à la passion l'acception péjorative que la doctrine classique a attachée à ce mot.

Veiller à ne pas confondre avec « acception » (le fait d'accepter).

→ *Sens – Sémantique – Sème – Signe*

ACCORD nom masc. – Rapport de convenance qui s'établit entre des éléments différents de manière à constituer un ensemble harmonieux.

ÉTYM. : du latin populaire *accordare* lui-même venu, par changement de préfixe, du latin classique *concordare* = « être d'accord ». Du sens « mettre d'accord » de *accordare* sont dérivés les différents sens évoqués ci-dessous.

L'*accord* renvoie toujours, dans son sens général, à une idée d'harmonisation entre des parties qui s'assemblent pour former une unité. Cette harmonie suppose une alliance et un processus d'identification, d'intégration ; on parlera d'un « accord entre les parties », d'un « accord de couleurs ». Cette dominante se retrouve dans les différentes acceptions du mot, qu'il s'agisse de la grammaire (« l'accord du sujet et du verbe »), de la musique (« accord majeur ») ou de la peinture.

En termes de peinture, l'*accord* indique l'harmonisation entre des couleurs, des lumières et des ombres : « *Il y a un bel accord dans ce tableau.* »

ACCULTURATION nom fém. – Ensemble des transformations subies par un groupe ou un individu au contact d'une culture étrangère.

L'acculturation peut avoir des effets négatifs ou positifs ; elle peut être partielle ou complète. Cependant, quand il y a destruction complète d'une culture par une autre, on parlera plutôt de *déculturation*.

Le mot *acculturation* est souvent déformé dans l'usage courant et prend alors le sens de « déculturation ». Il n'implique plus l'aspect positif d'un enrichissement culturel, mais seulement la destruction d'une culture pour laquelle les spécialistes ont créé le mot *ethnocide*.

→ *Civilisation – Culture – Relativisme*

ACCUMULATION nom fém. – Figure de style qui consiste à énumérer des éléments de même nature grammaticale.

ÉTYM. : du latin *accumulare* formé lui-même sur *cumulare* = « entasser ».

On distingue en rhétorique l'*accumulation* de l'*amplification* ou de la *gradation*.

L'*accumulation* met tous les mots sur le même plan avec un effet de monotonie concertée. Dans les autres cas, il y a une gradation voulue entre les termes.

Chez les écrivains du passé, l'accumulation a souvent un effet d'insistance ; elle vise à créer l'étonnement, et on la trouve à ce titre chez les écrivains baroques ou précieux.

Chez les écrivains modernes de « l'école du regard », l'accumulation est employée dans le contexte d'une esthétique de la description et produit un effet de vérité objective et de répétition mécanique parfois non dépourvu d'humour. C'est le cas chez Michel Butor qui a fait de l'*accumulation* l'un des procédés essentiels de son style.

CITATION : « *Les gens sous les arcades, les gens qui regardent les vitrines, qui se retournent, hésitent, s'interrogeant, qui reviennent, passant de l'ombre au soleil à l'ombre au soleil à l'ombre ; les pantalons clairs des hommes, les robes fraîches des femmes, les lunettes noires ou bleues, rondes, rectangulaires, ailes de papillon, dorées, incrustées de fausses pierres, les chapeaux, les fichus, les décolletés, les fards* » (Michel Butor).

→ *Amplification – Gradation.*

ACTANT nom masc. – 1. Celui qui fait l'action dans une œuvre de fiction.

2. Rôle, fonction d'un personnage dans une œuvre de fiction.

Le mot *actant* fait partie de la terminologie de la théorie littéraire. Il est apparu d'abord en linguistique où il s'applique à l'agent ou au sujet de l'action exprimée par le verbe ou le groupe verbal. Il a été ensuite employé par différents théoriciens de la littérature pour signifier soit un personnage de l'action soit le rôle d'un personnage.

La signification du mot *actant* varie selon les auteurs :

– Vladimir Propp, dans sa *Morphologie du conte* (Seuil, 1970), distingue sept actants qui sont des personnages types : le héros, la princesse, l'agresseur, le mandateur, l'auxiliaire, le donateur, le faux-héros.

– Étienne Souriau, dans *Les 200 000 Situations dramatiques* (Flammarion, 1950), emploie le mot *actant* pour classifier les rôles qui permettent de définir les personnages de théâtre : l'obtenteur, l'opposant, l'arbitre, l'adjuvant.

– Greimas, dans sa *Sémantique structurale* (PUF, 1986), prend le terme dans une acception abstraite et générale. Le mot désigne pour lui – et c'est le sens qui tend à se généraliser – les différentes fonctions qu'un personnage peut exercer dans une œuvre littéraire : sujet, objet, destinateur, destinataire, opposant, adjuvant.

Les différents glissements de sens évoqués ci-dessus permettent de bien comprendre comment on est passé de « personnage » à « personnage type » puis à « fonction d'un personnage ».

→ *Action – Adjuvant – Auxiliaire.*

ACTEUR nom masc. (équivalent féminin : actrice). – 1. Celui qui joue un rôle important dans un processus historique, politique ou autre. On parlera, par exemple, des « acteurs de la Révolution française ». Dans ce sens, le mot n'a pas de féminin. On ne dira pas de Charlotte Corday qu'elle fut une « actrice » de la Révolution française, mais un « acteur ».

2. Celui qui interprète un rôle dans une pièce de théâtre ou dans un film.

ÉTYM. : se rattache au latin *actio* = « le fait d'agir ». L'acteur est donc, par définition, « celui qui agit ».

L'acteur de théâtre et de cinéma incarne un personnage. Il doit obéir aux indications de l'auteur et aux instructions du metteur en scène, mais il est celui par qui l'action se réalise. Le mot « acteur » se rapporte donc plutôt aux personnages qui « agissent » dans une pièce, alors que le mot « comédien » désigne la profession.

On distingue parfois l'acteur qui se cantonne dans un type de rôle et le comédien dont l'éventail est plus large, mais cette distinction n'est pas vraiment passée dans l'usage.

→ *Distanciation*

ACTION nom fém. – Succession des événements qui constituent la trame d'une œuvre littéraire ou d'un film.

ÉTYM. : du latin *actio* qui désigne, comme en français, mais d'une façon plus abstraite, « le fait d'agir ». Le sens littéraire défini ci-dessus (le cinéma excepté, bien sûr) existait déjà en latin.

Composante essentielle d'une œuvre littéraire, l'action a cependant une importance variable d'une part selon les genres et d'autre part selon les théories littéraires. Elle est plus liée à la nature du théâtre qu'à celle de la poésie. Depuis Aristote qui en parle dans sa *Poétique*, elle a donné lieu à de nombreux débats (se reporter, en particulier, à « Unités (règle des) »).

C'est à l'époque moderne que l'action théâtrale se verra contestée dans son principe, d'abord par Brecht, puis par les auteurs de l'antithéâtre et leurs successeurs.

Brecht rompit la continuité dramatique par l'usage des « songs » pour établir entre la scène et le public une distanciation critique. Dans le théâtre expérimental de l'après-guerre, l'intrigue fit place à d'autres procédés d'expression comme le monologue ou le « happening ».

L'action, c'est-à-dire l'enchaînement des événements qui constitue une histoire, a paru longtemps indissociable de la nature même de la fiction romanesque. Des tendances nouvelles ont cependant, à notre époque, proposé d'autres formes d'organisation du récit.

Ainsi, dans les années 50, le courant du nouveau roman chercha à remplacer le développement linéaire du « sujet » par des moyens indirects d'expression : le monologue intérieur (Claude Simon, Nathalie Sarraute) ou une écriture descriptive (Alain Robbe-Grillet) à l'origine de ce que Roland Barthes a appelé « une école du regard ».

→ *Antithéâtre – Diégèse – Distanciation – Histoire – Intrigue – Nouveau roman*

ACTUALISATION nom fém. – Passage de la potentialité à l'acte, d'un état virtuel à un état réel.

Le mot *actualisation* est surtout employé en linguistique. À l'intérieur d'une langue donnée, cette discipline distingue la « langue » et la « parole ». La langue est l'ensemble des possibilités à la disposition du locuteur pour s'exprimer. La « parole » est la mise en œuvre de ces possibilités par un locuteur. On appelle « actualisation » le passage de la langue (domaine du virtuel) à la parole (domaine du réel).

On emploie aussi les mots *compétence* et *performance* pour désigner les mêmes réalités. La *compétence*, comme la « langue », est l'ensemble des possibilités à la disposition des locuteurs. La *performance*, comme la « parole », correspond à une réalisation linguistique orale ou écrite.

Le mot peut être aussi employé en stylistique. On dira, par exemple, que la répétition de certaines sonorités n'est suggestive que si le sens vient les actualiser.

→ *Actualisateur*

ACTUALISATEUR nom masc. – Élément grammatical qui assure le passage du concept (donc le domaine du général) à une mise en situation (donc le domaine du particulier et du réel).

Ainsi le mot « table » n'est qu'une unité lexicale qui attend sa détermination. Mais si je dis « *cette* table » ou « *ma* table » ou encore « *les* tables » (par opposition à d'autres meubles), les mots « *cette* », « *ma* », « *les* » sont des actualisateurs qui vont permettre de passer de l'idée de table, abstraite et générale, à l'évocation de tables réelles.

De même, le verbe « parler » exprime une idée, mais il s'agit d'un signe non actualisé. Si je dis « il parla », les actualisateurs « il » et « a » permettent de passer du virtuel au réel. On emploie dans le même sens le mot « déterminant ».

→ *Actualisation*

ADAPTATION nom fém. – Opération consistant à faire passer une œuvre d'un mode d'expression à un autre.

L'adaptation vise à changer le support d'une œuvre de manière à en garder le contenu tout en modifiant la forme. On peut diviser les adaptations en deux catégories différentes en fonction de leur destination.

Les unes, sans prétention artistique, ont pour but de porter une œuvre à la connaissance d'un public plus large. Ainsi, quand on adapte un roman en roman-photo ou en bande dessinée pour le rendre accessible soit à des adultes peu lettrés, soit à des enfants. L'adaptation voisine alors avec la vulgarisation.

Les autres visent à transposer une œuvre dans un autre langage sans qu'il y ait changement qualitatif. C'est le cas quand on adapte un roman au théâtre : ainsi l'adaptation par Camus des *Possédés* de Dostoïevski ou de *Requiem pour une nonne* de Faulkner, l'adaptation par Gruber des *Récits de la servante Zerline*, épisode tiré des *Somnambules* de Hermann Broch.

Cela concerne tout passage d'un genre à un autre, du roman au théâtre, mais aussi du roman ou du théâtre au cinéma ou à la télévision. Ainsi l'adaptation des contes de Maupassant à la télévision par Claude Santelli, les nombreux films réalisés d'après des œuvres « classiques » : le *Faust* (thème populaire allemand traité par de nombreux auteurs dont Goethe) mis en scène par

Murnau, *Werther* de Goethe par Max Ophuls, *Thérèse Raquin* de Zola par Marcel Carné.

L'adaptation peut voisiner avec la traduction ou avec la parodie. Dans cette perspective, l'adaptation fait partie de ce que l'on peut appeler les « arts de transcription » qui sont des véhicules de l'intertextualité et jouent sur les différents registres de réception et de lecture d'un même contenu.

Il faut noter que la nature du support n'entre pas vraiment en jeu comme facteur artistique. Il y a de mauvaises adaptations de roman au théâtre ou au cinéma, il y en a de fort bonnes en bandes dessinées.

Dans quelques cas, l'adaptation prend une telle distance avec l'œuvre initiale qu'elle devient une œuvre originale. Cela se produisit, par exemple, quand Césaire fut chargé d'adapter *La Tempête* de Shakespeare. Il greffa sur ce canevas les problèmes de la lutte des Noirs pour leur émancipation. L'œuvre étant devenue une autre pièce, Césaire la signa de son nom et en changea le titre qui devint *Une tempête* (Seuil, 1969).

→ *Traduction – Parodie*

ADJUVANT Théorie littéraire – Personnage qui, dans un récit, a la fonction de faciliter le désir d'un héros.

ÉTYM. : *adjuvans* en relation avec le verbe latin *adjuvare* = « aider ». De ce même verbe *adjuvare* nous sont venus « aider » et « adjudant ».

On peut trouver des différences dans le sens que chaque théoricien attribue à l'adjuvant, mais, au-delà de ces variantes dues à la conception propre à chaque auteur, l'adjuvant désigne le plus souvent l'aide qu'un personnage secondaire apporte au personnage principal, au sujet. Souriau, par exemple, emploie ce terme pour désigner le personnage qui, dans une situation dramatique, aide un héros à obtenir satisfaction.

Greimas donne à ce mot un sens plus général et plus abstrait. Appliquant, par exemple, son analyse de l'actant au « philosophe des siècles classiques », il en conclut que, dans sa quête de la connaissance, le philosophe a pour adjuvant l'esprit, pour opposant la matière.

→ *Actant – Auxiliaire*

AFFIXE nom masc. – Élément servant à la formation des mots et venant au début de ceux-ci (préfixe) ou à la fin (suffixe).

EXEMPLES : « pré » dans « préretraite » et « aille » dans « ferraille » sont des « affixes ».

AGGLUTINATION nom fém. – Processus linguistique qui fusionne, « agglutine » en une seule unité plusieurs éléments distincts.

Par exemple, le mot « aujourd'hui » résulte de l'agglutination de plusieurs mots que l'on ne perçoit plus comme des éléments séparés : au jour d'hui (*hui*, venu du latin *hodie* = « aujourd'hui » donc « en ce aujourd'hui », il s'agissait d'une forme renforcée comme on dit de nos jours « au jour d'aujourd'hui »).

L'agglutination est parfois fautive comme lorsque la langue populaire dit « un *lévier* » pour un évier (agglutination de l'article « l » et du nom « évier »), mais elle est à l'origine de nombreux mots.

Les langues *agglutinantes* ont la particularité d'accumuler après le radical des affixes exprimant des rapports grammaticaux. Les langues de ce type (le turc par exemple) s'opposent aux langues flexionnelles (ou à déclinaisons) comme le latin.

Autre exemple curieux d'agglutination. Le mot « unicorne » (animal fabuleux avec une corne au milieu du front) a été senti comme « une icorne ». Ici, il s'agit plutôt d'une désagglutination. On a dit ensuite « l'icorne » d'où ré-agglutination qui aboutit à « la licorne ».

AGNOSTICISME nom masc. – Attitude philosophique qui considère la connaissance métaphysique comme illusoire et rejette la croyance en ce qui est hors de portée de nos sens et de notre raison.

ÉTYM. : du grec *agnostos* = « ignorant » ; ce mot a été mis en usage par le philosophe empiriste anglais Herbert Spencer (1820-1903).

Dans la pensée de Spencer, l'agnosticisme désignait la reconnaissance lucide des limites de la raison et de la science. Le savoir humain repose sur un fonds « inconnaissable » masqué par les apparences, mais dont nous avons conscience.

Se proclame donc agnostique, dans le prolongement de la pensée de Spencer, quiconque juge inutile de se poser les problèmes de la philosophie générale tels que celui de l'existence de Dieu, de l'immortalité de l'âme ou d'autres questions du même ordre parce qu'il estime qu'ils échappent à la compréhension humaine.

Dans le discours polémique, le mot s'est parfois écarté de son vrai sens pour devenir synonyme d'incroyant, d'athée, de matérialiste.

Il faut distinguer entre les positions philosophiques différentes auxquelles peut renvoyer l'emploi de ce mot. Pour les uns – Spencer et plus tard Wittgenstein –, l'agnosticisme est le refus de chercher à connaître un absolu qui dépasse les possibilités de l'intelligence humaine, mais qui constitue le substrat de toute connaissance. D'autres estiment que cet « inconnaissable » n'est qu'une chimère forgée par l'obscurantisme.

→ *Athéisme – Métaphysique – Pyrrhonisme – Scepticisme*

ALEXANDRIN nom masc. – Vers de douze syllabes.

ÉTYM. : le mot « alexandrin » vient d'un roman du XIIᵉ siècle, *Le Roman d'Alexandre*. Ce roman est l'un des premiers écrits en vers de douze syllabes, alors que le mètre en usage était le décasyllabe (dix syllabes).

L'*alexandrin* a remplacé dans la culture française l'hexamètre des Latins et des Grecs. Son caractère solennel et majestueux a fait de ce type de vers l'instrument par excellence de la poésie « héroïque », d'abord de l'épopée, puis de la tragédie.

Jusqu'à la fin du XIXᵉ siècle, le milieu du vers était

obligatoirement marqué par la césure qui séparait le premier hémistiche (six syllabes) du second (six syllabes). Boileau, dans son *Art poétique*, exige sa présence : « Que toujours dans vos vers le sens coupant les mots/Suspende l'hémistiche, en marque le repos. »

On a parfois reproché à l'alexandrin une certaine monotonie due à sa forme régulière et symétrique ainsi qu'à l'alternance des rimes féminines et masculines. Voltaire, qui lui préféra parfois le décasyllabe, disait de lui : « *Il est beau, mais parfois ennuyeux.* »

Ce point de vue relatif à la monotonie peut être discuté. Comme le montre bien Guiraud dans *La Versification* (Que Sais-je ?), la marge de liberté dans la disposition des accents permet de très nombreuses combinaisons. Par ailleurs, les règles de l'époque classique s'assouplirent avec les romantiques et leurs successeurs.

L'alexandrin est devenu, à l'époque moderne, le symbole de la tradition voire de l'académisme. Il reste pourtant un élément fondamental de notre culture poétique et se trouve encore employé parfois avec bonheur comme en témoigne ce poème d'Apollinaire intitulé « Chantre » constitué d'un unique alexandrin – *Et l'unique cordeau des trompettes marines* – qui figure dans *Alcools*.

→ *Césure – Hémistiche – Mètre – Prosodie – Vers*

ALIÉNATION nom fém. – 1. Droit. Vente ou cession d'un bien à une autre personne.
2. Philosophie. Action de devenir un autre : processus de dépossession de soi.
3. Médecine. État de démence qui se caractérise par la perte du sentiment de la personnalité.

ÉTYM. : du latin *alienatio* se rattachant au verbe *alienare* = « rendre étranger », « céder à autrui » se rattachant lui-même à *alius* = « autre ».

Le terme *aliénation* reste dans tous ses emplois fidèle à son étymologie latine qui renvoie au processus d'appartenance à autrui. Quelle que soit sa forme, l'aliénation exprime toujours un phénomène de dépendance, de perte de propriété et par suite d'identité.

De même qu'une chose aliénée, c'est-à-dire cédée à autrui, ne m'appartient plus, de même une personne « aliénée » est dépossédée d'elle-même, qu'elle soit réduite à un état de servitude au sens philosophique et politique, ou habitée par une autre personnalité que la sienne propre, au sens médical et psychologique.

Sur ce sens latin va se plaquer un sens moderne qui provient d'un mot-clé de la philosophie du XIXᵉ siècle, que Marx a emprunté à Hegel pour exprimer la notion de « travail aliéné », se rapportant à l'esclavage économique.

CITATION : « *[les] clauses [du contrat social] bien entendues se réduisent toutes à une seule, à savoir l'aliénation de chaque associé avec tous ses droits à toute la communauté... l'aliénation se faisant sans réserve, l'union est aussi parfaite qu'elle peut l'être...* »

Dans ces extraits du *Contrat social*, le mot « aliénation » désigne la renonciation volontaire de l'individu à la liberté individuelle (et fictive) de l'état de nature pour obtenir en échange les droits que lui confère l'organisation sociale.

ALLÉGORIE nom fém. – Figure de style consistant à personnifier une abstraction.

ÉTYM. : des racines grecques *allos* signifiant « autre » et *agorenein* évoquant l'idée de « parler en public » (à rapprocher d'*agora*) : donc idée de « dire autre chose que ce que l'on dit ». Le mot passera ensuite dans les autres arts.

La fonction de l'allégorie est de traduire des idées par autre chose, par des réalités perceptibles aux sens. Elle est donc un procédé d'expression aussi ancien qu'universel et se retrouve dans toutes les civilisations. Elle concerne la littérature, mais aussi la peinture et la sculpture.

Le mot peut avoir une extension plus ou moins grande. Il peut désigner une simple personnification : la mort représentée par une faucheuse, l'amour par Cupidon lançant des flèches sur ses victimes, la justice poursuivant le crime par un personnage menaçant.

Le mot *allégorie* peut aussi avoir un sens plus large et correspondre à toute expression imagée. Ainsi, l'histoire d'Adam et Ève croquant la pomme, au début de la Bible, et des conséquences qui suivirent peut être considérée comme une allégorie permettant d'illustrer une conception de la nature humaine. On parlera, dans ce cas, d'une interprétation *allégorique* de la Bible s'opposant à une interprétation littérale. De la même manière, *La Ferme des animaux* de Orwell (*Animal farm*, 1945), où l'on voit des animaux se révoltant contre leur fermier, est une allégorie évoquant la dégradation des idéaux révolutionnaires une fois la victoire acquise.

L'allégorie se distingue du symbole par son caractère plus explicite. Le symbole tend à fondre l'image et l'idée, conservant de ce fait un caractère ouvert, alors que l'allégorie représente d'une manière précise, concrète et détaillée une réalité par une autre.

Une œuvre comme *Les Fleurs du mal* de Baudelaire, au carrefour de la tradition et de la modernité, fait encore un usage intense de l'allégorie (par exemple dans « L'albatros »), mais, par la suite, celle-ci sera bannie par tous les poètes, parce qu'à leurs yeux l'image devait perdre en clarté afin de voir augmenter son pouvoir de suggestion.

→ *Comparaison – Métaphore – Symbole*

ALLIANCE DE MOTS – Figure de style appelée également *oxymoron* ou *oxymore* qui vise à créer un effet expressif en « alliant », c'est-à-dire en juxtaposant des termes dont les sens sont contradictoires.

L'*alliance de mots* est une sorte d'antithèse outrée déjà utilisée par les auteurs grecs et latins. Elle peut servir à faire ressortir une contradiction, dans un sens négatif ou positif. Ainsi l'ironie de Toinette est évidente quand, dans *Le Malade imaginaire* de Molière, elle s'extasie sur « un beau *jeune vieillard* » de quatre-vingt-dix ans ».

Mais c'est pour exalter les vertus du christianisme que Bossuet en célèbre les « *glorieuses bassesses* ». De même, une prière du XVIIᵉ siècle désigne l'enfant Jésus par l'expression « cet *immense tout-petit* », ce qui dit beaucoup en peu de mots.

Pourtant, le plus souvent, l'alliance de mots permet de fondre des valeurs opposées dans un dessein d'expressivité poétique : « Cette obscure clarté qui tombe des étoiles. » La célèbre image de Corneille, dans sa description d'une bataille qui figure dans *Le Cid* (1637), fait penser à un procédé familier à la peinture depuis le XVIIᵉ siècle, le *clair-obscur*.

L'un des emplois les plus fréquents de l'alliance de mots consiste à fondre l'ombre et la lumière. Dans la poésie du XIXᵉ siècle, cette fusion des contraires cessera d'être un pur ornement du style pour devenir l'expression d'une véritable vision du monde.

Par exemple, chez Nerval dans « El Desdichado » :
« Ma seule étoile est morte, – et mon luth constellé
Porte le *soleil noir* de la mélancolie. »
Baudelaire associera, quant à lui, l'eau et le feu :
« J'ai longtemps habité sous de vastes portiques
Que les *soleils marins* teignaient de mille feux. »
(« La vie antérieure »)
« Les *soleils mouillés*
De ces ciels brouillés »
(« L'invitation au voyage »)
Il a aussi recours, de façon plus subtile, au procédé pour exprimer l'union de l'esprit et des sens ou plutôt la maîtrise des sens par l'esprit (dans « La vie antérieure ») :
« C'est là que j'ai vécu dans les *voluptés calmes*. »

→ *Antithèse – Oxymore*

ALLITÉRATION nom fém. – 1. Répétition des consonnes initiales à des fins expressives.
2. Par extension, répétition de consonnes à des fins expressives.
3. Toujours par extension, répétition de sonorités (consonnes ou voyelles) à des fins expressives.

ÉTYM. : formé sur le latin *littera* = « lettre ».

L'exemple le plus souvent cité est le vers de Racine figurant dans *Andromaque*, dans lequel la répétition des « s » suggère le sifflement des serpents :

« Pour qui sont ces serpents qui sifflent sur vos têtes. »

Dans le même esprit, on pourrait citer ce vers de Verlaine (*Sagesse*) :

« L'or des pailles s'effondre au vol siffleur des faux. »

Il faut cependant rappeler que la valeur expressive des sons est toujours rattachée au sens qu'ils sont appelés à renforcer. Selon l'actualisation apportée par le sens, les mêmes sons peuvent avoir des fonctions très différentes et même opposées.

→ *Assonance – Harmonie imitative – Onomatopée*

ALLUSION nom fém. – Figure de style qui consiste à exprimer une réalité en se référant à une autre réalité entretenant avec elle un rapport d'analogie.

ÉTYM. : du latin *allusio*. Se rattache au verbe latin *ludere* = « jouer », avec, au départ, l'idée de « jouer sur les mots ».

Pris dans une acception très large, le mot *allusion* engloberait donc toutes les figures de style fondées sur un rapport de ressemblance (comparaison, métaphore, allégorie, etc.) et même celles pour lesquelles le lien entre les éléments est plus lâche (métonymie, synecdoque). Cependant, dans l'usage courant, le mot « allusion » est seulement employé quand on se réfère à un contexte historique, mythologique, littéraire, politique ou personnel.

EXEMPLES : toute défaite de l'équipe française de rugby contre l'Angleterre est immédiatement désignée par les journalistes sportifs comme un nouveau *Waterloo* (défaite de Napoléon Ier en 1815). Un Premier ministre, un peu fanfaron, évoquant les tâches qui l'attendent n'hésitera pas à parler des *douze travaux d'Hercule*. Un avare sera appelé un *Harpagon* par allusion au personnage principal de *L'Avare* de Molière. À noter que, dans ce cas, comme pour un *Tartuffe*, on se trouve à la limite de la catachrèse. Quand Bismarck disait « *Je n'irai pas à Canossa* », il se référait à un conflit entre l'empereur de la confédération germanique et le pape, qui ressemblait, par certains côtés, à celui qui l'opposait au souverain pontife.

AMALGAME nom masc. – Procédé polémique qui consiste à identifier de manière abusive deux auteurs, deux doctrines ou deux idées en les réduisant à leurs points communs et en dissimulant ce qui les sépare.

ÉTYM. : du latin des alchimistes *amalgama* sans doute venu d'un mot arabe lui-même dérivé d'un mot grec *malagma* = « action de pétrir ».

L'amalgame est toujours très utilisé dans le discours politique pour disqualifier traîtreusement un adversaire en l'identifiant à un référent dont le caractère détestable ne fait aucun doute : le fascisme, le stalinisme, le racisme, l'antisémitisme, autrefois l'athéisme.

AMBIGUÏTÉ nom fém. – Caractère d'un phénomène doué simultanément de plusieurs sens et donc susceptible de contradiction.

ÉTYM. : se rattachant au verbe latin *ambigere* = « être indécis », « incertain », littéralement « mener de deux côtés à la fois ».

Le terme *ambiguïté* se prête à des emplois très variés. Ce mot est parfois pratiquement synonyme d'hypocrisie, mais il peut aussi exprimer la complexité psychologique, une certaine richesse intérieure.

La notion d'ambiguïté a pris un sens philosophique dans la pensée de Simone de Beauvoir. Pour celle-ci, l'ambiguïté définit la condition humaine dont le sens n'est pas fixé d'avance, mais dépend du choix de l'individu (*Pour une morale de l'ambiguïté*, 1947).

L'ambiguïté correspond donc à une pluralité de sens et de voies « possibles » entre lesquelles il faut choisir. C'est par le « choix » que l'individu devient lui-même, devient ce qu'il est. L'ambiguïté est dans ce cas inséparable de la liberté.

Cette idée d'un choix difficile, mais cette fois au niveau d'un peuple, est exprimée dans le titre du roman de Cheikh Hamidou Kane, *L'Aventure ambiguë* (Julliard, 1961). Il s'agit dans ce cas, pour une population du Sénégal, de choisir une attitude face à l'avancée de la civilisation occidentale.

→ *Polysémie*

AMORAL adj. – Qui marque une totale indifférence à l'égard des règles morales.

Il importe de distinguer *amoral* et *immoral.* Ainsi, le personnage qu'André Gide dépeint dans son *Immoraliste* (1902) est en fait plus amoral qu'immoral.

La philosophie de Nietzsche, dont s'inspire Gide dans ce livre, est une démystification de la morale considérée comme un pur alibi de la contrainte exercée par le christianisme pour protéger les faibles contre les forts.

L'amoralité peut donc désigner soit l'ignorance de la morale, soit une volonté de démystifier celle-ci et de vivre, selon le mot de Nietzsche, « au-delà du bien et du mal ».

Alors que l'« amoraliste » nie la validité de la morale, l'« immoraliste » a besoin, au contraire, de celle-ci afin de pouvoir la « transgresser ». Le premier identifie le plaisir à sa liberté, le second le cherche dans « le mal ».

→ *Morale*

AMPLIFICATION nom fém. – Figure de style qui consiste à faire progresser les idées de manière à leur donner plus d'étendue et plus de force.

ÉTYM. : du verbe latin *amplificare* qui a le sens d'« accroître » et qui existe en latin dans une acception littéraire comme en français.

Il importe de distinguer l'*amplification* de l'*accumulation.* L'*accumulation* se caractérise par une énumération d'éléments destinés à produire un effet d'insistance et d'entassement.

L'*amplification* procède par une série de gradations de manière à enrichir et à approfondir la pensée ou à augmenter l'effet.

Dans *Les Travailleurs de la mer* (1866), Victor Hugo décrit ainsi une grotte marine qu'il imagine habitée par une déesse de la mer : « *C'était à cause de cette déité, de cette fée des nacres, de cette reine des souffles, de cette grâce née des flots, c'était à cause d'elle, on se le figurait du moins, que le souterrain était religieusement muré, afin que rien, autour de ce divin fantôme...* »

→ *Accumulation – Gradation – Emphase*

ANACHRONISME nom masc. – Erreur de date par laquelle on situe dans une époque donnée des faits qui se sont produits à une autre époque.

ÉTYM. : on reconnaît évidemment le radical grec *chronos* = « temps », qui existe dans « chronomètre », « chronologie ». Le préfixe « ana » est formé, lui aussi, à partir d'une racine grecque (*ana*) qui a le sens de « retour en arrière », « répétition ».

En accord avec l'étymologie, le mot *anachronisme* désigne un décalage dans l'ordre du temps. À l'origine, il signifiait simplement l'erreur consistant à placer un fait avant sa date. Il s'est appliqué ensuite à toute erreur de date, avec quand même, le plus souvent, l'idée d'une anticipation sur des faits ou des pratiques qui se situent plus tard.

Dans le film *Belles de nuit*, René Clair se livre à une succession d'anachronismes en situant des personnages de notre époque dans des périodes reculées de l'histoire. Le fait de jouer les tragédies de Racine en complet veston constitue un anachronisme.

Certains puristes refusent l'emploi de termes n'existant pas à l'époque concernée.

Ainsi, ils condamneront comme anachronique l'expression « les intellectuels du Moyen Âge », le mot « intellectuel » n'étant apparu dans son acception actuelle qu'au XIXᵉ siècle.

L'anachronisme peut aussi consister à porter un jugement sur des événements du passé à partir des catégories intellectuelles ou morales contemporaines.

→ *Archaïsme*

ANACOLUTHE nom fém. – Procédé de style consistant dans la rupture de l'ordre attendu du discours qu'il s'agisse de l'ordre grammatical ou logique.

ÉTYM. : vient d'un mot grec *(anakolouthos)* évoquant littéralement le manque, la privation de « ce qui suit », c'est-à-dire la rupture de la construction syntaxique.

L'*anacoluthe* est une incorrection justifiée pour des raisons stylistiques. Elle consiste à rompre le lien habituel, correct entre le début de la phrase et un second élément. C'est ce que l'on fait, par exemple, quand on écrit : « *En attendant de vos nouvelles, agréez, Madame, mes très respectueux hommages.* » Normalement, le sujet du second élément, en accord avec « En attendant », devrait être « Je » (le locuteur) alors qu'il s'agit d'un « vous » correspondant au destinataire. Par le sens, « en attendant » se rapporte à celui qui écrit (c'est lui qui attend) alors que si l'on s'en tient à la forme, à la syntaxe, il se rapporte à la personne à qui on s'adresse.

L'anacoluthe est parfois utilisée à des fins stylistiques par souci de rapidité ou pour exprimer justement la rupture, l'irruption d'un sentiment. Ainsi dans ces deux vers d'*Athalie* de Racine (11, 620-621) :

« *Ô ciel ! plus j'examine et plus je le regarde,*
C'est lui. D'horreur encor tous mes sens sont saisis. »

Une phrase commençant par « plus je » exige grammaticalement une suite qui, ici, ne vient pas. Cette rupture de la syntaxe exprime la violence d'un sentiment qui empêche l'achèvement normal de la phrase.

Il faut éviter les anacoluthes du type :

« Allongé sur la table d'opération, le dentiste m'arracha une molaire. »

→ *Asyndète*

ANACROUSE nom fém. – Élément introductif et accessoire qui sert de prélude au discours poétique ou musical et peut être supprimé sans nuire à la signification de l'ensemble.

ÉTYM. : à l'origine, l'*anacrouse* désignait, dans la poésie grecque, une syllabe atone précédant la première syllabe accentuée.

L'*anacrouse* apparaît comme un élément à part, se détachant de la cadence métrique qui suit. C'est le cas de « Oui » et de « Ah ! seigneur ! » dans les vers de Racine ci-dessous, tirés respectivement d'*Athalie* et de *Bérénice* :

« *Oui*, je viens dans son temple adorer l'Éternel. »

« *Ah ! seigneur !* s'il est vrai, pourquoi nous séparer ? »

En musique, l'*anacrouse* est une introduction sous la forme d'une mesure incomplète qui précède la première barre de mesure. La valse qui sert de thème aux *Trente-trois variations sur une valse de Diabelli* de Beethoven en fournit un exemple célèbre.

ANAGRAMME nom fém. – Mot composé de la permutation des lettres d'un autre mot.

ÉTYM. : venu du grec *anagrammatizein* = « bouleverser l'ordre des lettres d'un mot » (le radical *ana* contenant l'idée de renversement comme dans « anachronisme »).

On peut former plusieurs anagrammes avec un seul mot. Ainsi *crâne* peut donner *nacre, écran, rance, carne*.

L'anagramme est souvent utilisée pour forger des pseudonymes. Ainsi, il est possible que Jean-Marie Arouet ait forgé son pseudonyme en combinant les lettres de son nom : *Arouet le jeune* (abrégé en *Arouet l.j.*), du fait de la confusion du *u* et du *v* ainsi que de la confusion du *i* et du *j* dans certaines typographies, aurait fourni les éléments pour former « Voltaire ».

Autres exemples : François Rabelais signant Alcofribas Nasier, Marguerite de Crayencour signant Marguerite Yourcenar, Jean-Baptiste Rossi signant Sébastien Japrisot, etc.

On cite souvent l'anagramme faite par Breton sur Salvador

Dali pour dénoncer la cupidité de cet artiste : Salvador Dali se voyait transformé en Avida Dollars.

Avec les lettres de son nom et de son prénom, Paul Verlaine avait formé l'anagramme « Pauvre Lélian ».

Le mot est féminin. Certains mauvais esprits font remarquer que l'une des anagrammes de « ENA » (École nationale d'administration) est « ANE ».

→ *Paragramme* – *Pseudonyme*

ANALOGIE nom fém. – Rapport de ressemblance entre des éléments différents.

ÉTYM. : du grec, à partir de la racine *ana* = « de bas en haut » qui sert dans la composition des mots à introduire une idée de ressemblance et de *logos* = « récit », « discours ». Formé sur *ana logon* = « selon la proportion ».

L'*analogie* est à la source des comparaisons et des métaphores, puisque ces deux figures reposent sur un rapport de ressemblance entre deux éléments. Elle est l'un des principes essentiels de l'activité du langage et de la pensée. Elle s'est identifiée, à l'époque moderne, à la création poétique tout entière.

Le symbolisme est un mouvement littéraire du XIXe siècle qui s'appuie sur l'existence d'une analogie entre le monde perçu par nos sens et un arrière-monde qui nous échappe. Dès lors, le poète aura pour mission d'établir un lien entre ces deux mondes. Plutôt qu'un créateur, le poète sera un révélateur de ces rapports cachés, de cette analogie qui échappe au profane.

De Baudelaire aux surréalistes, on peut suivre les progrès du « démon de l'analogie » marqués par une véritable émancipation de la métaphore de toute contrainte logique.

On pourra ainsi comparer :

« Cheveux bleus, pavillon de ténèbres tendues,

Vous me rendez l'azur du ciel immense et rond. »

(Baudelaire, « La chevelure ») et

« Chevelure, vol d'une flamme à l'extrême Occident de désirs pour la tout déployer. »

(Mallarmé, « La chevelure »)

et aussi les métaphores surréalistes qui s'appuient sur une expansion de l'analogie de manière à établir un lien entre les éléments les plus éloignés, les plus hétérogènes :

« La rosée à tête de chatte »

« Le revolver à cheveux blancs » (André Breton)

→ *Allusion – Comparaison – Métaphore*

ANAMORPHOSE nom fém. – Déformation d'une image sur une figure plane de manière à produire un effet grotesque.

ÉTYM. : formé sur le grec *morphê* = « forme » qui se retrouve dans « morphologie », « amorphe ». Le radical *ana* introduit l'idée d'une transformation.

On a un exemple courant d'*anamorphose* quand on se regarde dans un miroir courbe. La projection déformée de notre image est une *anamorphose*.

Mais l'anamorphose a sa place dans l'histoire de l'art. Elle a été dans le passé un procédé utilisé par les peintres et les dessinateurs pour produire ce que Baltrusaitis a appelé les « perspectives dépravées » (*Les Perspectives dépravées*, Flammarion, 1983).

Dans ce contexte, on peut citer les tableaux fantastiques de Jérôme Bosch, les expériences de Léonard de Vinci qui s'intéressait aux miroirs déformants.

Les anamorphoses les plus célèbres sont celles d'Arcimboldo (1527-1583) qui a représenté les saisons sous la forme de personnages dont la figure résulte de l'assemblage de fruits, de fleurs, de légumes et d'ustensiles de toutes sortes. Les tableaux d'Arcimboldo relèvent de l'allégorie. Mais leur illusionnisme, proche du trompe-l'œil baroque et caractéristique du maniérisme, est essentiellement tourné vers la surprise et le grotesque. C'est pourquoi ce peintre a été tellement apprécié par les surréalistes.

L'intérêt pour les anamorphoses est à rattacher à l'évolution de la conscience esthétique moderne qui valorise de plus en plus dans l'œuvre d'art le rapport « pervers » entre le matériau et la forme.

Les vignettes-devinettes (« cherchez le chien », etc.) ou les images qui ne prennent leur forme normale que vues sous un certain angle sont aussi à classer parmi les « anamorphoses ».

→ *Baroque – Grotesque – Maniérisme*

ANAPHORE nom fém. – Procédé d'expression qui consiste à répéter un mot au début de plusieurs vers ou de plusieurs phrases ou de plusieurs membres de phrases.

ÉTYM. : à partir du grec *phero* = « je porte », « je transporte » qui a donné *phore* en français, qu'on retrouve dans *phosphore* (qui porte la lumière) ou dans *métaphore* (qui transporte le sens donc « transfert de sens »). Littéralement « porter de nouveau ».

L'*anaphore* sert à renforcer l'expression d'un sentiment, que ce soit l'indignation, le regret, l'enthousiasme, etc. Sa principale fonction est donc de produire un effet d'insistance.

La littérature classique et moderne use abondamment de ce procédé.

CITATIONS :

> *Avril, l'honneur et des bois*
> *Et des mois,*
> *Avril, la douce espérance…*
> *Avril, l'honneur des prés verts…*

(extrait de « Avril » de Rémy Belleau, poète du XVIᵉ siècle)

Sommeil ! – Râtelier du Pégase fringant !

Sommeil ! – Petite pluie abattant l'ouragan !

Sommeil ! – Dédale vague où vient le revenant !

(extrait de *Les Amours jaunes* de Tristan Corbière, poète du XIXᵉ siècle)

L'anaphore est souvent utilisée par les orateurs, car elle permet de donner de l'ampleur au discours.

→ *Répétition*

ANARCHIE nom fém. – 1. Sens politique. Organisation sociale – si on peut parler d'organisation – se caractérisant par l'absence d'un pouvoir exerçant son autorité sur les membres de la communauté.

2. Sens courant. Désordre provenant du fait que personne ne réussit à imposer son autorité pour rétablir l'ordre.

ÉTYM. : formé à partir du grec avec le préfixe privatif *an* et *archê* = « commandement », « pouvoir ». Donc littéralement « sans pouvoir ».

L'anarchie dans son sens strict désigne donc simplement l'absence de gouvernement, d'autorité politique. Cette situation semble difficilement imaginable en dehors de petites communautés.

Cependant, l'*anarchie* est le but revendiqué par tout un courant de la pensée politique qui préconise la disparition de l'État (on parlera d'anarchisme ou de « courant libertaire »).

Cette idéologie anarchiste s'est répandue au cours du XIXᵉ siècle. Il en existe plusieurs tendances, qui se réfèrent toutes à l'anarchisme en tant que destruction de l'État, considéré comme corrupteur en lui-même. Mais elles diffèrent quant au choix des moyens.

Alors que Proudhon, auteur de la formule « *La propriété, c'est le vol* », est partisan de solutions fédéralistes, Bakounine s'oriente vers une certaine forme de communisme libertaire, tandis que Max Stirner identifie l'anarchie à un individualisme sans frein.

La démocratie selon Rousseau et plus encore la société sans classes souhaitée par Marx ont également l'anarchie comme horizon. Mais l'un comme l'autre envisagent d'y parvenir par un renforcement des pouvoirs de l'État. En cela, ces deux familles sont en totale contradiction avec l'idée d'anarchie.

ANCIENS ET MODERNES (querelle des) – Polémique littéraire qui opposa à la fin du XVIIᵉ siècle les partisans d'une littérature inspirée des modèles antiques et ceux qui soutenaient la nécessité d'une évolution en art.

La question de l'imitation avait été au centre des débats sur la littérature depuis la Renaissance au moins. La question était de savoir si la perfection des textes antiques serait ou non indépassable et s'il fallait ou non chercher dans ceux-ci la source essentielle de son inspiration en faisant des grandes œuvres du passé des modèles absolus.

Le débat reprit avec une très grande virulence à la fin du XVIIe siècle. Contre les Anciens – notamment Boileau et Bossuet –, les Modernes – avec Perrault – soutenaient que l'Histoire était le lieu d'un progrès du goût et de l'art qui interdisait qu'on révérât servilement les grands auteurs de l'Antiquité en se refusant à explorer d'autres voies que celles qu'ils avaient ouvertes.

Le moment fort de la querelle des Anciens et des Modernes fut sans doute celui de la polémique qui vit s'affronter en 1687 Boileau et Perrault au sujet d'un poème dans lequel ce dernier affirmait que le siècle de Louis XIV dépassait en grandeur celui d'Auguste.

En un sens, la *Querelle des Anciens et des Modernes* se prolonge largement au-delà du XVIIe siècle. Toute l'histoire de l'art et de la littérature peut en effet être lue comme le champ de bataille où s'affrontent perpétuellement défenseurs de la tradition et tenants de la modernité. C'est pourquoi l'expression « querelle des Anciens et des Modernes » est souvent utilisée pour désigner d'autres épisodes polémiques de l'histoire culturelle. On dira par exemple que les débats sur le Nouveau Roman ont constitué au sein de la critique française comme une nouvelle querelle des Anciens et des Modernes.

→ *Académisme – Antiquité – Imitation – Modernisme*

ANIMAUX-MACHINES – Expression inventée par Descartes pour désigner les animaux qu'il assimilait à des êtres animés par un mécanisme matériel à la façon des automates.

Descartes (1596-1650) pensait que l'âme était le propre de l'homme et que les autres êtres en étaient par conséquent privés. Il en déduisait que les animaux, n'étant constitués que de matière, étaient assimilables à des automates. Ils ne souffraient donc pas.

Cette théorie paradoxale suscita des réactions, notamment de la part de La Fontaine qui contredit Descartes dans le premier « Discours à Madame de La Sablière » situé dans le livre IX des *Fables*.

ANIMISME nom masc. – Attitude ou système de pensée qui attribue une âme aux choses.

ÉTYM. : le mot est formé à partir du mot latin *anima* = « âme ». Littéralement, « inanimé » signifie donc « sans âme ».

L'enfant, dans la mesure où il prête systématiquement une volonté aux choses, est naturellement animiste.

L'animisme caractérise la pensée magique pour laquelle le monde est habité par des volontés qu'il s'agit de se rendre favorables (ou d'empêcher qu'elles ne deviennent défavorables). D'où le recours aux sacrifices.

On tend à associer l'animisme à la pensée primitive en leur opposant les sociétés plus évoluées et plus rationnelles. Mais comme l'a bien montré Bergson, il y a une part de comportement rationnel dans ces sociétés comme il y a une part de comportement magique dans les nôtres. Pour Bergson, le recours à l'attitude magique commence au moment où la science et la technique ne sont plus efficaces.

L'animisme se rattache donc à toute approche du monde fondée non sur la raison, mais sur l'intuition. C'est pourquoi la présence ou l'absence de l'animisme en poésie est un bon indice de la vitalité de l'inspiration. Les siècles dominés par le rationalisme, comme le XVIIIᵉ siècle, ont été à cet égard des périodes stériles. Mais l'animisme s'épanouit dans la poésie romantique. « *Objets inanimés avez-vous donc une âme ?* » demande Lamartine. Dans « Ce que dit la bouche d'ombre » (*Les Contemplations*), Victor Hugo exprime sa conviction que le monde est habité :

« … vents, onde, flamme,
Arbres, roseaux, rochers, tout vit ! »

Tout est plein d'âmes. »
Nerval fait de même dans ses « Vers dorés » :
« Souvent dans l'être obscur habite un Dieu caché ;
Et comme un œil naissant couvert par ses paupières,
Un pur esprit s'accroît sous l'écorce des pierres ! »

→ *Anthropomorphisme*

ANTÉPOSITION nom fém. – Procédé de style qui consiste à mettre un mot en valeur en le déplaçant en avant dans la phrase.

ÉTYM. : formé sur le radical latin *ante* = « avant », « devant » qu'on retrouve, par exemple, dans « antédiluvien » = « avant le déluge ». Donc littéralement « ce qui est placé devant ».

Le déplacement d'un élément vers l'avant qui caractérise l'antéposition a pour but de produire un effet expressif. Quand on avance la place de l'attribut par rapport au sujet, ou du complément d'objet par rapport au verbe, cet écart grammatical avec l'usage courant crée une tension stylistique.

EXEMPLE : l'antéposition de l'adjectif « rouge » dans le titre de Peter Abrahams, *Rouge est le sang des Noirs* (Casterman) met cet élément en évidence, ce qui fait immédiatement signe vers la tonalité dominante du livre.

Pour désigner un tel déplacement, motivé par un souci d'expressivité, on parle aussi d'*inversion*.

→ *Inversion*

ANTHOLOGIE nom fém. – Recueil constitué d'un ensemble de morceaux choisis de manière à représenter un genre ou un thème.

ÉTYM. : du grec *anthos* = « fleur ». À noter que l'on trouve un radical de même sens, mais latin cette fois, dans le mot « florilège » dont le sens est proche.

Toute anthologie est forcément arbitraire, car elle reflète les goûts de l'auteur. Son intérêt sera relatif à la personnalité de celui-ci, à l'étendue de sa culture et à l'originalité de ses choix.

EXEMPLES : *Anthologie de la prose française* par Marcel Arland, *Anthologie de la poésie française* par André Gide (Gallimard/ Pléiade), *Anthologie de l'humour noir* par André Breton en Livre de poche.

→ *Florilège*

ANTHROPOCENTRISME nom masc. – Conception selon laquelle l'homme est le « centre » du monde.

ÉTYM. : formé à partir du radical grec *anthropos* = « homme » au sens d'« être humain », radical que l'on retrouve, par exemple, dans « anthropophage », « misanthrope ».

L'anthropocentrisme a marqué la pensée du Moyen Âge qui considérait que Dieu avait créé le monde pour l'homme. Le système de Ptolémée (Grèce, IIe siècle) qui faisait tourner l'univers autour de la terre concordait avec cette vision anthropocentrique de la création.

Cette conception sera réfutée par les travaux de Copernic (1473-1543) et de Galilée (1564-1642) qui établiront de façon scientifique et incontestable que le système cosmique proche a pour centre non la Terre (géocentrisme) mais le soleil (héliocentrisme).

Cette découverte marque la fin de *l'anthropocentrisme* et le début de la pensée moderne marquée par le relativisme. Les progrès de la connaissance scientifique feront reculer désormais le dogmatisme religieux fondé sur le principe d'autorité et non sur la recherche de la vérité par l'usage de la raison. La Terre prendra définitivement sa vraie place dans l'univers : celle d'une planète parmi d'autres.

L'homme cessera de se prétendre le roi de la création pour se situer de façon plus lucide et plus modeste dans l'évolution des êtres et des astres.

→ *Anthropomorphisme – Animisme*

ANTHROPOLOGIE nom fém. – Ensemble des sciences qui ont pour objet l'étude de l'homme.

ÉTYM. : formé sur deux racines grecques, *anthropos* = « être humain » et *logos* = « parole », « discours ». Donc littéralement « discours sur l'homme ».

À l'origine (XVIIIᵉ siècle), *l'anthropologie* concernait la partie des sciences naturelles qui s'occupaient de l'homme.

Dans un sens strict et un peu ancien, l'anthropologie s'occupe de l'homme dans son être et son évolution physique ; on parlera dans ce cas d'*anthropologie biologique* ou d'*anthropologie physique.*

Dans un sens plus large, l'anthropologie est aussi psychologique, culturelle et sociale : cette *anthropologie générale* peut se subdiviser en *anthropologie religieuse*, en *anthropologie sociale*, etc.

Cette discipline a connu une véritable mutation au XXᵉ siècle avec l'*anthropologie structurale* de Claude Lévi-Strauss qui, dans son étude des sociétés dites primitives, s'intéresse à l'homme concret. Cette anthropologie vise à atteindre, dans sa description de sociétés étrangères et lointaines, le point de vue de l'indigène lui-même. Mais, en même temps, l'anthropologue s'efforce de réintégrer cette connaissance dans la totalité du phénomène humain et même de dégager des constantes dans le fonctionnement de l'esprit humain.

Il faut distinguer l'anthropologie de sciences humaines voisines. L'*ethnologie* est tournée vers l'étude comparative de communautés culturelles restreintes. La *sociologie* étudie les comportements des individus et des groupes dans les sociétés modernes.

ANTHROPOMORPHISME nom masc. – Tendance qui consiste à attribuer à ce qui n'est pas humain des réactions humaines.

ÉTYM. : formé à partir de radicaux grecs : *anthropos* = « être humain » et *morphè* = « forme harmonieuse » (d'où est venu le latin *forma* par métathèse).

En attribuant aux dieux des figures et des comportements humains, la mythologie grecque faisait de l'*anthropomorphisme.*

Cette tendance se retrouve d'ailleurs, à des degrés divers, dans toutes les religions.

Même si Xénophane (VIᵉ siècle av. J.-C.), un philosophe grec, dénonçait déjà l'anthropomorphisme de ses compatriotes, le mot est d'un usage récent. Il apparaît au XVIIIᵉ siècle, c'est-à-dire à l'époque du relativisme, au moment où l'humanité est capable de devenir critique à l'égard d'elle-même et de prendre conscience de sa tendance à modeler le monde à son image. Le langage est ici un indice d'une maturité de la pensée qui prend ses distances avec la naïveté des premiers âges.

→ *Anthropocentrisme*

ANTICIPATION nom fém. – 1. Faculté du lecteur de prévoir les mots qui vont suivre. La lecture se définit par un mouvement et elle est facilitée par les termes qui articulent le discours et annoncent ce qui va suivre.
2. Rhétorique. Procédé consistant à insérer dans le déroulement de la narration un épisode qui n'a lieu que plus tard.

Dans ce cas, l'anticipation correspond à la *prolepse*. Ainsi quand l'on prévoit, on prévient une objection : « Vous me direz que ce dénouement était facilement prévisible… »

L'anticipation se rapporte souvent à ce que l'on pourrait appeler un « effet d'annonce » ou plutôt un « effet de promesse ». L'auteur appâte son lecteur en aiguisant sa curiosité et en lui faisant entrevoir ce qui n'arrivera que plus tard.
3. Littérature. Genre littéraire nouveau se rattachant à la science-fiction consistant à raconter au présent une action qui « anticipe » sur l'évolution des techniques ou des mentalités et projetée dans un futur fictif.

→ *Prolepse – Science-fiction*

ANTIHÉROS nom masc. – Personnage qui ne présente aucune des qualités exceptionnelles propres d'habitude au héros de théâtre, de roman ou de film.

L'*antihéros* dans le sens qu'on lui attribue d'ordinaire est une création de la littérature moderne. Flaubert, dans le roman français, avec Frédéric Moreau, le personnage central de *L'Éducation sentimentale* (1869), Gogol, dans le roman russe, avec *Le Manteau* (1841) centré sur un petit fonctionnaire insignifiant inaugurent ce que Nathalie Sarraute appellera l'« ère du soupçon ». Une ère dont l'antihéros est l'une des principales manifestations.

Il ne s'agit pas, bien entendu, de « réalisme » comme on l'a parfois prétendu, mais bien au contraire. L'homme quelconque, l'« homme sans qualités » de Musil, est l'instrument involontaire de la parodie et de l'ironie qui se tournent autant contre les modèles littéraires que contre l'expansion de l'esprit philistin dans une société embourgeoisée et démocratisée. Le déclin de la psychologie accompagne cette évolution qui délaisse les individus pour se tourner vers la création de nouveaux mythes.

Comme exemple de héros peu « héroïque », on pourrait citer aussi Meursault, le personnage principal de *L'Étranger* (1942), et peut-être même le personnage principal de *La Chute* (1956), du même auteur.

→ *Antiroman – Antithéâtre – Nouveau Roman – Personnage*

ANTIPHRASE nom fém. – Figure de style consistant à tenir un propos qui se trouve à l'opposé de ce que l'on pense, mais en s'arrangeant pour que l'interlocuteur comprenne la réalité de notre pensée.

EXEMPLE : je dirai à une personne : « *Ah ! vous êtes bien bon* » à l'occasion d'une attitude de sa part aux antipodes de la bonté. L'interlocuteur comprendra très bien que j'*ironise*.

Pour des exemples littéraires, se reporter à « Ironie », ce mot désignant exactement la même figure de style.

→ *Ironie*

ANTIQUITÉ nom fém. – Époque des anciennes civilisations grecques et romaines qui ont été les sources de la culture occidentale.

BERNARD C. BLIER

L'*Antiquité* a toujours été la principale référence de la culture européenne. On s'est toujours situé par rapport à elle, que ce soit pour l'imiter ou pour la rejeter.

La Renaissance (XVIᵉ siècle) a posé comme principe l'« imitation des Anciens », et le classicisme français (XVIIᵉ siècle) a calqué son idéal de beauté sur le modèle *antique*.

À partir de la « Querelle des Anciens et des Modernes » (1687-1697), l'influence de l'Antiquité a reflué devant l'affirmation croissante de nouvelles valeurs esthétiques culturelles.

En exaltant l'autonomie et la diversité des cultures nationales européennes, le romantisme consommera le déclin d'un modèle unique auquel le classicisme s'était identifié. L'évolution de la pensée depuis cette époque est allée dans le même sens d'une ouverture à d'autres univers culturels. On peut d'ailleurs parler de l'*Antiquité orientale* ou de l'*Antiquité chinoise*.

Le mot prend une majuscule quand il désigne une époque.

→ *Anciens et Modernes – Imitation – Renaissance*

ANTIROMAN nom masc. – Type de roman qui ne comporte aucun des éléments servant à définir le roman traditionnel.

L'appellation d'*antiroman*, comme celle d'*antithéâtre* et d'*antihéros*, a été inventée par les critiques pour définir les nouvelles formes romanesques proposées par les auteurs qui refusaient de suivre la tradition et voulaient notamment, pour ce qui est du roman, rompre avec « le point de vue de Dieu » qui caractérisait le roman balzacien.

Comme son nom l'indique assez, l'antiroman se caractérise par un certain nombre de refus : suppression de l'intrigue linéaire et très charpentée, des personnages ayant un « état civil » et une psychologie à la fois simple et cohérente, de la fonction documentaire du roman. Ces refus s'accompagnent d'un effort de renouvellement au sujet duquel on se reportera à « Nouveau roman ».

La nouveauté dans ce domaine était relative et correspondait essentiellement au besoin d'échapper à l'académisme. Cette contestation du roman traditionnel avait, en particulier, été faite par Laurence Sterne dans *Vie et opinions de Tristram Shandy* (1760-1767) et dans *Voyage sentimental en France et en Italie* (1768), et par Diderot dans *Jacques le fataliste* écrit en 1773 et qui s'inspire beaucoup du livre de Sterne. Ces deux ouvrages étaient déjà, à leur manière, des antiromans.

→ *Antihéros – Nouveau Roman – Personnage*

ANTITHÉÂTRE nom masc. – Expression apparue dans les années 50 de notre siècle pour désigner une forme nouvelle de théâtre qui s'attachait à renverser toutes les conventions admises jusqu'alors.

Il faut voir l'origine de l'expression *antithéâtre* dans la terminologie inventée par Eugène Ionesco pour manifester le renversement des genres et des styles qu'il opérait dans son œuvre. Il s'en est expliqué lui-même ainsi : « *J'ai intitulé mes comédies "antipièces", "drames comiques", et mes drames "pseudo-drames" ou "farces tragiques", car, me semble-t-il, le comique est tragique, et la tragédie de l'homme dérisoire.* »

La critique s'est ensuite emparée de cette idée et a englobé sous l'étiquette d'« antithéâtre » l'ensemble des tendances qui caractérisaient le renouveau théâtral des années 50. Les œuvres, par ailleurs tout à fait dissemblables, de Beckett, de Ionesco, d'Adamov relèvent, en effet, d'une volonté de transgresser les principes traditionnels du théâtre : la construction de l'intrigue, la cohérence psychologique des personnages, l'illusion réaliste.

→ *Théâtre de l'absurde*

ANTITHÈSE nom fém. – Figure de style qui repose sur un contraste très net entre deux éléments symétriques.

ÉTYM. : formé sur la racine grecque *anti* = « opposé », « contraire à » et sur *thèsis* = « action de poser ».

EXEMPLES : « *À vaincre sans péril, on triomphe sans gloire* » (Corneille, *Le Cid*). « *Cent lampions sont-ils plus farouches qu'un astre ?* » (Hugo).

Quand Tristan L'Hermite chante « la belle esclave noire »,

une antithèse vient tout naturellement orner la pointe de son sonnet :

« Mais cache-toi, Soleil, toi qui viens de ces lieux

D'où cet Astre est venu, qui porta pour ta honte

La *nuit sur son visage* et le *jour dans ses yeux.* »

L'antithèse peut opposer des mots, des idées, des couleurs, des sons, des rythmes, des tons, des rimes, des phrases ou des fragments de phrase.

On la trouve fréquemment dans les titres : *Le Rouge et le Noir* (Stendhal), *Les Rayons et les Ombres* (Hugo), *Le Commissaire et le Yogi* (Koestler).

Chez certains auteurs, l'antithèse cesse d'être un simple procédé pour devenir l'expression de leur vision du monde. C'est le cas chez Victor Hugo dont les dernières paroles, prononcées sur son lit de mort, résument toute l'œuvre : « C'est toujours le combat du jour et de la nuit. »

→ *Alliance de mot – Oxymore*

APARTÉ nom masc. – 1. Théâtre. Propos tenus par un personnage à l'insu des autres personnages.
2. Sens courant. Paroles que l'on adresse à quelqu'un de manière à ne pas être entendu des autres personnes présentes.

L'*aparté* ne doit pas être confondu avec le fait de parler *à la cantonade*. Au théâtre, *parler en aparté*, c'est faire semblant de parler pour soi-même, mais de manière à être entendu seulement par le public. Le mot *cantonade* désignant les coulisses, *parler à la cantonade*, c'est littéralement « parler pour les coulisses » : donc parler haut sans paraître s'adresser à quelqu'un en particulier.

→ *Monologue*

APHÉRÈSE nom fém. – Suppression d'une ou de plusieurs syllabes au commencement d'un mot.

ÉTYM. : formé sur le radical *apo* auquel se rattache l'idée d'éloignement et par suite de suppression et en relation avec le verbe grec *hairein* = « prendre » et *hairesis* = « action de prendre », « de choisir », d'où est venue aussi « hérésie ».

EXEMPLES : « Toine » pour « Antoine », « las » pour « hélas », « man » pour « maman ».

APHORISME nom masc. – Phrase formulée de manière à condenser l'idée exprimée avec le maximum de force et de concision.

ÉTYM. : du bas-latin *aphorismus* lui-même venu du grec *aphorismos* = « définition » employé d'abord à propos des aphorismes d'Hippocrate (médecin grec).

L'*aphorisme* a été le mode d'expression préféré des moralistes du XVIIᵉ et du XVIIIᵉ siècle. Il convenait, en effet, idéalement aux principes édictés par le classicisme : l'économie de moyens et la clarté autant que la densité de la pensée.

Les *Maximes* de La Rochefoucauld, les *Pensées* de Pascal, les *Caractères* de La Bruyère sont une mine de réflexions, d'observations, toujours pertinentes sur les mœurs, la nature humaine, les problèmes moraux.

Ces recueils d'aphorismes, ou ces ouvrages contenant des aphorismes, constituent, auprès des tragédies de Racine et de Corneille et des comédies de Molière, le meilleur témoignage de l'universalité de l'art classique.

À leur suite, Vauvenargues, Chamfort, Rivarol au XVIIIᵉ siècle, Joubert au XIXᵉ siècle, ont écrit des aphorismes percutants et profonds. En Allemagne, Lichtenberg (1742-1799) utilisera aussi le genre en le marquant au coin de l'humour.

Avec le philosophe et poète allemand Friedrich Nietzsche, l'aphorisme fera le lien entre le classicisme et notre modernité. Prenant modèle sur les moralistes français, Nietzsche prendra à contre-pied toute la tradition philosophique. Il ne se contentera pas d'utiliser l'aphorisme comme procédé d'expression, mais en fera un nouveau mode de pensée.

De nos jours, Cioran a trouvé dans l'aphorisme un moyen

parfaitement adéquat pour formuler ses réflexions amères et désenchantées sur la condition humaine.

Exemples empruntés à Cioran (*Syllogismes de l'amertume*, 1952) :

« Quand nous sommes à mille lieues de la poésie, nous y participons encore par ce besoin subit de hurler, dernier stade du lyrisme. »

« Rien ne dessèche tant un esprit que sa répugnance à avoir des idées obscures. »

« Une vogue philosophique s'impose comme une vogue gastronomique : on ne réfute pas plus une idée qu'une sauce. »

→ *Maximes – Pensées – Sentences*

APOCOPE nom fém. – Chute d'une syllabe ou de plusieurs syllabes à la fin d'un mot.

EXEMPLES : « encor » pour « encore » (afin d'« économiser » une syllabe en poésie dans certains cas), « cinéma » pour « cinématographe » et « ciné » pour « cinéma », « tram » pour « tramway ».

L'apocope est fréquente dans la langue populaire (j'rêv' d'aller j'sais pas où) et dans la poésie cherchant à imiter cette langue populaire. Nous citons ci-dessous quelques vers extraits du recueil intitulé *Soliloques du pauvre* de Jehan Rictus où ce procédé est employé :

« Des fois je m'dis, lorsque j'charrie
À douète… à gauche et sans savoir
Ma pauv'bidoche en mal d'espoir,
Et quand j'vois qu'j'ai pas l'droit d'm'asseoir
Ou d'roupiller dessus l'trottoir
Ou l'macadam de "ma" Patrie. »

APOCRYPHE adj. – Se dit d'un texte qui n'est pas dû à celui qui est présenté comme son auteur.

ÉTYM. : du grec *apo* = « à l'écart » et *kruptos* = « caché » ; donc littéralement « caché à l'écart ».

Le mot s'est d'abord employé pour les textes n'ayant pas été retenus lors de l'établissement du texte définitif de la Bible (et donc mis à l'écart parce que non inspirés par Dieu). Dans ce sens, le mot est parfois employé comme nom (« les apocryphes »).

Le problème de l'authenticité des textes se pose parfois en littérature. Ainsi, on s'interroge encore sur l'auteur réel des *Lettres portugaises* (1669), ouvrage publié anonymement et contenant des lettres attribuées à une religieuse portugaise s'adressant à son amant qui l'avait abandonnée.

Cette question s'est posée aussi à propos de poèmes, publiés dans des revues sous la signature de Rimbaud, et qui s'avérèrent par la suite être des faux. On trouvera un autre exemple à l'article « Ossianisme ».

APODOSE nom fém. – Partie descendante de la phrase.

ÉTYM. : du grec *apo*, radical qui marque l'éloignement, et *didômi* = « je donne », donc littéralement « ce que l'on donne en s'éloignant ».

Dans la phrase, l'*apodose* est la partie qui succède à la *protase* et vient après le point culminant appelé *acmé*.

Quand l'apodose est plus longue que la protase, on est en présence d'une séquence *majeure*. En voici un exemple tiré de *Salammbô* de Flaubert :

« Quand ils furent sortis des jardins / *protase* / ils se trouvèrent arrêtés par l'enceinte de Mégara » / *apodose*.

Quand l'apodose est plus courte que la protase, la phrase est dite en séquence *mineure*. En voici un exemple toujours emprunté à *Salammbô*.

« Les lueurs vacillantes du pétrole qui brûlait dans les vases de Porphyre effrayèrent, au plus haut des cèdres, / *protase* / les singes consacrés à la lune » / *apodose*.

APOLLINIEN voir **DIONYSIAQUE**

APOLOGÉTIQUE nom fém. – Partie de la théologie ayant pour but de prouver la vérité de la religion chrétienne.

ÉTYM. : voir « Apologie ».

→ *Apologie – Apologue*

APOLOGIE nom fém. – Texte ou discours destiné à défendre, à justifier ou à louer une personne ou une doctrine.

ÉTYM. : du grec *apologia* = « défense d'un accusé ». Le mot est formé sur le radical *apo*, qui contient l'idée d'éloignement, et *logos*, « récit », « discours ». Donc littéralement « discours pour s'éloigner de la difficulté », « discours pour se tirer d'affaire ».

L'apologie est un genre qui prend sa source dans la littérature religieuse du Moyen Âge. On appelait alors apologie un discours ou un écrit qui développait une argumentation appelée à démontrer le bien-fondé de tel ou tel commentaire des Écritures.

C'est encore dans ce sens que Montaigne emploie le terme lorsqu'il écrit son *Apologie de Raimond Sebond* (qui figure dans les *Essais*). Raimond Sebond était un théologien catalan du XIVe siècle que Montaigne avait traduit à la demande de son père. Paradoxalement, Montaigne, parti pour soutenir les thèses de ce théologien selon lesquelles les vérités de la religion pouvaient être démontrées par la raison, en viendra à les contester.

Par la suite, l'apologie a désigné tout écrit ayant une fonction de justification ou d'éloge et même toute défense d'un point de vue ou d'une personne.

→ *Apologétique – Dithyrambe*

APOLOGUE nom masc. – Anecdote en prose ou en vers contenant une leçon morale.

ÉTYM. : du grec *apologos* = « récit détaillé », « narration ».

L'apologue se caractérise par sa fonction moralisatrice comme la *parabole*. Mais l'aspect moralisateur est de caractère religieux dans la parabole, alors que l'apologue illustre une sagesse laïque.

On peut considérer le mot fable comme un équivalent d'« apologue » quand ce terme est pris dans son sens étroit, celui que l'on utilise lorsque l'on parle des fables de La Fontaine ou de Florian. Mais le mot « fable » peut désigner d'une manière plus générale un récit, une fiction, sans que s'y attache un conseil d'ordre moral.

→ *Fable – Parabole*

APORIE nom fém. – Raisonnement sans issue, car prisonnier d'une contradiction insoluble.

ÉTYM. : du grec *aporia*, signifiant proprement « absence de passage », « de moyen ».

Dans les dialogues de Platon, Socrate conduit souvent son interlocuteur vers une *aporie* pour lui montrer la faille de son raisonnement.

Dans *Nous et les autres* (Seuil, 1989), Tzvetan Todorov emploie ce mot pour désigner la contradiction dans laquelle se trouve Pascal qui, voulant démontrer l'impuissance de la raison, fait l'admirable preuve du contraire. Il l'emploie aussi à propos d'Helvétius (1715-1771) qui, en voulant argumenter sur la relativité de toute chose, ne cesse de formuler des « jugements de valeur qui n'ont de sens qu'absolu » : « *On peut cependant observer à l'intérieur du livre d'Helvétius une issue à l'aporie dans laquelle il s'enferme la plupart du temps.* »

APOSTROPHE nom. fém. – Figure de rhétorique qui consiste à interpeller un public présent ou absent.

ÉTYM. : du grec, sur le radical *apo* contenant l'idée d'éloigner, d'écarter, et sur *strophê* = « partie du poème chantée par le chœur pendant qu'il fait un tour de l'orchestre (lieu de l'évolution du chœur) dans la tragédie », d'où littéralement « appel qui fait se détourner ».

L'*apostrophe* est l'un des procédés favoris de l'art oratoire. Mais on la trouve aussi en poésie comme moyen d'évocation suggestif et pathétique. Dans « Le balcon », s'adressant à « la reine des adorées », Baudelaire écrit, par exemple :

« Mère des souvenirs, maîtresse des maîtresses,

Ô toi, tous mes plaisirs ! ô toi, tous mes devoirs ! »

Dans « L'horloge », Baudelaire utilise l'apostrophe pour inter-peller l'horloge qui interpelle à son tour le lecteur (et le poète lui-même) :

« Horloge ! dieu sinistre, effrayant, impassible,

Dont le doigt nous menace et nous dit :

"Souviens-toi !" »

ARCHAÏSME nom masc. – Terme sorti de l'usage, employé le plus souvent à des fins stylistiques.

ÉTYM. : sur le grec *archaios* = « ancien », « originel » qui se retrouve dans « archéologie », « archétype », « archive ». *Archaismos* signifiait littéralement « goût du passé ».

Le recours à l'archaïsme a pour but d'utiliser les connotations d'un mot vieilli pour suggérer une atmosphère en relation avec le monde auquel il se rapporte.

Apollinaire use par exemple de ce procédé dans *Alcools* :

« Nageurs morts suivrons-nous *d'ahan*

Ton cours vers d'autres nébuleuses »

« Ahan » est un mot du Moyen Âge signifiant « essouffle-ment », « peine », « effort » ; « d'ahan » signifie donc « avec peine ». On retrouve ce terme dans le verbe « ahaner » qui a d'abord signifié « éprouver une grande fatigue en faisant quelque chose ».

→ *Anachronisme*

ARCHÉTYPE nom masc. – 1. Modèle éternel et immuable dont l'ensemble, dans la philosophie de Platon, constitue le monde des Idées.

2. Modèle original, structure fondamentale.

ÉTYM. : sur le grec *archaios* = « ancien », « originel » et donc « modèle original ».

Pour Platon, les objets que nous avons sous les yeux et que nous considérons comme le réel ne sont en fait qu'une sorte de reflet de la vraie réalité. Ils sont le reflet des *archétypes*, appelés aussi *Idées* (avec une majuscule), situés dans un autre monde, invisibles et parfaits.

Ce terme d'*archétype* est passé dans la langue pour désigner un modèle original d'après lequel vont s'effectuer des reproductions multiples et fatalement approximatives. On dira, par exemple, que *L'Île au trésor* de Stevenson est un archétype du roman d'aventure.

La primauté dans l'ordre de l'importance donne des mots comme « archétype », « archiprêtre », « archevêque », ou prête à créer des néologismes plaisants comme « archinul ».

→ *Platonisme*

ART POUR L'ART – Théorie littéraire qui a été soutenue par les poètes parnassiens à la suite de Théophile Gautier et selon laquelle l'art n'a de valeur qu'en lui-même et se définit par la seule recherche des beautés du style et de l'expression.

L'art pour l'art a été conçu et formulé en réaction contre le romantisme à qui l'on reprochait de trop accorder à l'expression des sentiments personnels et au souci d'une action politique.

Les tenants de l'art pour l'art prônaient le retour à des notions exaltées par les classiques comme l'importance accordée au métier poétique. Selon cette conception, qui s'est développée approximativement à partir de 1840, la littérature doit être axée sur les valeurs esthétiques à l'exclusion de tout autre critère politique, idéologique ou moral. Un écrivain est avant tout un artiste et ne doit viser, dans son œuvre, que la perfection formelle et non la transmission d'un quelconque message.

En dehors de certains excès qui ont débouché sur l'esthétisme, cette attitude a entraîné non seulement la sublimation de l'art, mais aussi le culte de l'artiste qui méprise la société et se tient au-delà du bien et du mal.

L'art pour l'art a influencé des poètes comme Baudelaire, des romanciers comme Flaubert. Mais, en privilégiant le sens de la beauté par rapport aux autres valeurs, il a aussi préparé le décadentisme fin de siècle, le non-conformisme et la provocation immoraliste d'Oscar Wilde et de Gide.

D'une manière plus générale, il correspond à une définition de la littérature qui donne le pas à la forme sur le contenu et que l'on retrouve, sous différentes variantes, à toutes les époques. L'école « parnassienne » en reprendra les principes.

→ *Engagement – Parnasse*

ASCÈSE nom fém. – 1. Privations et sacrifices – accompagnés parfois d'exercices physiques – que s'inflige celui qui aspire à la sainteté.
2. Par extension, effort sur soi-même en vu d'un perfectionnement moral.

ÉTYM. : du grec *askêsis* = « exercice », « entraînement ».

Le mot a d'abord désigné l'« exercice », puis les moyens (privations et sacrifices divers) qui sont mis en œuvre. Le mot a été employé par les stoïciens, puis par les chrétiens.

Depuis le milieu du XIXᵉ siècle, le romantisme et surtout le symbolisme ont modifié l'emploi de ce mot qui a émigré du domaine strictement religieux pour se rapporter de plus en plus à une certaine attitude des artistes et des poètes devant l'art.

L'art prend une valeur rédemptrice, au point que l'on a pu parler d'une religion de l'art. Il doit sauver de la vie. L'ascèse de l'artiste l'amène à se retirer du monde et à fuir les plaisirs qui risquent de le distraire de son œuvre assimilée à une véritable somme du vrai, du bien et du beau. Ainsi a-t-on pu dire de Proust que, pour accomplir son œuvre, il « avait mené une vie d'ascèse ».

→ *Stoïcisme – Mysticisme*

ASSONANCE nom fém. – 1. Homophonie (mêmes sons) de la dernière voyelle accentuée de deux vers.

Il y a dans l'assonance identité de la dernière voyelle accentuée, mais non des consonnes qui suivent (bol, gomme, ocre, or, ode, lobe, etc.). Dans l'histoire du vers français, l'assonance a précédé la rime qui n'est apparue qu'au XIIe siècle.

2. Répétition d'un son vocalique dans un texte quel qu'il soit de manière à en renforcer l'expressivité.

Les poètes symbolistes ont usé et abusé de ce procédé stylistique, déjà très fréquent dans la poésie de Baudelaire. Ainsi, dans ce vers tiré de « Correspondance », le jeu sur les « o » nasalisés ou non :

« Comme de longs échos qui de loin se confondent. »

→ *Allitération – Laisse – Rime*

ASYNDÈTE nom fém. – Absence d'un élément de liaison entre deux mots ou deux groupes de mots quand cet élément est normalement attendu.

ÉTYM. : de *a* privatif et de *sundetos* = « qui est lié », donc littéralement « qui n'est pas lié ».

L'*asyndète* peut exister entre deux mots. Quand on dit « sur le plan intelligence », on laisse l'interlocuteur compléter la phrase (sur le plan de *l'*intelligence). Il en est de même quand quelqu'un dit « Je ne suis pas très fromage » qui est toujours compris « Je ne suis pas très amateur de fromage ».

L'asyndète peut exister aussi entre deux éléments d'une phrase. Ainsi dans cette formule de Pascal : « *La vraie éloquence se moque de l'éloquence, la vraie morale se moque de la morale.* »

Il manque l'élément de liaison (le mot « comme » à la place de la virgule). La suppression de ce terme de liaison renforce l'expression dans la mesure où le rapport logique apparaît avec plus d'évidence et de force quand les éléments sont simplement juxtaposés.

→ *Parataxe – Ellipse*

ATHÉISME nom. masc. – Attitude philosophique consistant à nier l'existence de Dieu.

ÉTYM. : venu du grec et formé avec le privatif *a* et *théos* = « dieu ».

Le mot athée a souvent été employé, notamment dans les querelles religieuses du XVIᵉ siècle, pour désigner, dans un contexte polémique, tous ceux qui s'écartaient un tant soit peu de la croyance dominante. C'est, par exemple, en l'accusant d'athéisme que l'on pendit et brûla, en 1546, Étienne Dolet.

Il faudra attendre, en fait, le XVIIIᵉ siècle pour que l'athéisme s'affirme ouvertement à travers les œuvres d'Helvétius, de Diderot, de La Mettrie et du baron d'Holbach.

→ *Agnosticisme – Déisme – Panthéisme*

AUFKLÄRUNG – Nom donné au XVIIIᵉ siècle, dans les pays germaniques, à un mouvement d'idées parallèle et proche de la philosophie française des Lumières.

ÉTYM. : *die Aufklärung* vient du verbe *aufklären* (éclaircir, tirer au clair, élucider) qui vient lui-même de l'adjectif *klar* (clair, distinct).

AUTEUR nom masc. – Littérature. Personne qui crée un texte.

ÉTYM. : en latin, l'*auctor*, c'est le garant, le répondant, celui qui pousse à agir, le promoteur, celui qui produit.

L'auteur peut écrire son texte ou le dicter. Il est aujourd'hui le « propriétaire » de son texte, mais peut déléguer sa propriété à un éditeur. Dans ce cas, l'éditeur le rémunère en lui versant des « droits d'auteur ».

Cette notion de « droits d'auteur » est relativement récente. Le mouvement pour la reconnaissance des droits d'auteur vit le jour au XVIIIᵉ siècle, en particulier sous l'impulsion de Beaumarchais.

Il ne faut pas confondre l'*auteur* et le *narrateur* (se reporter sur ce point à « Narrateur »).

→ *Narrataire – Narrateur*

AUTOBIOGRAPHIE nom fém. – Œuvre littéraire qui a pour sujet la vie et la personnalité de son auteur.

EXEMPLES : les *Confessions* de Rousseau, *Les Mots* de Sartre (1964), *La Règle du jeu* de Michel Leiris (1948-1955-1966-1976).

On peut trouver l'origine de l'autobiographie dans le principe socratique adjoignant à chaque homme de se connaître soi-même et, dans cet esprit, y rattacher des œuvres comme les *Essais* de Montaigne. Cependant, le terme *autobiographie* (étymologiquement « biographie de soi-même ») implique l'idée d'un récit centré sur une vie. L'autobiographie se distingue en cela du *journal* qui ne reconstitue pas le vécu mais le côtoie. Elle se distingue aussi des *mémoires* qui font une plus grande part aux événements historiques et politiques.

En raison de l'individualisme de notre temps, l'autobiographie est très en faveur aujourd'hui aussi bien dans la vie littéraire que dans les études scolaires.

Pour un approfondissement de cette question, on se reportera aux travaux de Philippe Lejeune (*L'Autobiographie en France*, chez Armand Colin, *Le Pacte autobiographique ; Je est un autre* ; *Moi aussi*, au Seuil).

→ *Biographie – Mémoires*

AUTOMATIQUE (écriture) – Expression inventée par les poètes surréalistes pour désigner un nouveau procédé de création poétique fondé sur des associations d'images et de mots irrationnelles et spontanées.

L'*écriture automatique* a caractérisé la première phase de l'expérimentation surréaliste, celle dite des « sommeils ». Dans leur désir de libérer totalement l'inspiration des règles et des contraintes formelles, André Breton et ses amis se mettaient délibérément dans un état médiumnique, de façon à délivrer les pulsions du subconscient. Cette démarche relevait de la volonté des surréalistes de « *passer la tête à travers les barreaux de la logique* ».

Breton a lui-même défini ce mode nouveau de création poétique à l'occasion du premier *Manifeste du surréalisme* (1924), dans lequel il se réfère à une étude sur le cas de Robert Desnos intitulée « Entrée des médiums ». Il raconte qu'il avait été amené à fixer son attention « *sur des phrases plus ou moins partielles qui, en pleine solitude, à l'approche du sommeil, deviennent perceptibles pour l'esprit sans qu'il soit possible de leur découvrir une détermination préalable* ».

Robert Desnos manifestait, semble-t-il, une aptitude particulière à se mettre en état de transe et à proférer des messages énigmatiques comme jaillis directement du subconscient le plus profond. À vrai dire, on a appris, par la suite, qu'il entrait dans son cas une bonne part de simulation. On lui doit toutefois les jongleries verbales souvent éblouissantes de *Rose Sélavy*.

Malgré la volonté sincère de dissocier la poésie de la rhétorique, on est donc en droit de se demander si les surréalistes n'avaient pas inventé là, sans le savoir, une nouvelle rhétorique, aussi artificielle que celle des « grands rhétoriqueurs » de la fin du Moyen Âge ou que celle des poètes alexandrins.

En tout cas, il est certain que, dès le premier texte surréaliste, *Les Champs magnétiques* (1920), écrit par André Breton et Philippe Soupault, l'écriture automatique est devenue le principal mode de production de la poésie surréaliste. On trouvera des exemples de l'effet de surprise et d'étrangeté ainsi créé dans les œuvres de Breton (*Le Revolver à cheveux blancs*) ainsi que dans celles de Benjamin Péret et du premier Eluard (*Capitale de la douleur, La Rose publique*).

→ *Psychanalyse – Surréalisme*

AUTORITÉ (principe d') – Principe selon lequel on présente ou on reconnaît une chose comme vraie au nom d'une « autorité » quelconque, celle d'une tradition, d'une doctrine, d'une idéologie ou d'une personne, et non selon des critères rationnels et objectifs.

ÉTYM. : nous avons vu à « auteur » que, en latin, l'*auctor* était le « garant », le « répondant ». Le sens de « garant » a conduit au mot *auctoritas* (qualité de celui qui garantit, sur qui on peut compter) d'où « autorité », « ascendant ».

Il y a donc, dans les cas évoqués dans la définition, une tradition, un texte ou une personne qui *font autorité*, c'est-à-dire qu'ils sont intangibles et qu'on ne discute pas leurs injonctions.

Dans notre histoire culturelle, le *principe d'autorité* renvoie en fait à deux traditions :

– la tradition gréco-latine et le principe d'imitation des anciens qui a été, par exemple, le credo du classicisme français ;

– la tradition chrétienne et l'obligation de croire aux dogmes de l'Église et aux textes sacrés.

Ces deux traditions ont été ébranlées par l'émancipation de l'esprit critique.

→ *Critique (Esprit)* – *Dogmatisme* – *Libertin* – *Libre-examen*

AUXILIAIRE nom masc. – Théorie littéraire. Celui des actants qui, chez Propp, aide le héros de différentes manières.

ÉTYM. : venu du latin *auxiliaris* dérivé de *auxilium* = « secours », « renfort », formé sur le verbe *augere* = « faire croître », « s'accroître ».

L'auxiliaire peut aider le héros à se déplacer, à faire face à un besoin, à gêner ses poursuivants, à résoudre un problème quelconque, à se transformer, etc.

CITATION : « *La liste des auxiliaires que l'on trouve dans le conte merveilleux est assez longue. Les auxiliaires sont toujours constitués par des objets magiques tels que le tapis volant, l'aigle, le cheval ou le loup qui servent à transporter le héros dans un autre royaume* » (Vladimir Propp).

→ *Actant*

AVANT-GARDE nom fém. – Groupe artistique qui rejette la tradition et propose des formes nouvelles supposées exprimer l'esprit moderne.

Le terme d'avant-garde, dans cette acception, est apparu au XIXᵉ siècle, mais n'a pas toujours été en honneur. Baudelaire, pourtant fondateur à tant d'égards de notre modernité, se gaussait de son origine militaire.

C'est dans les années 1910 et 1920 et surtout avec l'expansion du mouvement futuriste que l'avant-garde est devenue synonyme :
– d'une part, de la liberté illimitée qui était reconnue à la création artistique individuelle ;
– d'autre part, du pouvoir accordé aux poètes et aux artistes de changer le monde par l'art.

Jusqu'à nos jours, le mot avant-garde a gardé cette ambiguïté et on l'emploie aussi bien pour exprimer une volonté d'expérimentation formelle que pour signifier les ambitions utopiques d'une élite intellectuelle et artistique.

Le mot est aussi employé en politique : « *Le parti communiste est l'avant-garde du prolétariat.* »

→ *Futurisme – Modernisme – Surréalisme*

B

BALLADE nom fém. – 1. Poème à forme fixe composé de trois couplets et d'un envoi commençant par le mot « Prince ». 2. Poème de forme libre sur un sujet emprunté à la vie quotidienne ou à la légende.

ÉTYM. : la « ballade », avant de devenir le poème à forme fixe que l'on connaît, a d'abord été une « *chanson de bal* ».

La *ballade* dans le premier sens est un poème « à forme fixe », ce qui signifie que sa construction est codifiée par des règles précises. Les trois couplets et l'envoi se terminent par le même vers qui joue le rôle d'un refrain. Tous les vers ont le même nombre de syllabes (8 ou 10). Les couplets sont sur les mêmes rimes. Les couplets peuvent comporter 8, 10 ou 12 vers. L'envoi en comporte 4 quand le couplet est de 8 vers, et 5 quand il est de 10. L'envoi commence par le mot « Prince ». Nous parlons ici de la ballade régulière, car il y eut de nombreuses variations à partir de ce modèle.

Le genre apparaît au XIVᵉ siècle et il sera illustré notamment par Christine de Pisan (XIIIᵉ et XIVᵉ siècles), Charles d'Orléans (XIIIᵉ et XIVᵉ siècles), François Villon (XVᵉ siècle) *Ballade des pendus, Ballade des dames du temps jadis*, Clément Marot (XVᵉ et XVIᵉ siècles). En dépit de quelques retours en vogue au XVIIᵉ siècle, le genre connaît une éclipse assez longue. Il connaît un renouveau au XIXᵉ siècle avec Théodore de Banville, Jules Lemaitre, Richepin, Mendes, Rostand, Paul Fort (on se souvient, en particulier, de celle qui figure dans Cyrano de Bergerac à l'occasion du duel de Cyrano avec le vicomte de Valvert).

Les romantiques et notamment Hugo (*Odes et ballades*)

s'intéresseront plutôt à la ballade au second sens, peut-être sous l'influence de l'Allemagne.

BANDE DESSINÉE – Suite de dessins complétés le plus souvent par des « bulles » et articulés autour d'une histoire plus ou moins structurée.

Par abréviation BD. La BD, longtemps considérée comme un genre mineur, a conquis aujourd'hui ses lettres de noblesse. Elle le doit, en particulier, à de grands artistes comme Moebius et Druillet.

→ *Infralittérature – Paralittérature*

BARBARISME nom masc. – Faute de langue consistant à forger un mot qui n'existe pas ou à déformer un mot qui existe. EXEMPLES : pour le premier cas (une « professeuse »), et pour le second (le « lévier » pour l'« évier » ou les « indépendances » pour les « dépendances »).

→ *Impropriété – Pataquès – Solécisme*

BAROQUE nom. masc. et adj. – 1. Sens historique. Mouvement artistique et littéraire né dans l'Italie de la Contre-Réforme (1580) et dont le style orné, éclatant et sensuel s'est répandu dans l'ensemble de l'Europe au cours du XVIIᵉ siècle, se heurtant à la rigueur du classicisme français.
2. Sens général. Par extension, d'une façon abusive et impropre, on a pris l'habitude d'appeler « baroque » toute œuvre ressentie comme bizarre, artificielle, se situant hors des normes et portant la marque d'une imagination débridée, au mépris de la ressemblance et du goût.

ÉTYM. : le mot *baroque* vient du portugais *barroco* qui désigne une « perle irrégulière ». Le mot a d'abord contenu l'idée d'« extravagance », de « bizarrerie » avant de désigner – seulement au début de ce siècle – une catégorie esthétique.

On remarque que, comme pour « Renaissance » ou « Classicisme », le mot n'était pas employé par les contemporains du mouvement.

L'esthétique *baroque* a été la traduction artistique des directives du concile de Trente (1563) qui voulait garder à l'Église catholique son influence et son prestige par les manifestations extérieures du culte et la fascination des images.

C'est pourquoi le baroque apparaîtra d'abord dans l'architecture et la sculpture italiennes avec les œuvres du Bernin (1598-1680) et de Borromini (1599-1667).

La peinture baroque aura essentiellement une fonction ornementale et traitera les sujets religieux avec une sensualité et une séduction toutes mondaines. Par analogie avec les arts plastiques, les spécialistes se sont efforcés, sans vraiment y parvenir, de cerner le concept de « musique baroque ».

D'une manière générale, la notion d'« irrégularité », présente dans l'étymologie, s'associe toujours à celle d'une expressivité extrême due à la prédominance de la sensibilité sur les critères rationnels et à la liberté de l'invention créatrice individuelle aux dépens des règles académiques. C'est en cela que le baroque s'oppose au classicisme.

Les jésuites, principaux artisans de la Contre-Réforme, ayant été à l'origine de nombreuses constructions d'édifices religieux dans ce style – en Europe, mais aussi en Amérique du Sud –, on parle parfois à ce propos d'une *architecture jésuite*. Dans cette acception, le mot se réfère plus précisément à l'église du *Gesù* à Rome.

Dans la littérature française, le baroque constitue une transition entre la fin de la Renaissance et les débuts de la doctrine classique.

En poésie, ce passage s'incarne dans les œuvres d'Agrippa d'Aubigné, de Malherbe – d'abord poète baroque dans les *Larmes de saint Pierre* avant de proclamer la nécessité des règles.

Au théâtre, c'est Corneille qui exprime le mieux le conflit entre les deux tendances antagonistes. *L'Illusion comique* (1636) réunit tous les caractères et tous les thèmes de l'esthétique baroque, mais la querelle du *Cid* (1637) s'achèvera sur le triomphe de l'esprit classique.

On ne peut parler ni d'une école ni d'une doctrine *baroque*.

Le baroque recouvre plutôt, au XVIIᵉ siècle, d'une manière assez vague, une sensibilité et un climat. On aura parfois tendance à l'associer à différents courants qui manifesteront une résistance à l'hégémonie du classicisme : la préciosité, le maniérisme, le burlesque.

Certains spécialistes ont vu dans le baroque l'expression historique d'une tendance permanente de la littérature et de l'art qui s'incarnera plus tard dans le romantisme.

→ *Classicisme – Contre-Réforme – Réforme – Jésuite*

BEHAVIORISME nom masc. 1. Psychologie. Courant de la psychologie moderne qui repose sur l'observation du comportement.
2. Littérature. Technique du romancier s'attachant à montrer les personnages de l'extérieur, c'est-à-dire en focalisation externe.

ÉTYM. : formé sur le mot *behavior* qui, en anglais, désigne le « comportement ». On écrit indifféremment *behaviorisme* (sans accent sur le *e* comme en anglais, *béhaviorisme* et *behaviourisme*).

Fondé par John Watson aux États-Unis en 1913, le *behaviorisme* a regroupé les partisans d'une psychologie expérimentale, d'inspiration positiviste, se référant uniquement aux phénomènes observables et centrée sur la réaction de l'individu au milieu environnant.

Ce mouvement s'est développé aux États-Unis et en Europe jusqu'aux années 50 qui marquent son déclin.

En littérature, le behaviorisme a influencé certains romanciers américains tels que Hemingway et Steinbeck qui s'attachent à montrer les personnages de l'extérieur en décrivant seulement leur comportement.

→ *Focalisation – Réalisme – Regard*

BEST-SELLER nom masc. – Livre connaissant un grand succès et, de ce fait, vendu à un grand nombre d'exemplaires.

ÉTYM. : mot anglais où l'on reconnaît *best* = « meilleur » et le verbe *to sell* = « vendre ».

La Bible serait le meilleur des best-sellers, suivie sans doute de près par le Coran.

BEYLISME nom masc. – Philosophie de la vie qui se dégage des romans de Stendhal, de son vrai nom Henri Beyle.

Le *beylisme* caractérise une attitude devant la vie que Stendhal prête à la plupart de ses personnages et qu'il développe dans son œuvre autobiographique. Les préoccupations politiques et morales s'y mêlent curieusement à une perspective esthétique et romanesque qui sublime chaque moment vécu.

Le refus des compromissions sociales y apparaît comme une condition de la « chasse au bonheur » fondée sur la quête des expériences les plus intenses, le culte de l'amour et de l'énergie ainsi qu'une exigence aussi lucide que passionnée envers les autres et envers soi-même.

Les aspirations de Stendhal s'incarnent dans des personnages comme Julien Sorel (*Le Rouge et le Noir*) ou Fabrice del Dongo (*La Chartreuse de Parme*).

→ *Romantisme*

BIBLE nom fém. – Livre sacré, c'est-à-dire où s'exprime la parole de Dieu, de plusieurs religions originaires du Moyen-Orient.

ÉTYM. : se rattache au grec *biblion* = « livre ». À l'origine, la Bible, c'était *Le Livre* ou *Les Livres* (en latin *biblia*).

On distingue, dans la Bible, *l'Ancien Testament* et le *Nouveau Testament*. Les juifs n'admettent pas le caractère sacré du Nouveau Testament, et la Bible se réduit donc pour eux à l'Ancien Testament.

L'Ancien Testament est constitué par des textes rédigés avant la venue du Christ (que les juifs ne considèrent pas comme le Messie). La parole de Dieu s'y exprime par l'intermédiaire des prophètes.

Les religions chrétiennes (se rattachant au Christ considéré comme le fils de Dieu) admettent le caractère sacré de l'Ancien et du Nouveau Testament. Dans le Nouveau Testament, la parole de Dieu s'exprime par l'intermédiaire de différents apôtres du Christ. Ce Nouveau Testament correspond à une profonde mutation par rapport à l'Ancien Testament, puisqu'un Dieu d'amour remplace un Dieu vengeur.

Pendant longtemps, on a parlé de *L'Écriture*, de *L'Écriture sainte* ou des *Écritures* plutôt que de la Bible.

L'Ancien Testament est écrit en hébreu à l'exception des livres écrits en araméen ou en grec. Le Nouveau Testament est écrit en grec. Il existe de très nombreuses traductions. La traduction en latin qui a longtemps fait autorité s'appelle la *Vulgate*. Elle est due à saint Jérôme (fin du IVᵉ siècle-début du Vᵉ siècle).

La Bible a joué un rôle fondamental dans la formation de nombreux écrivains et tout spécialement pour ce qui est du monde anglo-saxon.

BIBLIOGRAPHIE nom fém. – 1. Discipline qui consiste à classer, décrire, répertorier les textes imprimés.
2. Liste des œuvres d'un auteur, accompagnée d'informations sur la date et le lieu de publication, l'éditeur et parfois des éléments de description.
3. Ensemble des livres et articles qui se rapportent à un sujet donné, qu'il s'agisse d'une œuvre, d'un auteur, d'une doctrine ou d'une période.

EXEMPLES : la bibliographie de Napoléon, de Flaubert, des *Fleurs du mal*, du Nouveau Roman, etc.
4. Liste des publications auxquelles un auteur s'est référé dans un travail et qui est généralement récapitulée à la fin de l'ouvrage.

On parlera, dans ce sens, de « la bibliographie d'une thèse ».

ÉTYM. : du grec classique *biblion* = « livre », et d'un dérivé du verbe grec *graphein* = « écrire ».

BIENSÉANCE nom fém. – Ce qui est jugé convenable dans une société donnée, ce qui « sied bien », c'est-à-dire ce qui est conforme aux mœurs et aux conventions sociales.

Les *bienséances* constituent l'une des principales règles de la doctrine classique. Cette règle interdisait de montrer au théâtre tout ce qui était de nature à choquer le public. C'est ainsi que les scènes de violence, de même que les actes familiers de la vie quotidienne ne pouvaient être représentés dans une tragédie.

Plus profondément, les bienséances traduisent un principe qui a été l'un des ressorts du classicisme : la sociabilité, la priorité donnée aux conventions sociales sur les aspirations individuelles, le sens de la mesure.

Alceste dans *Le Misanthrope* de Molière est ridicule parce que, au nom de la sincérité, il ne craint pas de braver les bienséances qu'il considère comme de l'hypocrisie. Stendhal, au XIXe siècle, ironisera sur ce souci de bienséance des Français, leur préférant la passion des Italiens.

BILDUNGSROMAN nom masc. − Mot emprunté à l'allemand et qui désigne le « roman d'apprentissage » ou le « roman d'éducation ».

ÉTYM. : du verbe *bilden* = « former » qui vient lui-même de *das Bild* = « l'image ».

Dans le *Bildungsroman*, dont le modèle a été donné par Goethe dans *Les Années d'apprentissage de Wilhelm Meister* (1797), l'auteur nous montre un personnage s'initiant à la vie et découvrant la nécessité de s'adapter à la société.

BIOGRAPHIE nom fém. − Œuvre de caractère historique ou documentaire qui a pour objet la reconstitution la plus véridique possible d'une vie décrite de l'extérieur et fondée sur des témoignages, des souvenirs, des documents authentifiés.

ÉTYM. : formé sur le radical grec *bios* = « vie » et un dérivé du verbe grec *graphein* = « écrire ».

La *biographie* est en principe centrée sur la vérité des faits et non sur une recherche esthétique. Cela n'exclut pas les biographies d'une grande valeur littéraire comme la *Vie de Rancé* de Chateaubriand.

À notre époque, des écrivains célèbres ont écrit des

biographies qui doivent une grande part de leur succès à leur talent de narrateur. On peut citer André Maurois, auteur entre autres d'*Olympio ou la vie de Victor Hugo*, et Henri Troyat, qui s'est spécialisé dans les grands personnages du monde slave.

Plus récemment, l'écrivain italien Pietro Citati a renouvelé le genre en écrivant des « biographies racontées », mais s'appuyant exclusivement sur des documents authentiques : *Tolstoï*, *Kafka*.

Il existe aussi des *biographies romancées* se caractérisant par l'approximation sur le plan historique et le souci du pathétique. Ce genre relève souvent de la « sous-littérature ».

→ *Autobiographie – Mémoires*

BLASON nom masc. – Histoire littéraire. Type de poème centré sur l'évocation détaillée d'un être, d'un objet ou même seulement d'une partie du corps féminin.

ÉTYM. : le mot *blason*, peut-être venu d'un mot germanique signifiant « bouclier », a d'abord désigné le dessin plus ou moins complexe qui servait d'emblème à une famille noble ou à une collectivité (les « armoiries »). De l'idée d'une concentration de sens, on est sans doute passé, par allusion, au sens littéraire.

Ce type de poème dont la mode fut lancée en France par Clément Marot fit fureur au XVIᵉ siècle. Les plus célèbres, que l'on peut lire dans l'*Anthologie des poètes du XVIᵉ siècle* (collection de la Pléiade), concernent les différentes parties du corps féminin : blason du beau tétin (tétin = sein), du pied, de la main, du genou, du nombril et même d'autres parties du corps plus intimes. Par réaction, on verra se développer le *contre-blason* fondé sur le même principe, mais de caractère satirique.

Cette forme littéraire disparaîtra après le XVIᵉ siècle même si des textes comme *L'Union libre* de Breton y font penser. Etiemble se souviendra de cette forme ancienne quand il intitulera l'un de ses romans *Blason d'un corps*.

BOHÈME nom fém. – Genre de vie mené par les artistes, et, parfois aussi, le milieu artiste lui-même.

ÉTYM. : le mot se rattache à la Bohême, région d'Europe centrale d'où venaient les tsiganes (les « bohémiens »). Il s'agit sans doute d'un terme créé par allusion à la vie considérée comme libre des tsiganes.

Le mot a été lancé par les romantiques. Il a été popularisé par les *Scènes de la vie de bohème* (1848), savoureuses nouvelles de Murger, mais reste encore en usage comme en témoigne une chanson d'Aznavour (*La bohème*).

La *bohème* sous-entend le caractère libre et désordonné de la vie d'artiste, par opposition à la vie normale, sage et réglée du milieu bourgeois. Mais ce mot fait aussi allusion aux difficultés matérielles auxquelles se heurtent ceux qui ont décidé de se consacrer exclusivement à leur art au mépris des considérations pratiques.

→ *Bourgeois – Romantique*

BON SENS – 1. Philosophie. Chez Descartes, la raison, l'aptitude à raisonner, qui permet de distinguer le vrai du faux. 2. Sens courant. Faculté de juger sainement, de façon instinctive, sans faire appel à des connaissances ou des raisonnements compliqués.

Ainsi, pour cette dernière acception, on parlera du « bon sens populaire », plus juste et plus efficace parfois que de savantes argumentations.

Il y a lieu, évidemment, de ne pas confondre le sens philosophique et le sens familier. Quand Descartes affirme « *Le bon sens est la chose du monde la mieux partagée* », il ne se réfère pas au second sens, car il suffit de regarder autour de soi pour constater le contraire. Il veut dire que tous les hommes sont doués de la *raison*, laquelle peut leur permettre d'atteindre la vérité s'ils l'utilisent avec une bonne *méthode*.

→ *Cartésianisme – Raison*

BOULEVARD (Théâtre de) Voir Théâtre

BOURGEOIS nom masc. et adj. − 1. Moyen Âge. Habitant d'un « bourg » et donc citadin par opposition au « vilain », l'habitant des campagnes.

Le « bourgeois », en tant qu'habitant du « bourg », jouissait de droits particuliers, ce qui le rendait plus indépendant de la noblesse que le paysan.

2. Du XVIᵉ au XVIIIᵉ siècle. Classe moyenne intermédiaire entre le peuple et la noblesse.

Le mot avait pris, dans ce cas, un sens plutôt privatif, puisqu'il désignait celui qui jouissait d'une certaine aisance, mais non des privilèges attachés à la noblesse. Tout bourgeois, de ce fait, cherchait à devenir « gentilhomme ».

3. Chez les romantiques et leurs successeurs. Catégorie sociale s'opposant aux artistes par sa peur du risque, son souci de l'apparence, son mauvais goût, son absence de jugement artistique, la tendance à ne s'en tenir qu'aux critères matériels et pratiques.

Déjà chez Molière, dans *Les Précieuses ridicules* apparaît ce mépris pour le prosaïsme du bourgeois : « Ah ! mon père, ce que vous dites là est du dernier bourgeois. »

4. Chez Marx. La classe des capitalistes (ceux qui possèdent le capital et les outils de production) par opposition aux « prolétaires » qui ne possèdent rien d'autre que leur force de travail.

Le sens courant du mot aujourd'hui est un composé du troisième et du quatrième sens. Il comporte l'idée d'aisance, mais aussi celle d'une absence d'idéal et d'originalité.

→ *Bohème* – *Romantique*

BOUTS-RIMÉS nom masc. toujours pluriel – Poème fait avec des rimes données à l'avance.

Il va de soi qu'avec ce type d'exercice dans lequel les « bouts » de vers sont imposés nous sommes dans le domaine de l'exercice mondain, de la seule versification plus que de la vraie poésie.

BOVARYSME nom masc. − Mot forgé sur le nom de l'héroïne du roman de Flaubert, *Madame Bovary* (1857), et désignant une propension à confondre les rêves et la réalité, à préférer les voluptés des lectures romanesques aux mesquineries de la vie quotidienne.

Le mot sous-entend aussi les erreurs de jugement auxquelles expose une pareille attitude.

BURLESQUE nom masc. et adj. − 1. Histoire littéraire. Genre littéraire en vogue de 1640 à 1660 et qui a traduit une résistance au classicisme.
2. Sens moderne. Comique outré, très stylisé, reposant sur des procédés mécaniques, sans souci de la vraisemblance.
EXEMPLES : les films muets de Charlot, Buster Keaton, Harold Loyd, Laurel et Hardy.
ÉTYM. : venu de l'italien *burlesco*, lui-même de *burla* = « farce ».

Le burlesque, tel qu'il apparaît au XVIIᵉ siècle, repose sur la parodie et il est marqué par une volonté de liberté et de dérision. Il consiste souvent à transcrire les genres nobles sur le mode trivial ou à parler de questions triviales dans le style des genres nobles.

Représenté surtout par Scarron, l'auteur du *Roman comique* (1651) et du *Virgile travesti* (1648-1652), le burlesque du XVIIᵉ siècle a traduit la continuité de la littérature populaire à une époque dominée par des préoccupations savantes et académiques.

En cela, le burlesque assume l'héritage d'une tradition qui remonte à Rabelais et au-delà aux soties, aux fabliaux et aux farces du Moyen Âge, voire aux facéties des « goliards », ces moines auteurs des fameux *Carmina Burana* parodiant la messe d'une façon souvent gauloise et scatologique.

Il faut noter que la volonté parodique propre à l'esprit populaire, propre au burlesque, bien que tournant en moquerie les valeurs consacrées par le classicisme, n'a pas été vraiment incompatible avec celui-ci. Boileau lui-même, le théoricien de la doctrine classique, appréciait le burlesque à la fois comme l'expression d'un bon sens naturel et comme un moyen satirique.

Il s'y exercera lui-même dans *Le Lutrin* où il décrit dans un style épique une banale querelle d'hommes d'Église.

Le burlesque s'est perpétué par la suite. On le retrouve, par exemple, au XIXe siècle, dans l'œuvre d'Offenbach. Au moment de la crise qui conduira vers l'art moderne, à la fin du XIXe siècle, le procédé de renouvellement des valeurs esthétiques consistant à abaisser, trivialiser les notions et les thèmes consacrés provient directement de la tradition burlesque. Il en va de même pour une partie du théâtre contemporain.

→ *Baroque – Grotesque*

C

ÇA nom masc. – (Psychanalyse). Pulsions enfouies dans le subconscient.

Le terme est traduit de l'allemand *das Es* = « le cela ».

Dans *Le Livre du ça*, Georg Grodeck, médecin autrichien que l'on considère comme le fondateur de la médecine psychosomatique et qui correspondit avec Freud, donne au ça, c'est-à-dire au subconscient, la primauté sur le *moi* conscient.

Le *moi* ne serait, selon Grodeck, qu'une illusion rassurante. Tous les événements de la vie humaine, et même les maladies les plus graves, s'expliqueraient par l'intervention du ça, c'est-à-dire par le jeu des pulsions refoulées : « *N'oubliez jamais que notre cerveau et, avec lui, notre raison, sont une création du ça... le ça de l'être humain « pense » bien avant que le cerveau n'existe ; il pense sans cerveau ; il construit d'abord le cerveau.* »

Freud définira le ça comme un « *autre territoire psychique plus étendu, plus vaste, plus obscur que le* moi, *le* moi *étant la couche externe, périphérique du ça* ».

« *Le* moi, écrira encore Freud, *est une organisation qui se distingue par une remarquable tendance à l'unité, à la synthèse ; ce caractère manque au ça. Celui-ci est, pour ainsi dire, incohérent, décousu, chacune de ses aspirations y poursuit son but propre et sans égard aux autres.* » (*Ma vie et la psychanalyse*)

CABALE nom fém. – 1. Dans la tradition juive, interprétation savante de l'Ancien Testament réservée à un cercle d'initiés.

On écrit souvent *kabbale* dans ce sens.

2. Par extension, science occulte permettant de communiquer avec les êtres surnaturels.

3. Intrigues obscures de gens réunis autour d'un même dessein caché.

ÉTYM. : vient de l'hébreu *gabalah* = « tradition ».

Le troisième sens reprend des sens précédents l'idée de complicité secrète et de pouvoir initiatique. Il apparaît au XVIIe siècle. Ainsi la « cabale des dévots » dénoncée par Molière dans *Tartuffe*. Le mot se rapporte alors à la terreur morale exercée par la *Compagnie du Saint-Sacrement*. Mais on le trouve employé dans un sens plus vague et plus général exprimant une tendance de la société à tolérer ou à favoriser toutes sortes de menées hypocrites :

« Non, je tombe d'accord de tout ce qui vous plaît,
Tout marche par *cabale* et par pur intérêt. »
(Molière, *Le Misanthrope*)

L'adjectif *cabalistique* se rapporte à quelque chose de mystérieux s'apparentant à la magie (des signes cabalistiques, un texte cabalistique).

CACOPHONIE nom fém. – 1. Effet désagréable, contraire à l'« euphonie », qui se produit quand deux lettres ou deux syllabes se rencontrent ou se répètent.

2. Par extension, amalgame voulu d'éléments stylistiques appartenant à des registres opposés.

ÉTYM. : vient des mots grecs *kakos* = « mauvais » et *phônê* = « voix ».

La *cacophonie*, dans le premier de ces sens, est toujours perçue de manière négative, comme la marque d'un style négligé, sauf dans le cas de la cacophonie imitative qui procède d'une intention expressive ou parodique.

Dans le second de ces sens, la *cacophonie* caractérise aussi bien les « fatrasies » du Moyen Âge que certaines œuvres comme *Ulysse* ou *Finnegans Wake*.

Les adversaires de Victor Hugo, qui lui reprochaient ses audaces ou même sa recherche de la cacophonie, avaient écrit ce quatrain :

« Où, ô Hugo, hûchera-t-on ton nom ?
Justice, enfin, que faite ne t'a-t-on ?
Quand donc au pic qu'académique on nomme
Grimperas-tu de roc en roc, rare homme ? »

→ *Euphonie*

CADENCE nom fém. – 1. Musique. Depuis le XVIe siècle, partie d'une pièce de musique qui lui sert de conclusion.
2. Rythme d'un morceau de musique, d'un vers ou d'une phrase.

ÉTYM. : se rattache au verbe latin *cadere* = « tomber » par l'idée d'une chose qui revient, qui « tombe » avec une certaine régularité.

La littérature a emprunté ce terme à la musique pour parler du rythme harmonieux d'une période ou d'un vers.

EXEMPLES : « *C'était à Mégara, faubourg de Carthage, dans les jardins d'Hamilcar* » (Flaubert, *Salammbô*).
« *La jeunesse est une chose charmante ; elle part au commencement de la vie couronnée de fleurs comme la flotte athénienne pour aller conquérir la Sicile et les délicieuses campagnes d'Enna* » (Chateaubriand, *Mémoires d'outre-tombe*).

→ *Accent – Mètre – Scansion*

CALEMBOUR nom masc. – Plaisanterie verbale jouant sur la différence de sens entre des mots ou des groupes de mots qui se prononcent de la même manière.

ÉTYM. : semble dérivé de *calembredaine*, terme d'ancien français désignant un jeu de mots fondé sur le coq-à-l'âne, l'équivoque.

EXEMPLES : « Je n'ai pas vu les cuillères » (pour l'écuyère).

Victor Hugo, durant la guerre de 1870, pour se moquer du général Trochu qu'il jugeait défaitiste, résumait la situation par ce calembour : « Trochu, participe passé du verbe trop choir. »

→ *Paragramme*

CALLIGRAMME nom masc. – Poème expérimental se caractérisant par une correspondance entre le contenu du texte et le dessin formé par la disposition typographique.

ÉTYM. : c'est Apollinaire qui a inventé le mot et remis à la mode la forme du *calligramme*. Sur les mots grecs *kallos* = « beauté » et *gramma* = « chose écrite, tracée » ou *grammê* = « ligne », se rattachant à *graphein* = « écrire », « dessiner ».

Le recueil d'Apollinaire intitulé justement *Calligrammes* (1917) illustre la corrélation étroite qui tend alors à s'établir entre la poésie et les arts plastiques. Cette recherche d'une fusion entre les modes d'expression traduit le besoin de renouvellement des formes et des procédés artistiques. Toute cette période est placée sous le signe d'une tendance à la « synthèse des arts ». C'est dans ce sens que l'on a pu parler, à propos d'Apollinaire et de Cendrars, de poésie « cubiste ».

Si Apollinaire a inventé le mot *calligramme*, la chose, en fait, a existé dans des périodes bien antérieures et notamment au Moyen Âge. Le calligramme, par ailleurs, était très répandu au début de ce siècle dans l'imagerie populaire de caractère sentimental.

→ *Ponctuation*

CANON nom masc. – 1. Règle dans le domaine religieux.
2. Esthétique. Règle permettant de créer une belle œuvre.
3. D'une manière générale, norme, règle.

ÉTYM. : formé à partir du mot grec *kanôn* = « règle ».

Les *canons* de l'Église étaient les règles qui organisaient cette Église et notamment les règles édictées par les conciles. Le *droit canon* était le droit s'appuyant sur ces règles et donc le droit propre aux gens d'Église.

L'« âge *canonique* » était l'âge auquel, selon les *canons* de l'Église, une femme était autorisée à devenir la servante d'un curé, d'où aujourd'hui l'idée d'un âge relativement avancé.

→ *Règle – Unités*

CARTÉSIANISME nom masc. – Doctrine de Descartes fondée sur la primauté de la raison et sur le doute méthodique substituant l'usage de l'esprit critique au principe d'autorité.

On peut, en fait, distinguer plusieurs emplois du terme *cartésianisme* :

– un emploi restreint qui se réfère uniquement au dualisme de la pensée cartésienne caractérisée par l'opposition entre l'esprit et la matière. Cette opposition est à la source des systèmes qui, en philosophie, se réclament de l'« idéalisme » ;

– un emploi plus large correspondant à une certaine vulgarisation du terme et servant à désigner soit des qualités intellectuelles de clarté et de logique, soit une tendance à faire prévaloir la raison sur les passions.

C'est dans ce sens large que l'on parle de l'esprit cartésien des Français.

→ *Bon sens – Classicisme*

CASUISTIQUE nom fém. – 1. Partie de la théologie qui s'occupe des cas de conscience.
2. Par extension, raisonnement subtil et spécieux qui sert à dissimuler la mauvaise foi sous des artifices de rhétorique.

ÉTYM. : de l'espagnol *casuista* formé sur le latin *casus* = « cas de conscience ». Le « cas de conscience » était un problème moral que l'on pouvait résoudre par soi-même ou pour lequel on pouvait faire appel à un « directeur de conscience ».

La *casuistique* nous renvoie à la querelle entre les jésuites et les jansénistes, qui, grâce au rôle joué alors par Pascal, constitue un chapitre important de l'histoire des idées.

Dans les *Provinciales* (1656-1657), Pascal a, en effet, tourné en dérision la *casuistique* telle qu'elle était présentée et appliquée par les jésuites.

Dans leur souci de propagande de la foi et dans leur désir de se concilier les faveurs du « monde » (la société dominante), ceux-ci en étaient venus à minimiser sinon à supprimer la notion de péché. Ce qui comptait à leurs yeux n'était pas l'acte lui-même, mais l'intention dans laquelle on le commettait.

Selon leur casuistique, il n'y avait péché que lorsque l'acte était accompli en pleine connaissance et avec un refus volontaire de la grâce que Dieu nous envoie pour nous en détourner.

→ *Jésuite*

CATACHRÈSE nom fém. – Figure de rhétorique consistant à employer une métaphore quand la langue ne dispose pas d'un mot propre pour désigner un objet.

ÉTYM. : du grec *cata* = « vers le bas » (idée de descente, de dégradation) et de *chrèsis* = « usage », « emploi » ; donc, à l'origine, « emploi contre nature », « emploi abusif ».

EXEMPLES : on parle des *pieds* de la table, de la *bouche* d'égout, de l'*œil*-de-bœuf, des *bras* du fauteuil, d'un *cul* de lampe, de la *clé de voûte* d'un système de pensée.

La *catachrèse* est en fait une métaphore figée dont on oublie qu'elle est une métaphore. Les humoristes s'amusent parfois à la réactiver, ce qui aboutit à des absurdités : la mer est *démontée* ; quand est-ce qu'on la « remonte » ? Le régime est assis sur des baïonnettes.

→ *Comparaison – Métaphore*

CATHARSIS nom fém. – Processus par lequel l'esprit se purge de ses passions en les sublimant dans l'imaginaire.

ÉTYM. : mot grec *katharsis* = « purification », se rattachant lui-même à *katharos* = « pur » d'où est venu le mot « cathare » (secte religieuse).

Le terme *catharsis* est emprunté à la *Poétique* d'Aristote, philosophe grec au IVe siècle avant J.-C. Selon Aristote, en éprouvant des sentiments de terreur et de pitié devant les malheurs des personnages tragiques, les spectateurs se « purgent » de leurs propres passions : c'est la *catharsis*.

On retrouve cette notion dans toute théorie de la littérature tournée vers la rationalisation et donc la maîtrise des sentiments.

La doctrine classique, en particulier, a fait sienne cette fonction morale et sociale attribuée à la tragédie.

C'est une même « purgation » que Freud accomplira par la psychanalyse, méthode scientifique qui, à l'époque moderne, donne pour la première fois une réalité aux vertus jadis prêtées à l'exorcisme.

Le psychanalyste permet au névrotique de se « purifier » de ses pulsions dangereuses et malsaines en amenant à la conscience les souvenirs douloureux et coupables « refoulés » dans le subconscient. Quand on connaît les liens qui rattachent la création artistique à ce « refoulement », on comprendra mieux les réticences de certains artistes devant une science qui risque, à leurs yeux, de stériliser leur inspiration.

→ *Distanciation – Tragédie*

CENSURE nom fém. – Contrôle exercé par le pouvoir sur les productions intellectuelles et artistiques.

ÉTYM. : en latin, le *censor* était déjà « celui qui blâme ». De là est venu le sens administratif « celui dont le blâme peut empêcher la publication ». Mais, en latin, le mot a d'abord comporté l'idée de recensement des individus et des fortunes. L'idée de blâme n'est apparue qu'ensuite.

Il n'existe pas de pays dépourvu de censure. Le contrôle s'exerce simplement avec plus ou moins de rigueur et selon des procédures plus ou moins franches.

Au Moyen Âge, la censure fut assurée en France par l'Université de Paris, c'est-à-dire par la Sorbonne. À partir du XVIᵉ siècle, la papauté établit une liste des livres prohibés, liste appelée « Index », d'où l'expression « mettre à l'index » pour dire « prohiber ».

À l'époque des tsars, les passages refusés par la censure étaient recouverts d'encre noire. Cette technique fut appelée le « caviardage » par allusion à la couleur noire du caviar. En Union soviétique, les écrivains essayaient d'échapper à la censure par le biais des « samizdats », textes tapés à la machine et circulant sous le manteau. Pour éviter cette pratique, Ceaucescu (Roumanie) exigeait que les machines à écrire fussent déclarées aux autorités au même titre que peuvent l'être des armes dans d'autres pays.

L'autocensure est la censure qu'exerce lui-même le journaliste ou le rédacteur en chef pour éviter des ennuis.

De même que l'idéologie la plus pernicieuse est celle qui se cache, de même la censure la plus efficace est peut-être celle qui se dissimule sous une apparence de liberté. Ainsi un ouvrage n'est pas interdit, mais il est seulement « interdit à l'affichage » ; cette sanction de caractère économique est une censure qui n'ose pas dire son nom.

→ *Encyclopédie*

CÉSURE nom fém. – Interruption ou simple relâchement du flux verbal qui divise un vers en deux hémistiches.

ÉTYM. : du latin *caesura* se rattachant au verbe *caedere* au sens de « couper ».

La *césure* est d'autant plus perceptible que le vers est plus grand. C'est pourquoi elle est surtout marquée dans l'alexandrin qu'elle coupe en deux hémistiches de chacun six syllabes.

La césure entraîne parfois une véritable interruption du rythme, comme dans cet alexandrin de Corneille (*Cinna*) :
« Grâces aux dieux, Cinna, ma frayeur était vaine. »

Mais, dans un vers continu, la *césure*, bien que toujours présente, s'efface devant la nécessité de lier le débit, comme dans cet autre alexandrin du même Corneille :
« Votre douleur m'offense autant qu'elle m'afflige. »

Les règles relatives à la césure s'assouplissent dans la seconde moitié du XIXᵉ siècle.

→ *Alexandrin – Hémistiche*

CHARME nom masc. – 1. Langue classique. Pouvoir magique. Sortilège.
2. Attrait dont la nature est difficile à saisir.

ÉTYM. : vient du latin *carmen* = « formule magique » se rattachant à *cano* = « je chante ». Il désigne une chanson, puis une
poésie, puis une formule magique.

Pour plus d'informations sur le lien entre poésie et magie, se
reporter à l'excellente thèse d'Anne-Marie Tupet : *La Magie dans
la poésie latine*.

Comme c'est souvent le cas pour le vocabulaire de la vie affective, le mot a perdu de sa force originelle. Le sens primitif s'est
conservé en poésie :

« Charme profond, magique dont nous grise

Dans le présent, le passé restauré. »

(Baudelaire)

Carmen désignait à l'origine une formule magique, un poème
ayant une valeur incantatoire. Paul Valéry s'en souvient quand il
appelle l'un de ses recueils de vers *Charmes*. Le lien avec la magie
apparaît dans l'expression « charmeur de serpent ».

→ *Poésie*

CHIASME nom masc. – Figure de rhétorique reposant sur un
croisement des termes.

ÉTYM. : du grec *khiasma* = « croisement ».

Conformément à l'étymologie, le chiasme est un « croisement », un renversement dans l'ordre des termes.

Le *chiasme* a le plus souvent pour fonction de renforcer
l'expressivité, par désir de variété, par souci d'euphonie ou pour
mettre un élément en relief.

EXEMPLE :

« Ô nuits ni la clarté déserte de ma lampe

Sur le vide papier que la blancheur défend. »

Mallarmé procède à un « croisement » entre substantifs et
adjectifs.

Baudelaire fait de même dans les vers ci-dessous :

« Parcourir à loisir ces magnifiques formes
Ramper sur le versant de ses genoux énormes. »

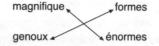

Il existe des *chiasmes* à tous les niveaux : sémantique, syntaxique, prosodique, phonique, thématique. Exemple de *chiasme* (ou « métathèse ») phonique (Baudelaire) :
« Tu contiens, mer d'ébène, un éblouissant rêve
De voiles, de rameurs, de flammes et de mâts. »

Chez certains écrivains, le *chiasme* n'est pas seulement un ornement de style, mais devient une véritable catégorie du langage et de la pensée, une sorte de thème obsédant exprimant, par exemple, soit un désir de fusion et de plénitude (Baudelaire), soit l'idée de réversibilité (Proust).

→ *Parallélisme*

CHRONIQUE nom fém. – 1. Récit historique au fil des événements et conduit sans un effort d'analyse et de synthèse.
2. Article de journal, émission de radio ou de télévision qui revient à intervalles réguliers.

ÉTYM. : se rattache au grec *khronos* = « temps ». « Chronique » est dérivé de *khronikon biblion* (livre – *biblion* – relatif au temps), expression désignant des livres d'annales – récits par année –, des listes d'événements datés.

Dans le premier de ces deux sens, le mot est employé pour des récits historiques au Moyen Âge comme les *Chroniques* de Froissart.

Dans le second sens, le mot implique une idée de périodicité, et, le plus souvent, de spécialisation (« il tient la chronique gastronomique dans ce journal »).

→ *Mémoires*

CHUTE nom fém. – 1. Dernier vers d'un sonnet et l'effet de rupture et de surprise savamment ménagé qui s'y rattache.
2. Par extension, conclusion inattendue d'un texte en prose ou en vers.

L'effet de rupture et de surprise produit par le dernier vers d'un sonnet constitue l'une des règles du genre. Dans ce sens, la *chute* repose sur la rupture sémantique entre le dernier vers et l'ensemble du sonnet.

La *chute* spirituelle destinée à briller et à surprendre a été cultivée de manière excessive dans la poésie galante pratiquée dans les salons précieux du XVIIᵉ siècle. Elle porte également, dans ce cas, le nom de « pointe ».

Un exemple de « pointe » nous est fourni avec le sonnet d'Oronte tourné en dérision par Alceste dans *Le Misanthrope* :
> « Belle Philis on désespère
> Alors qu'on espère toujours. »

Si dans la tradition classique du sonnet, la *chute* se caractérise surtout par l'ingéniosité verbale, elle sera par la suite, dans la poésie romantique et symboliste, fondée sur l'émotion poétique plutôt que sur la recherche de l'effet. Ainsi dans « La vie antérieure » de Baudelaire :
> « Et des esclaves nus tout imprégnés d'odeurs
> Qui me rafraîchissaient le front avec des palmes
> Et dont l'unique soin était d'approfondir
> Le secret douloureux qui me faisait languir. »

→ *Pointe*

CIVILISATION nom fém. – 1. Degré supérieur d'évolution de la société.
2. Ensemble des caractères sociaux, politiques, religieux, techniques, culturels qui définissent une société donnée.

ÉTYM. : du latin *civilis* de *civis* = « citoyen ». Le mot « civilisation » n'apparaît dans son sens moderne qu'au XVIIIᵉ siècle. Ce sens ne s'impose qu'au siècle suivant. On parlait jusque-là de « police » et d'un État « policé » (pour « civilisé »).

Chacune de ces définitions correspond à une vision du monde particulière. Le premier sens correspond à l'idée que les différents groupes humains se situent aux différents niveaux d'une sorte d'échelle des civilisations. La *civilisation* s'identifie alors au progrès qui éloigne l'humanité de la « barbarie », de l'« état sauvage ».

Le second sens correspond à l'idée qu'il n'y a pas *une*, mais des civilisations qui ont choisi chacune une voie différente et entre lesquelles il est pratiquement impossible d'établir des comparaisons.

Chez certains penseurs du début du XXe siècle, le mot *civilisation* a pris une acception particulière. Alexandre Blok en Russie, Oswald Spengler en Allemagne et, à sa suite, Heidegger ou Ernst Jünger, ont assimilé la civilisation au progrès technique et social et l'ont opposée à la « culture ».

→ *Culture – Relativisme*

CLASSICISME nom masc. – Doctrine artistique et littéraire qui s'est constituée en France vers le milieu du XVIIe siècle et a fixé pour un temps les règles de la littérature et de la langue.

ÉTYM. : du latin *classicus* = « de première classe ». Il s'agit, à l'origine, de la première des cinq classes du point de vue de la fortune telles qu'on les distinguait à Rome. Un écrivain de l'époque conseillait déjà de s'adresser de préférence aux *classici* plutôt qu'aux *proletarii* pour savoir ce qu'était la bonne langue. L'application de l'expression aux écrivains est due à Thomas Sébillet qui, dans son *Art poétique* (1548), recommandait certains écrivains qu'il considérait comme des modèles. C'est surtout depuis Voltaire que le mot classique est appliqué aux grands écrivains du XVIIe siècle.

La doctrine classique s'est développée dans une période d'intenses controverses littéraires que l'on peut circonscrire entre la querelle du *Cid* en 1637 et l'*Art poétique* de Boileau en 1674.

Elle a dominé la culture française et européenne des XVIIe et XVIIIe siècles. Elle s'est opposée victorieusement à l'esthétique baroque issue de la Contre-Réforme et a été à son tour remplacée par le romantisme au XIXe siècle.

Le classicisme a hérité certains principes de la Renaissance, comme celui de l'imitation des Anciens, et se situe dans le prolongement de l'humanisme, mais il a répondu aussi au besoin de rompre avec l'individualisme anarchique de l'époque précédente. C'est pourquoi il s'est défini par la recherche de l'ordre, de la clarté, de l'équilibre et de l'unité.

Le *classicisme* prétendait ainsi exprimer un idéal de beauté universelle conforme à la nature et à la raison.

Toutefois, le classicisme a été surtout l'incarnation de l'esprit français, et cette prétention à l'universalité traduit surtout l'hégémonie que la culture française a exercée en Europe aux XVIIᵉ et XVIIIᵉ siècles. De même que Versailles a été imité dans toute l'Europe, de même l'esprit classique s'est répandu partout comme l'expression de la culture française.

Cette situation était due aux œuvres de grands écrivains qui, après s'être mis à l'école des Anciens, sont devenus à leur tour des modèles pour leurs successeurs.

Si la littérature classique s'est illustrée dans tous les genres : la poésie avec La Fontaine ou Boileau, le roman avec madame de La Fayette, l'aphorisme avec La Rochefoucauld, La Bruyère et Pascal, le genre épistolaire avec madame de Sévigné, les mémoires avec le cardinal de Retz et le duc de Saint-Simon, c'est surtout au théâtre que la doctrine classique a triomphé, avec Molière pour la comédie, Corneille et Racine pour la tragédie.

En effet, le *classicisme* a théorisé la division et la hiérarchie des genres littéraires, mais a culminé au théâtre et surtout dans la tragédie.

À chaque époque correspond en littérature un genre dominant auquel s'identifie l'esprit du siècle. Si la poésie, genre de l'expression individuelle, a été au XVIᵉ siècle et redeviendra, avec le romantisme, le genre privilégié, le théâtre, et surtout le théâtre tragique, a été au XVIIᵉ siècle, la principale référence d'une littérature centrée sur les problèmes de l'homme en société.

→ *Baroque – Règles – Unités*

CLICHÉ nom masc. – 1. Procédé de style tellement usé qu'il a perdu toute sa force expressive.

2. Idée banale, poncif.

ÉTYM. : le verbe *clicher* proviendrait d'une onomatopée relative au bruit de la matrice arrivant sur le métal en fusion. Le mot « cliché » se rapporte évidemment au sens technique de reproduire d'une façon identique.

Chaque *cliché* a été d'abord un procédé de style original, mais, par la suite, il est devenu banal à force d'être répété. Écrire, après Chateaubriand, qu'un « rayon scintillait comme une escarboucle enchâssée dans le feuillage » pour décrire un coucher de soleil ne serait pas aujourd'hui d'un grand intérêt.

En effet, la langue est faite de *clichés*. La principale tâche de l'écrivain sera donc d'éviter ou de renouveler ces images et ces expressions stéréotypées. Cette difficulté est la principale source de création poétique et littéraire.

Ainsi, au lieu de copier platement Chateaubriand, Baudelaire « rajeunit nos sensations » quand, dans « Harmonie du soir », il nous montre le soleil se noyant « dans son sang qui se fige ». Plus tard, Apollinaire trouvera une variante forte et originale de la même image : « Soleil, cou coupé ».

Le rapport au cliché est, bien entendu, dépendant de la doctrine littéraire en vigueur. Le renouvellement des clichés a été, par exemple, l'un des principes mis en œuvre par les surréalistes. Ils voulaient par là trouver le merveilleux au cœur du quotidien. Cette intention apparaît dans les titres de la plupart des livres d'André Breton : *Point du jour, Les Pas perdus, La Clef des champs, L'Amour fou*. Mais déjà, au XVIIᵉ siècle, Tristan l'Hermite ne faisait pas autre chose quand, dans « La belle gueuse », il écrivait :

« Ses yeux sont des *saphirs* qui brillent
Et ses cheveux qui s'éparpillent
Font montre d'un riche trésor :
À quoi bon sa triste requête

Si pour faire *pleuvoir de l'or*
Elle n'a qu'à baisser la tête. »

On voit bien comment l'on est passé du premier sens au second sens. Par extension, le mot cliché employé tout d'abord pour parler de la banalité d'un procédé d'expression a désigné la banalité d'une idée, puis est devenu un équivalent de « lieu commun ».

→ *Lieu commun*

CLIMATS (Théorie des) – Théorie exposée par Montesquieu dans *De l'esprit des lois* (1748) qui fait dépendre la nature des lois et des gouvernements de différents paramètres et spéciale-ment de facteurs géographiques dont le climat.

Le titre exact du livre de Montesquieu montre déjà à lui seul que le climat n'était pas l'unique principe d'explication : *De l'esprit des lois ou du rapport que les lois doivent avoir avec la constitution de chaque gouvernement, les mœurs, le climat, la reli-gion, le commerce, etc. À quoi l'auteur a ajouté des recherches nouvelles sur les lois romaines touchant les successions, sur les lois françaises et les lois féodales.*

La *théorie des climats* s'insère dans une entreprise globale d'explication des faits sociaux. Cette explication, écartant tout élément d'ordre surnaturel – comme la Providence chère à Bossuet –, se veut objective, rationnelle, scientifique. Montes-quieu explique que la diversité des lois et des systèmes de gouvernement tient à la diversité des situations et notamment des conditions physiques. Les lois « *dérivent de la nature des choses* ». Elles sont « *relatives au physique du pays ; au climat glacé, brûlant ou tempéré ; à la qualité du terrain, à sa situation, à sa grandeur ; au genre de vie des peuples, laboureurs, chasseurs ou pasteurs...* »

Des corrélations peuvent même être établies : les grands espaces, les plaines sont propices à la monarchie et au despo-tisme, les petites vallées isolées l'hiver ou les climats rudes favo-risent la vertu républicaine et la démocratie. Cependant,

Montesquieu évite le schéma simpliste qui ramènerait tout au climat. Pour lui, ce qui compte est de montrer que les faits humains peuvent s'expliquer par des causes qui sont du même ordre que celles qu'étudie la science. En ce sens, Montesquieu mérite d'être considéré comme le père de la sociologie.

→ *Sociologie (de la littérature)*

CODE nom masc. – Système conventionnel de signes destiné à permettre la communication.

ÉTYM. : provient du latin juridique *codex* = « recueil », « livre ».

Tout échange d'informations est réglé par un ensemble de conventions qui porte le nom de *code*. Le fait que l'on doit s'arrêter au feu rouge est un élément du code de la route. Le fait que l'on porte une cravate dans certaines circonstances se rattache à un code vestimentaire. Le fait de sauver d'abord les femmes et les enfants dans un naufrage fait partie d'un code culturel.

La linguistique moderne a montré que tout langage repose sur un code. Cette thèse suppose que les mots n'ont pas de valeur en eux-mêmes, mais qu'ils sont des signes conventionnels. Tel mot désigne telle chose, non parce qu'il y a une adéquation quelconque entre ce mot et la chose, mais parce qu'un choix, une convention ont voulu qu'il en soit ainsi. Cette thèse de l'« arbitraire du signe » s'oppose au « cratylisme », thèse de Platon selon laquelle les mots sont l'expression du monde des Idées, des essences éternelles dont le monde qui nous entoure ne serait qu'un reflet.

→ *Langage – Signe*

CŒUR nom masc. – 1. Langue classique. Courage.
2. Depuis le XVIIᵉ siècle, ensemble des facultés affectives et des sentiments moraux par opposition à l'esprit, centre des facultés intellectuelles.

ÉTYM. : du latin *cor*.

Le sens classique (« *Rodrigue as-tu du cœur* » = as-tu du courage ?) se retrouve encore dans des expressions comme « avoir du cœur au ventre ».

La formule de La Rochefoucauld « *L'esprit est toujours la dupe du cœur* » traduit bien l'opposition contenue dans le second sens.

Dans l'usage actuel hérité du romantisme, le mot cœur est employé pour désigner les sentiments dans une acception positive et morale. Le cœur désigne ainsi la générosité, l'altruisme par opposition au calcul égoïste. Quelqu'un qui « n'a pas de cœur » est quelqu'un dont l'insensibilité manifeste une carence morale.

Par rapport à l'usage classique, le rapport s'est inversé. Il est intéressant, à cet égard, de comparer la tragédie racinienne montrant les ravages de la passion au drame romantique qui exalte la noblesse des sentiments. À l'opposition entre la raison et la passion se substitue une opposition entre une morale du sentiment et la sécheresse de l'intelligence abstraite.

Alors que, dans une perspective rationaliste, le cœur est tenu en suspicion, car ses impulsions irrésistibles risquent de priver l'individu de sa liberté de jugement, le cœur devient pour les romantiques synonyme de bonté spontanée : « Il faut toujours écouter son cœur. » Il est aussi la source de l'inspiration artistique et poétique. Musset s'écriera : « *Ah ! frappe-toi le cœur, c'est là qu'est le génie.* »

→ *Raison – Passion*

COLLAGE nom masc. – Technique de création artistique née dans les arts plastiques, mais qui s'est propagée aux autres modes d'expression (poésie, musique, roman, théâtre, cinéma) et qui consiste non plus à organiser un tableau selon les lois de la représentation (peinture) ou à suivre une histoire linéaire selon la contrainte d'un « sujet » (littérature) ou à développer un thème de manière organique (musique), mais à combiner des éléments séparés dont l'unité se fait par juxtaposition progressive, ce qui offre à l'imagination et au hasard des possibilités infinies.

Les premiers collages ou papiers collés ont été réalisés en 1912-1913 par Braque et Picasso, qui introduisirent dans leurs compositions des éléments réels, bruts (clous, boutons, morceaux de verre, coupures de journaux, etc.), ce qui eut pour effet de mettre en relief des textures, mais aussi de créer un nouvel espace plastique.

Dans le contexte de l'expérimentation cubiste, ce fut une brève période d'euphorie créatrice sans lendemain. Mais, par la suite, ce procédé se répandit dans d'autres domaines de la création artistique et engendra une véritable révolution esthétique en transformant notre vision du monde et notre sensibilité.

EXEMPLES : en peinture, les collages de Max Ernst (*La femme sans tête*) ou de Schwitters (*Schmerz*). En musique, la *Sinfonia* de Luciano Berio. Au cinéma, les films d'Eisenstein (*Octobre, La Grève*) ou de Resnais (*Hiroshima mon amour, Muriel*). En littérature, les romans de Döblin (*Alexanderplatz*) ou de Dos Passos (*Manhattan Transfer*) imités par Sartre dans *Les Chemins de la liberté*.

COMÉDIE nom fém. – 1. Le théâtre en général.
2. Pièce de théâtre dont le but est de provoquer le rire.

ÉTYM. : du latin *comoedia* = « comédie » au premier sens et « pièce de théâtre » ; le mot vient lui-même du grec *kômôidia* = « comédie ». Dans la langue française du XVIIᵉ siècle, le mot *comédie* peut, comme en latin, s'appliquer à toute pièce de théâtre.

Du premier sens provient le fait que le mot *comédien* sert pour un acteur qui interprète les rôles tragiques aussi bien que les rôles comiques. De même, la « Comédie-Française » est synonyme de « Théâtre-Français » (on dit, d'ailleurs, parfois « le Français »), et son répertoire ne se limite pas au théâtre comique.

Parfois, le mot *comédie* est employé dans un sens détourné, métaphorique. C'est le cas avec le grand poème *La Divine Comédie* de Dante ou lorsque Balzac regroupe l'ensemble de son œuvre romanesque sous le nom de *Comédie humaine*. Alors le mot *comédie* ne désigne plus un genre, mais la réalité elle-même, celle de la société, du monde, assimilée à l'illusion théâtrale.

En tant que genre, la *comédie* n'a pas été codifiée par la *Poétique* d'Aristote, ou du moins rien de ce qui s'y rapporte ne nous est parvenu. Pour cette raison sans doute, la doctrine classique lui attribue un statut inférieur à la tragédie et range simplement sous cette définition toute pièce de théâtre ayant un dénouement heureux et représentant des personnes de condition modeste.

C'est Molière qui, grâce à son génie, a rehaussé la comédie en dignité et l'a élevée au même rang que la tragédie. L'évolution de la comédie dans l'œuvre de Molière est d'ailleurs révélatrice de cette progression. Alors qu'il écrit d'abord des farces reposant sur un comique simpliste de situation, il produira par la suite des comédies de mœurs et de caractère dont le comique repose sur l'analyse psychologique. Il est vrai qu'il fut précédé par les auteurs de l'Antiquité, auteurs grecs (Aristophane) ou latins (Plaute et surtout Térence, qui fut le vrai modèle des classiques).

Les grandes comédies de Molière – *Dom Juan, Le Misanthrope, Tartuffe, Les Femmes savantes* – rivalisent ainsi avec la tragédie. Elles traitent avec non moins de profondeur que celles-ci, mais sur le mode comique, des sujets graves qui recèlent un drame latent.

Cela explique la cohérence des nouvelles interprétations de Molière qui ont été tentées de nos jours par des metteurs en scène comme Jean-Paul Roussillon ou Roger Planchon et qui révèlent dans ces œuvres une dimension pathétique, une émotion toujours présente sous le rire.

On est alors à la limite des genres, et la comédie pourra dès lors remplacer, dans la période suivante, la tragédie en déclin. Pour mieux comprendre ce processus, on pourra se reporter au livre d'Alex Szogyi sur *Molière* (Klincksieck).

→ *Tragédie – Pathétique – Satire*

COMIQUE nom masc. – 1. Auteur de pièces comiques (un comique).

2. Ce qui provoque le rire et se rapporte donc au genre comique (le comique).

3. Familièrement et par abréviation. Acteur comique.

On distingue parfois le comique de situation, produit par la situation dans laquelle se trouvent les personnages, le comique de geste, le comique de mots, et enfin le comique de mœurs et de caractère bien qu'il y ait le plus souvent des liens étroits entre eux.

La peinture des ridicules d'une société ou d'un caractère a toujours, fût-ce indirectement, une portée psychologique, politique et morale.

Bergson dans *Le Rire* (PUF) étudie avec beaucoup de brio les fondements du comique.

→ *Comédie – Commedia dell'arte*

COMMEDIA DELL'ARTE nom fém. – Genre de comédie de caractère populaire et de tradition italienne fondée essentiellement sur un comique élémentaire de geste et de situation et comportant une part d'improvisation.

ÉTYM. : le mot comme la chose viennent d'Italie.

On a pris l'habitude de considérer la *commedia dell'arte* comme incarnant l'essence même du théâtre. Il est vrai qu'à notre époque chaque grande rénovation de l'art théâtral, que ce soit avec Copeau au début du siècle, avec Strehler de nos jours, a fait référence à la *commedia dell'arte* comme à un retour aux sources mêmes du théâtre.

La *commedia dell'arte* est née en Italie vers la fin du XVIᵉ siècle. C'était un théâtre de foire et de tréteaux mettant en scène dans une série de gags burlesques et improvisés à partir d'un canevas des personnages stylisés très typés qui sont entrés définitivement dans le fonds commun de la tradition théâtrale : Pierrot, Colombine, Arlequin.

COMPARAISON nom fém. – Figure de style fondée sur l'analogie et qui établit un rapprochement entre des éléments ayant un rapport de ressemblance.

EXEMPLE : « La nuit s'épaississait ainsi qu'une cloison. »

La comparaison comprend toujours trois éléments :
- le terme compare : « la nuit s'épaississait » ;
- le terme de comparaison : « ainsi qu' » ;
- le terme comparant : « une cloison ».

La comparaison est l'un des principaux moyens d'expression poétique. Mais la présence du terme de comparaison la maintient dans les limites d'une cohérence logique. La métaphore, en rompant ce lien, ouvre la porte sur l'irrationnel.

Chez un même poète, il est intéressant de confronter les comparaisons et les métaphores. Par exemple, chez Baudelaire :
Comparaison
« Ce bruit mystérieux sonne *comme* un départ » – « Chaque fleur s'évapore *ainsi* qu'un encensoir. »
Métaphore
« Vous êtes un beau ciel d'automne, clair et rose ! »

→ *Analogie – Catachrèse – Métaphore*

COMPILATION nom fém. – Ouvrage composé de divers extraits d'œuvres d'un ou de plusieurs auteurs.

ÉTYM. : le verbe latin *compilare* signifie proprement « piller », et la compilation se rapporte bien, d'une certaine façon, au pillage.

Il ne faut pas confondre la *compilation* avec le *plagiat*. À la différence du plagiaire, le compilateur donne ses sources.

Souvent considérée de façon péjorative, la compilation est aujourd'hui en voie d'être réhabilitée. Alors que, dans le domaine de la recherche, elle est trop souvent une facilité, la *compilation* figure, en effet, parmi les procédés de la création littéraire moderne, par le biais de l'esthétique de la citation et du collage. On pourrait distinguer une compilation passive (simple emprunt) d'une compilation active (où la citation est « détournée » ; exemple, Butor avec des citations de Chateaubriand).

→ *Imitation – Plagiaire*

CONDITION nom fém. – 1. Langue classique. Rang social. 2. Philosophie. La « condition humaine » renvoie à la situation de l'homme dans l'univers et aux problèmes métaphysiques qui en découlent : le sens de sa destinée, de sa vie et de sa mort.

Dans la langue du XVIIᵉ siècle, le mot se rapporte donc au rang social. A l'origine, le mot se suffisait à lui-même et, au XVIIᵉ comme au XVIIIᵉ siècle, « un homme de condition » était un homme d'un rang social élevé.

Il a pris ensuite un sens neutre exigeant une détermination, « une personne de condition modeste », « de basse condition », « de condition moyenne », « de bonne condition ». On dit encore aujourd'hui « de condition modeste ».

Dans l'histoire de l'art théâtral, la théorie des *conditions* a été au centre de la conception du « drame bourgeois » formulée par Diderot. Selon cette théorie, les auteurs dramatiques devaient substituer la peinture des « conditions » sociales à la peinture des caractères.

→ *Drame*

CONFIDENT nom masc. – Personnage de la tragédie classique auquel un protagoniste important se confie.

Le confident permet, en évitant le caractère un peu artificiel du monologue, de savoir ce qui se passe « dans la tête du personnage ».

Dans certains cas, la confidente ou le confident ne se contente pas d'écouter. Il influe sur l'action par ses conseils. C'est par exemple le cas d'Oenone dans *Phèdre* de Racine ou de Narcisse dans *Britannicus* du même Racine.

→ *Personnage*

CONNOTATION nom fém. – Valeur affective associée à un mot.

ÉTYM. : formé à partir du latin *cum* = « avec » et *notare* = « noter ».

Le mot est le plus souvent employé au pluriel, car les connotations constituent le plus souvent un réseau de significations adjacentes.

La linguistique divise le langage en deux catégories sémantiques : les *dénotations* qui recouvrent le sens logique de chaque mot et les *connotations* qui sont les associations subjectives, arbitraires et fortuites suscitées par ce mot.

La part relative des *dénotations* et des *connotations* sera relative au domaine concerné et à l'usage que l'on fait de la langue, mais cette distinction est latente dans tout usage de la parole. On pourra prendre pour exemple celui du train cité par Georges Mounin dans *Les Problèmes théoriques de la traduction*.

Chacun de nous peut décrire, désigner un train ; c'est la dénotation du mot commune à tous les usagers de la langue. Mais, pour chacun de nous, le mot « train » recouvrira des *connotations* différentes, selon sa propre expérience. Connotations de tristesse pour celui qui a perdu un proche dans un accident de train, d'euphorie pour celui qui a l'habitude de prendre le train pour partir en vacances, d'ennui pour celui qui voyage en train tous les jours pour se rendre à son travail, etc. À ces connotations d'ordre individuel peuvent s'ajouter des connotations liées à la culture.

On aura compris que les *connotations* constituent le matériau même de toute création littéraire. La proportion des valeurs dénotatives et connotatives du vocabulaire est le principal critère de la littérature. Le degré zéro des connotations correspond au langage pur instrument de communication.

La pratique de la traduction le confirme ; on peut traduire un texte technique quasiment mot à mot, mais cela est impossible avec un texte littéraire qui exige de retrouver dans une autre structure les *connotations* propres au style de l'œuvre.

On peut également classer les genres littéraires en raison de leur niveau de connotations. À cet égard, la poésie apparaît comme le point extrême. La qualité poétique du texte est relative à la densité et à la force des connotations. Mais un texte reposant uniquement sur les connotations confinerait au solipsisme et ne serait compréhensible que par son auteur.

À l'opposé, une poésie privée de connotations se réduit à la versification. C'est ce qui s'est produit, en France, au XVIIIe siècle, lequel compte beaucoup de versificateurs, mais très peu de poètes.

→ *Dénotation – Poésie*

CONSCIENCE nom fém. – 1. Psychologie. Perception plus ou moins claire de ce qui se passe autour de nous.
2. Morale. Faculté intuitive qui nous permet de distinguer le bien et le mal, en dehors de tout jugement rationnel.

ÉTYM. : du latin *conscientia* qui signifie proprement « connaissance » et d'où on est passé à « connaissance intérieure ».

La théorie du *courant de conscience* formulée par le philosophe Henri Bergson met l'accent sur le caractère constamment mouvant et imprévisible de notre vie intérieure.

Notre *conscience* est en perpétuel devenir et chaque moment que nous vivons s'inscrit dans la totalité de la durée. Notre *conscience* n'est jamais fixée, mais toujours emportée dans le mouvement d'une réalité « en train de se faire ».

Cette conception développée par Bergson dans *L'Évolution créatrice* (1907) est à mettre en rapport avec l'apparition en littérature du monologue intérieur qui sera l'un des procédés essentiels de la littérature moderne.

La volonté de vérité psychologique qui animera aussi bien Proust que Joyce ou Virginia Woolf prend sa source dans cette nouvelle définition de la conscience.

CONSTRUCTIVISME nom masc. – Mouvement artistique qui s'est développé en Union soviétique dans le courant des années 20 et qui avait pour but de fondre l'art et la vie, de « construire » la vie.

Pris dans un sens restreint, le mot « constructivisme » désigne une tendance qui est apparue au sein de l'avant-garde russe en 1921 et qui visait à substituer à la peinture de chevalet la production d'objets matériels. En accord avec les mots d'ordre idéologiques de la révolution d'octobre, ces artistes voulaient contribuer à changer le cadre de la vie quotidienne. C'est pourquoi, comme l'a décrit Lioubov Popova : « *Le moment le plus important de notre conscience créatrice en cette époque de grandes organisations est le remplacement du principe de l'art pictural, moyen de figuration, par le principe d'organisation ou de construction…* »

Ce groupe, dont le chef de file était Rodtchenko, devint majoritaire à l'Inkhouk (Institut de culture artistique de Moscou) dont Kandinsky était alors le directeur. Obligé de démissionner de ses fonctions, à cause de son attachement à des valeurs esthétiques jugées dépassées par les « constructivistes » de Moscou, Kandinsky appliqua plus tard au Bauhaus le programme qu'il n'avait pas pu faire accepter à l'Inkhouk.

Au sens large, le constructivisme couvre l'ensemble des mouvements qui, à cette époque, aussi bien en Russie, avec Gabo et Pevsner, qu'en Allemagne au Bauhaus, ou en France avec Le Corbusier, Ozenfant et la revue *L'Esprit nouveau*, cherchaient à éliminer de l'art le facteur subjectif pour prendre modèle sur la technique et sur la science. La forme d'une œuvre devait être déterminée par sa fonction.

Une tendance commune à tous ceux qui se réclamaient alors du « constructivisme » était la synthèse des arts qui devait, bien sûr, culminer dans l'architecture. On rompt avec la représentation du réel pour « construire la vie » en conformité avec ce que l'on appelle « l'esprit nouveau », l'esprit moderne. L'art n'est plus défini par la recherche de la beauté ornementale, mais par la fusion du beau et de l'utile.

CONTE nom masc. – Court récit imaginaire en prose d'origine populaire et orale.

ÉTYM. : *conter* a la même origine que *compter*, le verbe latin *computare*. De l'idée de « compter », d'« énumérer », on est passé à celle de « raconter ».

Le *conte* est sans doute le genre narratif le plus ancien et le plus spontané. Il est enraciné dans le folklore de chaque pays et a souvent un caractère merveilleux.

Il a été ensuite adopté par la littérature dite savante où il figure comme l'une des formes du récit, à côté du roman et de la nouvelle dont il se distingue par sa brièveté et sa densité.

Certains écrivains sont restés fidèles aux sources du genre qui se complaît dans l'allégorie et l'imaginaire. C'est le cas de Charles Perrault (*Les Contes de la mère l'oye*, 1667) ou d'Andersen, conteur danois du XIXᵉ siècle, qui ont renouvelé et enrichi le vieux fonds de la création collective.

Mais d'autres auteurs, comme Maupassant ou Tchékov, ont « naturalisé » le conte et en ont fait l'instrument de l'observation psychologique et sociale.

Il existe enfin, dans la littérature européenne, depuis le XVIIIᵉ siècle, une tradition du conte philosophique dont Voltaire a fixé le modèle avec *Candide, Zadig, L'Ingénu*. Les événements imaginaires et merveilleux ne valent plus alors par eux-mêmes et pour le pur plaisir de la narration, mais contiennent une leçon morale.

CONTRE-RÉFORME nom fém. – Mouvement religieux mis en œuvre par l'Église catholique au XVIᵉ siècle pour réagir contre la Réforme, c'est-à-dire contre le protestantisme de Luther et de Calvin.

La *Contre-Réforme*, issue du concile de Trente (1545-1563), a été à l'origine de l'esthétique baroque qui s'est répandue dans toute l'Europe catholique, surtout en Italie, en Espagne et en Europe centrale.

Cette expansion s'est heurtée en France à la naissance du classicisme marqué par l'influence du rationalisme cartésien, par le retour à l'humanisme, et qui fut, à bien des égards, un mouvement de laïcisation de l'art et de la pensée.

→ *Baroque*

CONTROVERSE nom fém. – 1. Débat théologique portant sur un point précis de la doctrine catholique.

2. Par extension, toute querelle d'idées portant sur un problème théorique dans quelque domaine que ce soit.

ÉTYM. : du latin *controversia* (« action de se tourner l'un contre l'autre ») qui se rattache au verbe *vertere* qui comporte l'idée de « tourner ».

Une controverse célèbre est celle qui opposa les jésuites et les jansénistes sur le problème de la liberté et de la grâce.

→ *Diatribe – Pamphlet – Libelle*

CORAN nom masc. – Livre sacré des musulmans.

ÉTYM. : de l'arabe *al Qu'oran* = « la Lecture ».

On écrit aussi *Koran* ou *Alcoran*, mais l'orthographe « Coran » est la plus répandue.

Le *Coran* est constitué de 144 chapitres qui sont appelés les *sourates*. Chaque sourate est composée de plusieurs versets.

L'islam, comme la religion juive ou les différentes formes de christianisme, est une religion *révélée*. Cela signifie que la vérité est révélée à un ou plusieurs prophètes. Pour les musulmans, le Coran contient donc la parole de Dieu telle que celui-ci l'a transmise à son prophète Mahomet.

Comme pour la Bible, l'établissement du texte posa de nombreux problèmes. Pendant longtemps, la traduction dans d'autres langues que l'arabe fut prohibée.

CORRESPONDANCES (Théorie des) – Théorie affirmant l'existence de corrélations étroites et précises entre le monde intérieur humain et le monde extérieur cosmique.

La théorie des *correspondances* a été d'abord formulée par le philosophe suédois Swedenborg (1688-1772). Elle a ensuite influencé tout le romantisme européen.

En France, les idées de Swedenborg se retrouvent dans

l'œuvre de Balzac (*Seraphita*) et surtout de Baudelaire qui en fera l'axe principal de sa poétique.

Dans son sonnet « Correspondances », Baudelaire affirme sa croyance dans une unité cachée derrière les composantes apparemment disparates de l'univers. Cette harmonie a été perdue et c'est au poète de la reconstruire par le langage.

Dans « Correspondances », véritable manifeste pré-symboliste, Baudelaire écrit :

« Comme de longs échos qui de loin se confondent

Dans une ténébreuse et profonde unité,

Vaste comme la nuit et comme la clarté,

Les parfums, les couleurs et les sons se répondent. »

Le dualisme entre la réalité et l'idéal sera donc résolu par les *correspondances* que le poète révèle entre l'homme et le monde et d'abord entre ses propres sensations :

« Il est des parfums frais comme des chairs d'enfant,

Doux comme des hautbois, verts comme des prairies. »

Ces *correspondances* entre les sensations renvoient à la recherche d'une synthèse des arts destinée à reconstituer l'unité perdue.

On appelle parfois ces associations des « synesthésies », c'est-à-dire des corrélations qui s'établissent spontanément, de manière subjective, entre les sens. Cette théorie « scientifique » avancée par le physiologiste et physicien allemand Helmholtz (1821-1894) a été appliquée, entre autres, au fameux sonnet de Rimbaud, « Voyelles ».

→ *Analogie – Synesthésie*

COSMOPOLITISME nom masc. – Attitude qui consiste à dépasser les particularismes nationaux et à cultiver les influences multiples et mêlées des civilisations, des langues et des cultures les plus diverses.

Le mot *cosmopolitisme* est souvent utilisé comme une injure par les partisans d'une pensée totalitaire qui vise à tout réduire à l'unité.

Il caractérise l'ouverture à ce qui est « étranger », la disposition à s'enchanter au lieu de s'irriter de la pluralité des mœurs, des mentalités, des idées.

→ *Relativisme*

COULEUR LOCALE – Reconstitution fidèle dans une œuvre de fiction de tous les éléments supposés caractériser une époque et un lieu donnés.

La couleur locale est une notion inventée par les théoriciens du drame romantique qui ont prétendu substituer ainsi la vérité historique à l'universalité abstraite cultivée par les classiques.

Ainsi Victor Hugo, dans *Ruy Blas*, a essayé de recréer l'atmosphère et les coutumes de l'Espagne du XVIIIᵉ siècle ou, dans les *Burgraves*, celles du Moyen Âge allemand. Musset a peint, dans *Lorenzaccio*, l'Italie violente et colorée de la Renaissance italienne.

Mais cette exigence d'authenticité n'était qu'un prétexte. En fait, on ne peut dissocier la couleur locale de l'évasion romantique dans l'espace et le temps, hors d'une réalité décevante. Cette recherche d'un ailleurs mythique se traduit également par la vogue des récits de voyages, de préférence dans des pays exotiques et lointains propices à la rêverie.

Ces récits étaient parfois en partie imaginaires, comme le *Voyage en Orient* de Nerval.

→ *Réalisme*

COURTOISE (littérature) – Littérature inspirée par le culte de la femme, le raffinement des mœurs et la préciosité amoureuse qui régnait dans les cours seigneuriales du Moyen Âge (XIᵉ et XIIᵉ siècles).

ÉTYM. : la littérature *courtoise* était la littérature des *cours* seigneuriales. Le mot *cour* s'est d'abord orthographié *court*, orthographe qui s'est conservée dans notre *court* de tennis.

La littérature *courtoise* a exprimé les valeurs chevaleresques de la féodalité. Elle est indissociable de l'amour *courtois*, extrême idéalisation de la passion qui a inspiré au Midi la poésie des « troubadours » et au Nord celle des « trouvères ».

→ *Moyen Âge – Troubadour – Trouvère*

CRITIQUE nom fém. – 1. Sens courant. Remarque de caractère négatif faite sur un ton de reproche.
2. Dans le champ de l'art et de la littérature, jugement négatif ou positif porté sur une œuvre. (« Ce journaliste a fait une critique très élogieuse de ce livre. »)
3. Domaine de l'activité intellectuelle consistant à analyser et à apprécier les œuvres artistiques, littéraires, philosophiques ou scientifiques. (« Dans la littérature française d'aujourd'hui, la critique prend le pas sur la création. »)
4. Ensemble de ceux dont la fonction est de porter des jugements sur les productions de l'esprit. (« Aujourd'hui, la critique est trop tributaire des médias. »)

Nom masc. – 5. Écrivain spécialisé dans la critique au troisième sens. (« Aujourd'hui, pour entrer à l'Académie française, il suffit d'être le critique et assez plat d'un grand quotidien. »)

→ *Nouvelle critique*

CRITIQUE (esprit) – Attitude qui consiste à ne pas accepter les idées reçues et à procéder personnellement à l'examen des questions débattues.

La naissance de l'*esprit critique* coïncide avec l'apparition de l'humanisme au XVIᵉ siècle. Le mouvement s'épanouit au XVIIIᵉ siècle avec les philosophes.

Au lieu d'adopter comme des vérités intangibles les dogmes imposés au nom du principe d'autorité, les premiers humanistes ont fait usage de leur savoir, de leur intelligence, de leur capacité de jugement, pour se forger leurs propres convictions.

Depuis, l'*esprit critique* a permis aux hommes, à différentes époques et jusqu'à nos jours, de résister à l'endoctrinement, quel qu'il soit. Faire preuve d'*esprit critique*, c'est refuser d'adhérer à des idées par conformisme, par peur, par intérêt ou paresse mentale.

L'*esprit critique* substitue donc au dogmatisme et au fidéisme l'examen lucide, objectif, raisonné des faits. Il est indissociable du rationalisme. Pasteur disait à ses élèves : « Ayez le culte de l'esprit critique. Sans lui, tout est caduc. »

→ *Autorité (principe d')*

CUBISME nom masc. – Nouvelle technique picturale inventée par Picasso et Braque au début du XXᵉ siècle.

C'est avec les *Demoiselles d'Avignon* de Picasso (1907) que naît le cubisme. Par la suite, Braque se joindra à Picasso, et les deux peintres, entre 1907 et 1911, peindront des portraits, des natures mortes, des paysages selon la technique dite « cubiste ».

Rompant avec la représentation réaliste, le *cubisme* décompose les formes de façon analytique et géométrique.

Dans l'histoire de la peinture, le *cubisme*, issu de Cézanne, annonce l'art abstrait qui se détachera complètement de l'objet. La peinture cessera alors de « figurer » la réalité pour devenir un pur jeu de couleurs et de lignes.

À mi-chemin de l'abstraction, le *cubisme* a apporté une nouvelle vision et a libéré l'art des conventions académiques. Son influence s'est répandue dans le monde entier. Il constitue une étape décisive dans l'évolution de l'art moderne.

Il faut noter que le procédé du *cubisme pictural – simultanéité des points de vue, multiplicité et contraste des plans, combinatoire –* a été transposé en poésie par Apollinaire *(Alcools)*, Cendrars *(Pâques à New York, La Prose du Transsibérien)* et Pierre Reverdy *(La Fenêtre ovale)*. On peut ainsi faire état d'une poésie *cubiste* qui réagit contre le symbolisme et sera à son tour contestée et remplacée par le dadaïsme et le surréalisme.

→ *Collage*

CULTURE nom fém. – 1. Ensemble de ce qui est acquis par opposition à ce qui est inné.
2. À propos d'un individu, ensemble de ses connaissances.
3. À propos d'un peuple, totalité du savoir, de la mentalité, des mœurs et des techniques qui le caractérisent.

4. Au sein d'une même société, ensemble des activités intellectuelles et artistiques.

ÉTYM. : du latin *cultura*. En latin comme en français, le mot sert pour la « culture de la terre » (sa mise en valeur) et la « culture de l'esprit » (qui l'empêche de rester en friche).

Bien que très proche du sens que l'on donne au mot *civilisation*, *culture*, dans le troisième sens, s'en écarte cependant par une nuance spécifique. La *civilisation* fait référence aux résultats accumulés au cours de l'histoire alors que la *culture* concerne plutôt la manière de penser, de vivre, de se comporter de tel ou tel groupe humain.

→ *Acculturation – Relativisme*

D

DADA nom masc. et adj. – Mouvement artistique fondé en 1916 qui se caractérise par la négation de toutes les valeurs.

Dada, ou le dadaïsme, ou encore le mouvement dada, a été créé à Zurich en 1916 par un certain nombre d'artistes parmi lesquels le poète d'origine roumaine Tristan Tzara. On raconte que le mot « Dada » fut choisi au hasard pour marquer, par son absence de sens même, l'absurdité de toutes choses – y compris du mouvement qui se baptisait ainsi.

Dada se caractérisait avant tout par un refus global opposé au monde : rien ne trouvait grâce aux yeux des dadaïstes, ni la société, ni la politique, ni l'art, ni même le dadaïsme. En ce sens, on peut définir le dadaïsme comme un « nihilisme », à cela près que ce nihilisme n'avait rien de funèbre, mais utilisait de façon assez iconoclaste la dérision et le rire.

Traditionnellement, on présente le dadaïsme comme la phase négative et préparatoire du surréalisme. Il est vrai que, dès le début des années 20, le mouvement se défait, phagocité, récupéré par le groupe d'André Breton qui reprend à son compte certains traits du dadaïsme tout en refusant son nihilisme « tous azimuts », notamment dans le domaine politique.

Cette présentation des choses, cependant, ne rend pas justice au dadaïsme qui a une valeur en soi, indépendamment de ce qu'il a pu apporter au surréalisme : il traduit le désarroi européen au lendemain de la Première Guerre mondiale, et un peu de sa force persiste chez quelques grands artistes du XXᵉ siècle comme, par exemple, Marcel Duchamp.

→ *Surréalisme*

DANDY nom masc. – Individu qui règle son existence entièrement selon des principes esthétiques et qui cultive son apparence personnelle et son élégance vestimentaire.

ÉTYM. : mot anglais d'origine obscure.

Le mot, venu de l'Angleterre, a été utilisé en France essentiellement au XIXᵉ siècle. Son emploi persiste aujourd'hui, mais « dandysme » n'a sans doute pas de signification véritable en dehors du contexte de la société bourgeoise du XIXᵉ siècle.

On aurait tort de réduire le dandysme à une simple question de mode et d'élégance. Le dandysme, lorsqu'il est poussé au bout de lui-même, est une philosophie ou du moins une éthique dans laquelle l'apparence, la superficialité, l'inutile, l'artificiel sont érigés en valeur. En cultivant ce que la société tient d'ordinaire pour négligeable ou secondaire, le dandy s'oppose aux valeurs de son temps et condamne la vulgarité bourgeoise de ses contemporains pour qui seuls comptent l'utile et le rentable. Baudelaire et Barbey d'Aurevilly en France, Brummel et Wilde en Angleterre comptent parmi ceux qui ont contribué à la création et à l'illustration du dandysme. On cite également, parmi les plus célèbres dandys, Robert de Montesquiou qui fut, dit-on, le modèle à la fois du « des Esseintes » de Huysmans et du « Charlus » de Proust.

→ *Bohème*

DANSE MACABRE – Allégorie figurant la Mort entraînant à sa suite dans une danse tous les humains, sans souci de leur valeur personnelle ou de leur condition sociale.

Ce type d'allégorie est particulièrement fréquent dans l'iconographie du Moyen Âge tardif et de la Renaissance. La signification en est claire : il s'agit de rappeler aux individus qu'ils sont tous mortels et de les inviter de ce fait à se repentir.

Le *macabre* existe aussi, d'une façon plus générale, en littérature. On peut qualifier, en effet, de macabre tout texte qui évoque, de manière concrète, la mort. Certaines scènes du théâtre de Shakespeare – ainsi celle qui montre Hamlet

contemplant le crâne de Yorik, le bouffon défunt de la cour –,
certaines nouvelles d'Edgar Poe comme « La vérité sur le cas de
M. Valdemar », ou certains poèmes de Baudelaire – « Les métamorphoses du vampire », par exemple –, peuvent ainsi être
considérées comme appartenant au genre macabre.

DANTESQUE adj. – Caractérise toute réalité qui, par son
caractère terrifiant et grandiose, évoque la description de l'enfer
que le poète italien Dante propose dans sa *Divine Comédie*.

Le poème de Dante Alighieri (1265-1321), *La Divine
Comédie*, peut être considéré comme le texte fondateur de la
littérature italienne. Il relate le voyage que son auteur est censé
avoir accompli dans l'au-delà entre le vendredi saint et le
dimanche de Pâques de l'année 1300. Ses trois parties correspondent aux trois étapes de ce périple : l'enfer, le purgatoire et le
paradis.

C'est surtout la description de l'enfer qui, en France du
moins, a frappé les lecteurs, comme en témoignent, par exemple,
la sculpture monumentale que Rodin a consacrée à ce thème ou
les illustrations de Gustave Doré.

L'adjectif « dantesque » est donc souvent devenu synonyme
d'« infernal » ; ainsi lorsque l'on parle d'une « vision dantesque ».

On soulignera cependant que réduire *La Divine Comédie* à sa
première partie et ramener le voyage symbolique de Dante à la
seule exploration de l'enfer conduisent à méconnaître le sens
global de l'œuvre : en effet, l'enfer, pour le poète italien, n'a de
valeur que d'être traversé et dépassé dans un itinéraire qui mène
jusqu'à la vision finale de Dieu.

DÉCADENTISME nom masc. – Mouvement littéraire et
artistique qui s'est développé, en France essentiellement, dans les
années 1880 et qui se caractérise par une sensibilité tournée vers
la recherche de sensations rares ou nouvelles, l'esthétisme, l'artificiel et le morbide.

Pour désigner ce mouvement, on parle soit de « mouvement
décadent », soit de « décadentisme », voire quelquefois de

« décadisme ». Quant à en définir le contenu précis, cela s'avère extrêmement malaisé. En effet, le décadentisme n'a jamais constitué un mouvement structuré ou, à plus forte raison, une école littéraire. À la différence, par exemple, du surréalisme, le décadentisme ne s'est jamais véritablement doté d'un manifeste, ne s'est jamais constitué en groupe organisé, ne s'est jamais donné un chef de file.

Plus que de mouvement, il faudrait sans doute parler de sensibilité diffuse, de climat artistique, de préoccupations récurrentes. Le décadentisme peut se définir comme l'état d'esprit dans lequel communièrent, de manière passagère, un certain nombre d'écrivains qui cherchèrent dans la pratique de leur art et l'exacerbation de leurs sens une sorte de réponse à ce qui leur semblait être la médiocrité bourgeoise de leur temps.

Baudelaire peut sans doute être considéré comme le principal inspirateur du décadentisme, mais l'ouvrage le plus représentatif reste le roman de Joris-Karl Huysmans, intitulé *À Rebours* (1884), dans lequel l'auteur nous présente un « fin-de-race », des Esseintes, qui se retire du monde pour recréer un univers totalement artificiel régi entièrement par les caprices de son esthétique.

Le décadentisme, même s'il fut éphémère et fuyant, reste une étape essentielle dans l'évolution de la littérature française. Il contribua à la formation du symbolisme, et, à un moment ou à un autre, d'une manière ou d'une autre, des écrivains aussi importants que Verlaine, Mallarmé, Laforgue ou Wilde s'en sentirent proches.

→ *Dandy – Parnasse – Romantisme*

DÉCASYLLABE nom masc. – Vers de dix syllabes.

Longtemps, le décasyllabe a été le mètre le plus utilisé. On le trouve en France dans les chansons de geste comme chez Maurice Scève, en Italie chez Dante comme chez Pétrarque, en Angleterre chez Chaucer comme chez Shakespeare. En France, il a été, à partir du XVIe siècle, supplanté par l'alexandrin.

Il n'a pas cependant totalement disparu de la littérature

moderne. Les poètes du XIXe siècle y ont souvent recours et notamment Verlaine qui sut en exploiter toutes les possibilités rythmiques. Deux poèmes aussi célèbres que « Clair de lune » et « Colloque sentimental » – tous deux tirés des *Poèmes saturniens* – sont composés de décasyllabes. De même, Paul Valéry a cherché, dans *Le Cimetière marin*, en optant pour le décasyllabe contre l'alexandrin, à aller vers une plus grande densité. Plus près de nous, enfin, des romans d'avant-garde comme *Lois* ou *Paradis* de Philippe Sollers font place au décasyllabe pour insuffler un rythme différent et presque épique au texte.

→ *Alexandrin – Mètre – Vers*

DÉCONSTRUCTION nom fém. – Approche de la littérature inspirée des travaux du philosophe français contemporain Jacques Derrida.

Dans un sens large du mot, on peut qualifier de « déconstruction » toute entreprise théorique de grande envergure qui s'attache à mettre en évidence les articulations d'un système pour relativiser celui-ci, voire le remettre en question. Selon cette acception, on pourrait dire que le marxisme procède à une déconstruction de l'économie classique, ou le nietzschéisme à une déconstruction du judéo-christianisme. La culture moderne serait tout entière une culture de déconstruction, car elle nous amène à rejeter les systèmes antérieurs, nous faisant entrer dans ce que Nathalie Sarraute a nommé l'« ère du soupçon ».

Dans un sens plus spécifique, le mot « déconstruction » renvoie au travail philosophique de Jacques Derrida tel qu'il s'exprime dans *De la grammatologie, L'Écriture et la différence ou* encore *La Dissémination*.

Le philosophe français propose de procéder à la déconstruction de la tradition logocentrique qui, selon lui, détermine toute la civilisation occidentale valorisant la parole au détriment de l'écriture, l'identité au détriment de la différence.

De manière dérivée, le mot « déconstruction » désigne enfin l'approche critique de la littérature rendue possible par les travaux de Derrida et qui, grâce à une attention très précise à la lettre du texte, vise à mettre en évidence des différences à l'œuvre dans ce texte ; différences qui ne sauraient être réduites à une signification ultime et transcendante.

Le mot « déconstruction » a connu une fortune extraordinaire dans la critique universitaire anglo-saxonne qui y a vu, en acclimatant les thèses du post-structuralisme français, un moyen de rompre avec les approches traditionnelles de la littérature qui prévalaient alors.

DÉCOR nom masc. – Ensemble des éléments qui, disposés sur la scène, servent, au théâtre, à représenter le lieu où se déroule l'action.

ÉTYM. : du latin *decorum* = « bienséance », « convenance ».

Le décor que nous connaissons ne fait qu'une apparition relativement récente dans l'histoire du théâtre. Il était pour l'essentiel inconnu des Grecs et des Romains dont les pièces de théâtre se déroulaient sur des scènes vides, devant un mur (à quoi correspondait le mot *skênê*) représentant un décor fixe. Au XVe siècle apparaissent en Italie les premières toiles peintes qui donnent, avec l'invention de la perspective, l'illusion d'une profondeur. Le système fut continuellement amélioré, mais resta dans son principe le même jusqu'au XIXe siècle où, par un souci de réalisme, on se mit, lorsque le sujet l'exigeait, à construire de véritables reproductions d'intérieurs avec mobilier réel sur la scène.

Aujourd'hui coexistent au théâtre ce souci réaliste et la volonté d'exhiber grâce au décor le caractère artificiel et non réaliste de la représentation.

Soulignons que les dramaturges modernes, avec la volonté de désigner le caractère fictif du théâtre, s'ingénient bien souvent à rendre la tâche du décorateur impossible ; ainsi, Claudel, dans *Le Soulier de satin* (1929), par la rapidité des changements de scènes et les lieux très différents et très éloignés qu'il convoque dans sa pièce.

→ *Couleur locale – Scène – Théâtre*

DÉISME nom masc. – Attitude religieuse de ceux qui, tout en croyant en l'existence d'un Dieu, refusent l'idée de révélation, de dogme ou d'Église.

ÉTYM. : dérivé du latin *deus* = « dieu ».

Le mot « déisme » renvoie avant tout à la philosophie du XVIIIᵉ siècle. Il désigne la position d'un certain nombre de penseurs qui, en France ou en Angleterre, condamnaient et combattaient les religions instituées tout en refusant à se déclarer athées. Position difficile et ambiguë qui, pour certains, reflétait sans doute leurs convictions authentiques, mais qui, pour d'autres, servait avant tout à dissimuler ou à excuser leur refus fondamental de toute religion.

Voltaire est sans doute le représentant le plus célèbre et le plus caractéristique du déisme. Il croyait en une divinité vague créateur de l'univers et de qui les hommes reçoivent la conscience, mais il critiquait sévèrement les religions instituées, comme le christianisme ou l'islam, qui se posent comme les intermédiaires obligés entre l'homme et Dieu. En se prétendant détentrices d'une vérité religieuse qu'il leur importe d'imposer, elles ne pouvaient qu'être à l'origine du fanatisme, de la guerre sainte ou de l'Inquisition.

→ *Agnosticisme – Athéisme – Panthéisme – Théisme*

DÉMOCRATIE nom fém. – Système politique dans lequel l'autorité est détenue par le peuple.

ÉTYM. : se rattache au grec *dêmos* = « peuple » et *arkhê* = « pouvoir », « commandement ».

La démocratie peut être « directe » (le peuple rassemblé décide) ou « indirecte » (le peuple a des représentants qui décident).

On se réfère toujours à la Grèce quand on évoque les débuts de la démocratie. Il faut cependant remarquer que la démocratie, telle qu'elle se pratiquait à Athènes, ne correspondait pas aux conceptions d'aujourd'hui. En effet, les femmes, les esclaves, les isotèles et les métèques ne participaient pas au pouvoir. Il s'agissait donc d'une démocratie très sélective.

Les isotèles étaient des étrangers qui avaient acquis le droit de propriété territoriale et étaient exempts de la taxe sur les métèques ; les métèques étaient des étrangers qui ne pouvaient pas acquérir des terres et devaient avoir un patron, c'est-à-dire un citoyen grec qui répondait d'eux.

→ *Anarchie – Despotisme – Monarchie*

DÉNOTATION nom fém. – Sens d'un mot indépendamment de toutes les valeurs affectives qui peuvent lui être associées.

La *dénotation* s'oppose à la « connotation ». Alors que les connotations varient en fonction de la personne qui utilise le mot, du contexte, ou encore de la culture concernée, la dénotation, elle, est la même pour tous : elle est le sens que donnent les dictionnaires, la partie stable et invariante de la signification.

→ *Connotation*

DÉRISION nom fém. – Tendance à présenter une chose sous un jour ridicule, à s'en moquer, qui traduit souvent un certain mépris.

ÉTYM. : dérivé du verbe latin *deridere* = « se moquer de ».

Tourner en dérision une opinion ou une personne consiste à présenter celle-ci sous un jour ridicule ou grotesque de manière à faire rire ou sourire.

La dérision s'accommode donc assez souvent mal de l'honnêteté intellectuelle : elle est une stratégie qui vise à défigurer autrui pour prendre facilement l'avantage sur lui. Ainsi, on peut dire que Molière se montre partial quand il tourne en dérision la volonté d'émancipation des femmes de son temps dans *Les Précieuses ridicules* ou *Les Femmes savantes*.

Le théâtre contemporain a été désigné comme un « théâtre de la dérision ». La dérision porte cette fois sur la situation de l'homme dans l'univers telle qu'elle apparaît après l'écroulement de toutes les grandes valeurs.

→ *Absurde (théâtre)*

DESCRIPTION nom fém. – Tout passage d'une œuvre littéraire dans lequel l'auteur s'attache à détailler une personne, un objet ou un lieu.

ÉTYM. : se rattache au latin *scribere* = « écrire » et *describere* = « décrire ».

Traditionnellement, la description, dans un roman, s'oppose à l'action ; elle alterne avec elle, la retarde ou l'interrompt de manière à la situer ou à l'enrichir d'informations nécessaires à sa compréhension. Elle constitue, de ce fait, pour reprendre la terminologie de Jean Ricardou, un « enlisement du récit ». Mais cet enlisement peut se trouver justifié par l'économie d'ensemble du texte et le projet du romancier. Ainsi les amples et minutieuses descriptions balzaciennes qui permettent de cerner l'environnement d'un personnage et de mieux saisir sa psychologie.

Dans son « Discours de Stockholm », le prix Nobel français Claude Simon retrace ce qu'a été, pour le roman français, l'histoire de la description. Il écrit :

« Jusque-là, dans le roman ou le conte philosophique, que ce soit *La Princesse de Clèves*, *Candide*, *Les Liaisons dangereuses*, ou même *La Nouvelle Héloïse*, écrite par cet amoureux de la nature qu'était Rousseau, la description est pour ainsi dire inexistante et n'apparaît que sous forme d'immuables stéréotypes : toutes les jolies femmes y ont invariablement un teint "de lys et de rose", elles sont "faites au tour", les vieilles sont "hideuses", les ombrages "frais", les déserts "affreux", et ainsi de suite. Avec Balzac (et c'est là peut-être que réside son génie), on voit apparaître de longues et minutieuses descriptions de lieux ou de personnages, descriptions qui au cours du siècle se feront non seulement de plus en plus nombreuses, mais, au lieu d'être confinées au début du récit ou à l'apparition d'un personnage, vont se fractionner, se mêler à doses plus ou moins massives au récit de l'action, au point qu'à la fin elles vont jouer le rôle d'une sorte de cheval de Troie et expulser tout simplement la fable à laquelle elles étaient censées donner corps… »

Le point limite de cette inflation descriptive sera sans doute atteint avec *La Maison d'un artiste* d'Edmond de Goncourt, livre tout entier consacré à la description par l'auteur de sa propre maison et des objets – tableaux, livres ou bibelots – qu'elle contient.

Contre cette inflation descriptive, la littérature du XXᵉ siècle réagira de deux manières symétriques.

André Breton, dans un passage célèbre du *Second Manifeste du surréalisme*, condamnera catégoriquement la description, en se fondant sur l'ennui mortel que lui inspirait celle de la chambre de Raskolnikov dans *Crime et châtiment* de Dostoïevsky. Pour ne pas avoir à pratiquer lui-même la description, Breton y substituera la reproduction photographique des lieux qu'il évoque dans ses propres textes comme *Nadja* ou *L'Amour fou*.

Empruntant une voie inverse, les nouveaux romanciers, et parmi eux Alain Robbe-Grillet, accorderont une place encore plus importante à la description que Balzac, mais en bouleversant totalement le sens de celle-ci. Se refusant à tout anthropomorphisme, Alain Robbe-Grillet, dans *Le Voyeur* ou *La Jalousie*, revient inlassablement sur les mêmes formes et les mêmes objets sans attribuer à ceux-ci de signification explicite. La description se substitue à la narration, ou, du moins, c'est entre les lignes de la description que celle-ci, de manière problématique, se donne à lire.

→ *Nouveau roman – Réalisme – Regard (école du) – Roman – Surréalisme*

DÉSINFORMATION nom fém. – Manipulation des mass médias en vue de la diffusion d'informations erronées.

La *désinformation* se présente sous la forme d'une sorte de propagande clandestine. En un temps où le pouvoir – au moins dans les démocraties – est soumis, par le biais du suffrage universel, à la sanction de l'opinion, la désinformation est un moyen privilégié d'action sur les convictions des individus.

La désinformation peut concerner l'action d'un gouvernement sur sa propre population ou l'action des services secrets sur d'autres populations. Le procédé n'est pas nouveau en soi, mais il frappe aujourd'hui par son caractère concerté et systématique.

La façon dont il a été rendu compte de la révolution roumaine qui a mis fin à la dictature de Ceaucescu est un bon exemple de désinformation.

DESPOTISME nom masc. – Système politique dans lequel le pouvoir est exercé arbitrairement par un seul.

ÉTYM. : du grec *despotês* = « maître ».

Le mot *despotisme* est toujours connoté négativement en français, comme le sont ses équivalents « tyrannie » ou « dictature ».

La philosophie française du XVIIIᵉ siècle a placé le problème du despotisme au centre de sa réflexion sur le fait politique. Montesquieu, par le biais de la fiction, et de manière plus directe dans *L'Esprit des lois* (1748), se livre à une vigoureuse dénonciation du despotisme oriental : un système particulièrement instable et pervers, reposant tout entier sur la crainte que le despote inspire à ses sujets.

Pour reprendre une formule de Louis Althusser (1918-1990), le despotisme est chez Montesquieu à la fois « illusion géographique » et « allusion historique ». « Illusion géographique » parce qu'il ne correspond ni en Perse ni ailleurs à aucune réalité politique observable. « Allusion historique » car, à travers la dénonciation du despotisme oriental, Montesquieu vise en fait la monarchie absolue de Louis XIV.

Après Montesquieu, la réflexion sur le despotisme a pris dans la philosophie française une forme différente. Des écrivains comme Diderot ou Voltaire ont œuvré, auprès de monarques comme Frédéric II de Prusse ou Catherine de Russie, en faveur de ce qu'on nomme le « despotisme éclairé ». Il s'agissait de convertir ces monarques aux valeurs de la philosophie des

Lumières et de permettre ainsi, sous la conduite positive du despote, d'engager un véritable processus de réforme de la société. On n'est pas très loin de la conception platonicienne selon laquelle les rois doivent être philosophes ou les philosophes être rois.

Sur le plan historique, l'expérience du « despotisme éclairé » est loin d'être convaincante. Dans la ligne des idées de Rousseau, la Révolution française allait apporter au problème de l'autorité politique une solution plus radicale.

→ *Anarchie*

DÉTERMINISME nom masc. – Doctrine selon laquelle tous les événements sont régis par des lois rigides qui les conditionnent tout entiers.

Il n'y a donc pas, pour le déterministe, de fait qui ne soit « déterminé » par une cause, celle-ci résultant elle-même d'une autre cause. La marche de l'univers s'explique donc comme un gigantesque enchaînement de causes et d'effets découlant de lois immuables.

La science est donc toujours déterministe, puisqu'elle vise à mettre en évidence des lois qui permettent d'expliquer, de prévoir les phénomènes et parfois d'agir sur eux en fonction du principe de causalité. Par exemple, on explique et on prévoit la chute d'un corps par la loi de gravitation, ce qui peut conduire à une action propre à infléchir sa trajectoire.

Le déterminisme ne pose problème que dans la mesure où l'on cherche à appliquer ses principes non plus au monde des phénomènes physiques, mais à l'homme lui-même. Dès lors, en effet, les principes déterministes entrent en conflit avec le libre-arbitre. Si l'homme est soumis à des lois aussi rigides que celles de la matière, sa liberté disparaît. Elle n'est plus qu'un leurre. Toute théorie du comportement, toute science de la réalité sociale se trouvent inévitablement confrontées à ce problème.

→ *Animaux-machines – Raison – Sociologie (de la littérature)*

DEUS EX MACHINA nom masc. – Personnage ou événement qui, de manière invraisemblable, permet à une intrigue complexe de se résoudre.

ÉTYM. : expression latine signifiant proprement « dieu venant d'une machine », « dieu descendu grâce à une machine ». L'expression renvoie au théâtre grec dans lequel on avait recours quelquefois à ce que l'on peut considérer comme un artifice pour conclure les pièces : grâce à une machinerie sommaire, une figure divine descendait sur scène et apportait par son intervention miraculeuse un dénouement inattendu à l'intrigue.

L'expression est restée quand bien même le théâtre n'a plus recours à ce type d'artifice. Elle sert à désigner aujourd'hui tout procédé en rupture avec le déroulement normal des événements présentés et qui, d'une façon peu vraisemblable, permet le dénouement.

De très nombreuses pièces de Molière se terminent ainsi. Une parenté insoupçonnée jusqu'alors permet la résolution de tous les problèmes. Ou bien, dans *Tartuffe*, l'intervention d'un envoyé du roi provoque un « coup de théâtre » et permet un « happy end » assez invraisemblable. La conclusion de *Dom Juan* renoue avec la tradition grecque, puisque c'est à proprement parler un *deux ex machina* qui infléchit tragiquement le cours des événements.

→ *Action – Unités*

DIACHRONIE nom fém. – Terme de la linguistique indiquant qu'une langue est étudiée dans son évolution.

ÉTYM. : « chronie » se rattache au grec *khronos* = « temps » et *dia* = « à travers » « en séparant » (comme le fait la diagonale). Le mot « synchronie », qui s'oppose à « diachronie », est formé avec le radical *sun*, d'où est venu « syn » et qui signifiait en grec « avec » (donc idée d'unité s'opposant à l'idée de séparation).

Cette distinction entre « diachronie » et « synchronie » est due à Ferdinand de Saussure, le fondateur de la linguistique. La diachronie prend en compte les différentes étapes de l'évolution d'une langue. La synchronie s'arrête sur l'état d'une langue à un moment donné et étudie cette langue comme un système régi par un ensemble de règles (ainsi que l'est par exemple le jeu d'échecs).

DIALOGUE nom masc. – 1. Tout passage d'une œuvre littéraire dans lequel des personnages conversent.
2. Genre littéraire, à visée souvent pédagogique, dans lequel un sujet d'ordre philosophique est l'objet d'une discussion entre des personnages défendant des thèses opposées.

ÉTYM. : du grec *dia* = « en séparant » et *logos* = « discours ». Donc, littéralement, « discours partagé entre plusieurs personnes ».

Le modèle de tous les dialogues – dans le second de ces sens – est à chercher dans l'œuvre de Platon. Celui-ci met en scène le philosophe Socrate amenant par un questionnement adapté ses interlocuteurs à se dégager de leurs anciennes erreurs.

Le dialogue est sans doute un genre mineur que sa visée didactique dessert quelquefois, mais qui a été illustré par des auteurs importants tout au long de l'histoire de la littérature. Citons de Boileau *Le Dialogue des héros de roman*, de Wilde *La Décadence du mensonge* et de Valéry, enfin, *Eupalinos ou l'Architecte*.

→ *Monologue – Monologue (intérieur) – Récit*

DIATRIBE nom fém. – Texte ou discours formulant des critiques d'une grande violence sur un ton parfois injurieux.

ÉTYM. : du grec *diatribê* = « entretien philosophique ».

Voltaire, auteur d'une *Diatribe du docteur Akakia* (1753), semble avoir beaucoup contribué à la connotation franchement négative prise par ce terme.

→ *Libelle – Pamphlet*

DICTIONNAIRE nom masc. – Ouvrage présentant, d'ordinaire dans l'ordre alphabétique, une série de mots accompagnés de leurs définitions et parfois d'un commentaire.

ÉTYM. : du latin médiéval *dictionnarium* se rattachant à *dicere* = « montrer par la parole ».

Les premiers dictionnaires connus en France furent surtout des dictionnaires latin-français. À mesure que le français s'imposa comme la langue officielle, les dictionnaires, dans le sens où nous l'entendons aujourd'hui, se développèrent.

On retiendra parmi les grands dictionnaires qui ont marqué l'histoire de la langue et de la culture françaises : le *Dictionnaire de l'Académie française* (1694) ; *l'Encyclopédie* (1751-1772) qui, si elle fut plus qu'un dictionnaire, fut aussi cela ; le *Dictionnaire de Littré* ; le *Dictionnaire universel du XIXᵉ siècle* (1866-1876) de Pierre Larousse ; le *Dictionnaire alphabétique et analogique de la langue française* de Paul Robert, régulièrement remis à jour ; enfin le *Trésor de la langue française* disponible sur Internet.

→ *Encyclopédie*

DIDASCALIE nom fém. – Instructions données par l'auteur d'une pièce de théâtre aux acteurs.

ÉTYM. : du grec *didaskalia* = « enseignement ». Le *didaskalos* (littéralement le « maître d'école ») était celui qui dirigeait les répétitions du chœur et des acteurs en Grèce, donc l'équivalent de notre « metteur en scène ». Le mot « didascalie » s'est donc tout naturellement appliqué aux indications scéniques portées sur le texte des pièces.

Ces indications qui s'ajoutent au texte dit par les personnages sont en général entre parenthèses et en caractères italiques. On parle plus souvent à leur propos d'« indications scéniques ».

DIÉGÈSE nom fém. – Terme utilisé par certains critiques ou théoriciens pour désigner ce que d'ordinaire, dans une œuvre de fiction, on nomme l'intrigue ou l'histoire.

ÉTYM. : du grec *diegesis* = « récit » que l'on oppose parfois à *mimesis* = « imitation », « représentation directe par des acteurs ».

Le mot a été particulièrement utilisé par les critiques parlant du nouveau roman. À partir de lui ont été formés des néologismes qui sont venus enrichir le vocabulaire critique. On en trouvera de nombreux exemples sous la plume de Jean Ricardou.

Celui-ci écrit, par exemple, que, dans *Le Palace* de Claude Simon ou *Le Voyeur* de Robbe-Grillet, la description est « anti-diégétique ». Il faut comprendre qu'elle s'oppose à l'intrigue dans la mesure où elle retarde ou interrompt l'action. Il définit le nouveau roman comme la tentative conflictuelle (et dans les cas subversifs : impossible) d'ordonner une hétérodiégèse en une orthodiégèse. Ce qui signifie que le nouveau roman se veut le lieu d'intrigues contradictoires (« hétérodiégèse ») qu'il est impossible au lecteur de réduire à une intrigue unique et cohérente (« orthodiégèse »).

Le mot est souvent utilisé sans doute moins pour sa dénotation que pour sa connotation. Dans la mesure où le nouveau roman entend prendre de la distance par rapport aux formes traditionnelles de la narration, il s'oppose à l'idée que le but du roman soit seulement de raconter une histoire. Il entend se construire en s'opposant à ce que Ricardou nomme « l'Empire diégétique ».

→ *Action – Histoire – Intrigue – Nouveau roman*

DIÉRÈSE nom fém. – Prononciation de manière distincte de deux voyelles successives qui, dans la langue courante, constitueraient une syllabe unique.

ÉTYM. : du grec *diairesis* = « division ».

Il y a *diérèse* sur la fin du mot si, pour des raisons prosodiques (donc pour respecter le nombre de syllabes requis par le vers), je prononce « ambition » am-bi-*ci-ion*. Dans le cas contraire, il y a « synérèse ».

La *diérèse*, qui correspond souvent à une prononciation ancienne, archaïque, est l'un des nombreux éléments qui contribuent à distinguer la langue poétique de la langue courante, à en faire une sorte de langue dans la langue.

Exemples empruntés au *Cimetière marin* de Paul Valéry :

« La scintilla*tion* sereine sème
Tête complète et parfait *dia*dème
Sont le défaut de ton grand *dia*mant
La sainte impa*tience* meurt aussi ! »

→ *Mètre – Scansion – Vers*

DIGRESSION nom fém. – Tout développement par lequel on s'éloigne pour un instant du sujet que l'on s'était choisi.

ÉTYM. : du latin *digressio* se rattachant à *digredi* = « s'éloigner ».

Par nature, la *digression* perturbe la narration ou l'exposé. Elle engage le récit ou le discours dans une voie différente qu'il lui faudra tôt ou tard abandonner pour revenir au sujet central. L'économie du texte ou du discours exige donc qu'elle soit courte et que son utilisation soit bien maîtrisée.

Elle peut cependant devenir l'un des instruments principaux de la narration lorsque le procédé devient répétitif et que son utilisation même sert à relancer, de manière ludique, l'intrigue dans des directions toujours différentes. Il en est ainsi dans *Tristram Shandy* de Laurence Sterne et dans *Jacques le fataliste* de Diderot.

DILEMME nom masc. – Problème posé par une situation dans laquelle on se trouve contraint de faire un choix entre deux attitudes inconciliables.

On parle souvent de dilemme cornélien du fait que le dramaturge français aimait mettre en scène ce type de situation. L'exemple le plus connu est celui du *Cid* (1637). Rodrigue doit impérativement venger son père souffleté par don Gormas. Mais don Gormas est le père de Chimène, la femme qu'il aime. Ou bien il perd son honneur en ne se battant pas avec don Gormas ou bien il se bat et tue don Gormas, ce qui le conduit à perdre Chimène. Rodrigue s'interroge sur l'attitude qu'il doit adopter tout au long d'un monologue célèbre qui s'achève par la décision de venger l'honneur de son père.

Éviter la faute fréquente consistant à dire « dilemne ».

DIONYSIAQUE adj. – Caractéristique d'une attitude ou d'un style dans lesquels dominent l'enthousiasme, le délire, l'inspiration.

ÉTYM. : dérivé évidemment de *Dionysos*. Dionysos, dieu grec que les Romains nommaient Bacchus, était le dieu du Vin, de l'Ivresse, du Désordre et de la Fête.

L'adjectif *dionysiaque,* formé à partir de ce nom, n'a de sens que dans l'opposition entre « apollinien » et « dionysiaque » qu'introduit le philosophe allemand Nietzsche dans son livre *Naissance de la tragédie* (1872).

Apollon, le dieu du Soleil, de la Lumière, y est présenté comme la figure inversée de Dionysos et donc associé à la mesure, à l'équilibre et à l'ordre. C'est tout le jeu contradictoire entre apollinien et dionysiaque, entre un principe d'ordre et un principe de désordre qui constituerait la tragédie grecque et, au-delà, peut-être, pourrait-on ajouter, tout art véritable.

DISCOURS nom masc. – 1. Texte présenté oralement ou propos improvisés à l'intention d'un auditoire.
2. Texte didactique se proposant de traiter, de manière organisée, d'un sujet particulier (exemple : *Discours de la méthode* de Descartes).
3. Tout énoncé linguistique se constituant d'un ensemble cohérent de phrases.

ÉTYM. : se rattache au verbe latin *discurrere* = « courir çà et là ».

Le mot est particulièrement difficile à définir, tant il est employé pour désigner des réalités différentes. L'influence de la linguistique sur les sciences humaines a fait qu'on a tout analysé en termes de discours, qu'on a tout ramené au langage. À la limite, le terme est même devenu synonyme d'« idéologie », de « vision du monde ». Ainsi, quand on parle de « discours de la classe dominante » ou de « discours psychanalytique », cette formulation correspond moins à un énoncé linguistique particulier et repérable que le système d'ensemble qui s'exprime dans cet énoncé.

Sur le sens de « discours » opposé à « récit », se reporter à « récit ».

→ *Récit*

DISTANCIATION nom fém. – Traduction française du mot allemand « Verfremdung » qui désigne un procédé fondamental du théâtre épique et critique de Bertold Brecht.

La *distanciation* est le procédé par lequel, selon la théorie de Bertold Brecht (Allemagne, 1898-1956), il faut éviter au spectateur le piège de l'identification au spectacle. Pour rompre l'envoûtement, et maintenir en éveil la conscience critique du public, on interrompt l'action dramatique par des « songs », des intermèdes chantés qui résument le sens des événements montrés sur la scène.

En dépit de ses aspects didactiques, la distanciation brechtienne a eu pour principal mérite de démystifier le sujet, l'histoire tendue vers une fin. Ce procédé est ainsi à l'origine de la sémiotique du théâtre moderne qui ne se limite plus à l'action dramatique, au texte et surtout au fil de l'intrigue, mais constitue un ensemble de signes que le spectateur doit décrypter pour enrichir sa connaissance et son expérience.

Bertold Brecht devait, en fait, la découverte de la distanciation à son ami Serge Tretiakov, critique et dramaturge important de l'avant-garde russe, qui lui avait parlé du concept d'« *ostraniéné* » (littéralement « étrangéisation ») inventé par Victor Chklovski. Mais Brecht a donné à la traduction de ce mot un sens et une application spécifiques assez éloignés de leur emploi originel.

→ *Action – Critique (esprit)*

DISTIQUE nom masc. – Ensemble de deux vers se suffisant à eux-mêmes quant au sens.

ÉTYM. : du grec *dis* = « deux » et *stichos* « vers ».

Ainsi, dans « Colloque sentimental » de Verlaine :
« Dans le vieux parc solitaire et glacé,
Deux formes ont tout à l'heure passé. »

DIT nom masc. – Forme poétique propre à la littérature médiévale et qui se caractérise souvent par une intention didactique.

Le terme est assez vague et sert à désigner des textes de nature différente. Il se distingue assez mal du « fabliau », du « débat » ou même du « lai ».

Certains *dits* sont purement descriptifs. C'est le cas du *Dit des rues de Paris*, poème qui recense les 310 rues que comptait la capitale à la fin du XIIIᵉ siècle. D'autres ont un contenu édifiant et moralisateur : par exemple, le *Dit des trois morts et des trois vifs* de Baudoin de Condé relatant la rencontre de trois jeunes nobles avec trois cadavres qui les mettent en garde contre le péché et les invitent au repentir.

On nomme parfois « débats » les dits qui se présentent sous forme dialoguée. Le plus célèbre est sans doute le *Débat du cœur et du corps* de François Villon.

DITHYRAMBE nom masc. – Éloge tellement appuyé qu'il frôle l'exagération.

Le mot vient du grec et désignait dans l'Antiquité un hymne à l'honneur de Dionysos qu'accompagnait la représentation sous forme de mime de l'une des aventures du dieu.

Sur ce mot a été forgé l'adjectif *dithyrambique* (élogieux presque à l'excès) : « Il s'est répandu en propos dithyrambiques sur cette mise en scène. »

→ *Apologie – Panégyrique*

DIVERTISSEMENT nom masc. – 1. Au XVIIᵉ siècle, intermède dansé entre les actes d'une pièce.
2. Chez Pascal, toutes les activités par lesquelles l'homme cherche à se détourner de lui-même et de l'idée de sa mort prochaine.

ÉTYM. : se rattache au verbe latin *divertere* = « (se) détourner ». Ce sens de « détourner » se conserve en français jusqu'à la fin du XVIᵉ siècle. Amyot parle, par exemple, de ceux qui « divertissent l'eau publique à Athènes ». De l'idée de se détourner des choses ennuyeuses, on en est passé tout naturellement à l'idée de se « distraire ».

Dans son second sens, le mot *divertissement* est l'un des plus importants pour comprendre la philosophie de Blaise Pascal. Celui-ci, dans les *Pensées*, montre ce qu'est la misère de l'homme sans Dieu : si l'homme se contemple lui-même, il prendra conscience de son état de déréliction, de la petitesse de ce qu'il est et de la mort qui l'attend.

Cette méditation sur lui-même étant insupportable, l'homme cherche à se fuir par tous les moyens à travers ce que Pascal appelle le *divertissement* (encore tout proche de son sens originel de « détourner »). Ce divertissement correspond aussi bien à ce que nous nommons les distractions – jeu, chasse – qu'à des occupations comme le travail quand celui-ci n'est pas imposé par le besoin. Pascal montre bien le rôle réel de ces occupations. Ainsi à la chasse ou au jeu de paume, ou dans une entreprise commerciale aventureuse, « la chasse vaut mieux que la prise ». Le résultat, souvent dérisoire, compte moins que le temps que nous consacrons à cette action et au cours duquel nous oublions ce que nous sommes.

Le *divertissement* est donc pour Pascal une manière de supporter notre condition, à laquelle on peut d'ailleurs s'abandonner à condition de le faire en pleine conscience. Mais il s'agit largement d'une solution factice, la vraie issue résidant en effet dans la religion et dans le secours que seule la foi peut fournir. Le message de Pascal est en somme le suivant : il ne faut pas se divertir, mais se convertir.

DIZAIN nom masc. – Poème ou strophe de dix vers.

Les *dizains* les plus célèbres, en tant que poèmes autonomes, sont les 449 dizains en décasyllabes qui constituent la *Délie* (1544) de Maurice Scève.

→ *Strophe*

DOGMATISME nom masc. – Attitude rigide qui s'en tient, sans accepter compromis ou nuances, à une vérité considérée comme indiscutable.

ÉTYM. : venu, par le latin, du grec *dogma* = « opinion », « doctrine ».

La vérité établie dont on ne veut pas s'écarter est ce que l'on appelle le *dogme*. Les mots dogme et dogmatisme sont surtout employés dans les domaines religieux et politique.

→ *Autorité (principe d') – Critique (esprit)*

DOLCE STIL NUOVO nom masc. – Style adopté par la poésie lyrique italienne dans la seconde moitié du XIIIᵉ siècle.

L'expression italienne signifie « doux style nouveau ». Elle a été introduite par Dante, dans le *Purgatoire*, pour qualifier son propre style littéraire, mais elle est d'une application plus large.

Elle désigne un moment très important dans l'évolution de la poésie italienne. Le « dolce stil nuovo » est un peu l'aboutissement et le couronnement de ce que l'on nomme la littérature courtoise. Des poètes comme Guinizelli, Cavalcanti et surtout Dante ont sans doute haussé jusqu'à sa plus haute expression littéraire cette exigeante conception de la poésie et de l'amour qui, pour citer le dernier vers de *La Divine Comédie*, « meut et le soleil et les autres étoiles ».

DOXA nom fém. – Opinion commune.

ÉTYM. : mot grec signifiant « opinion ». Déjà, en grec, la *doxa* se présente comme l'opinion commune à laquelle est opposée l'appréciation plus fondée en raison du philosophe. Ce mot grec a servi à la construction de termes comme « hétérodoxe », « orthodoxe », « paradoxe ».

Roland Barthes, dans des livres comme *Le Plaisir du texte* ou *Roland Barthes par Roland Barthes*, lui a donné un sens un peu particulier. La *doxa* est pour lui synonyme de ce que l'on nomme d'ordinaire l'« idéologie dominante ». Elle est l'ensemble des valeurs qui s'imposent à leur insu aux individus qui les tiennent pour naturelles simplement parce qu'elles constituent la norme de la société dans laquelle ils évoluent.

DRAMATURGE nom masc. – Auteur de pièces de théâtre.

ÉTYM. : du grec *drama* = « action » et *ourgos*, élément provenant de *ergon* = « travail ». On retrouve le suffixe en « urge » dans « démiurge », « thaumaturge », etc., et le suffixe « urgie », toujours idée de production, d'opération, dans « chirurgie », « métallurgie », etc.

Le mot s'applique tout aussi bien à l'auteur de comédies, de tragédies qu'à l'auteur de « drames ».

→ *Drame – Théâtre*

DRAMATURGIE nom fém. – Ensemble des règles et des principes qui, à une époque donnée ou pour un auteur donné, sous-tendent la production théâtrale.

L'ouvrage de Jacques Schérer, *La Dramaturgie classique en France*, est une synthèse très complète sur le théâtre du XVIIᵉ siècle que tout étudiant en lettres doit avoir dans sa bibliothèque.

La *dramaturgie* peut être un ensemble de règles pour créer une œuvre de théâtre de même que la poétique peut indiquer la voie à suivre à celui qui veut écrire des poèmes. Mais on peut aussi concevoir la dramaturgie – et il en va de même pour la poétique – comme un réseau de principes pas toujours explicités et même souvent « inconscients » qui sont mis en œuvre par un créateur.

→ *Dramaturge – Poétique*

DRAME nom masc. – 1. Genre théâtral considéré dans son ensemble.
2. Terme employé à partir du XVIIIᵉ siècle pour désigner une forme de théâtre distincte à la fois de la tragédie et de la comédie classiques.

ÉTYM. : du grec *drama* = « action ». Le mot est parfois employé dans ce sens étymologique d'« action ».

C'est Diderot qui, au XVIIIe siècle, fit usage de ce terme pour l'appliquer à une forme nouvelle de théâtre, celle qui, se distinguant à la fois de la comédie et de la tragédie héritées du siècle précédent, traitait de manière sérieuse des sujets empruntés à la vie bourgeoise. Au siècle suivant, la réaction contre le théâtre classique donna naissance au « drame romantique ».

Diderot encourage la naissance du « drame bourgeois » dont les personnages sont de condition moyenne et dont les problèmes sont seulement sociaux ou psychologiques (sans qu'interviennent des puissances supérieures).

DRAME ROMANTIQUE – Forme de théâtre élaborée au XIXe siècle par les écrivains romantiques et qui se caractérise par le refus des règles antérieures de la dramaturgie.

L'histoire du *drame romantique* débute avec le scandale dont fut à l'origine, en 1830, *Hernani* de Victor Hugo, et s'achève avec le succès que rencontra en 1897 *Cyrano de Bergerac* d'Edmond Rostand. Entre ces deux dates prirent place des œuvres aussi importantes que *Ruy Blas* (1838) de Hugo ou *Lorenzaccio* (1834) de Musset.

Le *drame romantique* tel que le définit Hugo dans la préface de *Cromwell* (1827) se caractérise par le rejet des conventions et des règles présentées comme des entraves : les règles de l'unité de temps et de l'unité de lieu doivent être abolies, la scène doit être véritablement le lieu de l'action et non du récit de l'action, le comique et le tragique peuvent être mêlés dans une même pièce.

Les jugements portés sur le drame romantique sont très variés. Certaines pièces comme *Ruy Blas* atteignent indubitablement à une réelle force lyrique, mais le drame romantique verse souvent dans le mélodramatique, l'emphase et l'invraisemblable.

→ *Bienséance – Règles – Unités*

E

ÉCOLE nom fém. – Groupe d'écrivains, d'artistes ou d'intellectuels rassemblés de manière plus ou moins structurée autour d'une même doctrine.

EXEMPLES : en littérature, le symbolisme, le naturalisme, le surréalisme ; en peinture, l'impressionnisme, le cubisme ; en histoire, « l'école des Annales » qui fut à l'origine de la « nouvelle histoire ».

Il faut souligner que le terme « école » recouvre des réalités extrêmement différentes. On peut sans doute parler d'« école surréaliste » dans la mesure où ce mouvement artistique s'est voulu organisé de manière très rigide : il avait un chef de file avec André Breton ; son esthétique avait été définie dans des manifestes ; ses membres se retrouvaient de manière régulière et étaient – tant bien que mal – soumis à une forme de discipline qui leur interdisait en principe de s'éloigner de la ligne adoptée. De même, il est possible de considérer le naturalisme comme une école littéraire : son chef de file était Zola qui avait défini les principes de l'esthétique naturaliste dans *Le Roman expérimental* ; la publication des *Soirées de Médan* – un recueil de nouvelles naturalistes signées de six auteurs différents – donna une dimension collective au naturalisme.

À l'inverse, il est beaucoup plus contestable de parler, comme on l'a fait, d'« École du Regard » à propos du « Nouveau Roman » dans la mesure où ce mouvement littéraire n'a jamais eu la cohérence doctrinale d'une véritable « école ».

Le terme est au total assez peu satisfaisant dans la mesure où il suppose une cohérence, une unité que les mouvements artistiques ont rarement. Bien souvent parler d'« école », c'est affirmer avec force l'existence d'une communauté là où n'existe en fait que la singularité de chaque artiste et de chaque œuvre. Paul Valéry, dans *Mauvaises pensées*, s'élevait contre cette manière de voir la littérature comme une succession d'« écoles » aux frontières bien déterminées, aux conceptions bien définies. Il écrivait : « *Il est impossible de penser – sérieusement – avec des mots comme Classicisme, Romantisme, Humanisme, Réalisme… On ne s'enivre ni ne se désaltère avec des étiquettes de bouteilles.* »

→ *Manifeste – Naturalisme – Regard (École du) – Surréalisme*

ÉCRITURE nom fém. – 1. Transcription par signes graphiques du langage.
2. Acte ou manière d'écrire.

Le mot a été l'objet d'interprétations théoriques nombreuses et importantes au cours de ces dernières années.

Dans le premier sens, le philosophe Jacques Derrida, notamment dans son livre *De la grammatologie*, fait de l'écriture l'un des objets essentiels de sa réflexion. Il montre comment, de manière ambiguë, mais constante, et cela de Platon jusqu'à Lévi-Strauss en passant par Rousseau et Saussure, l'écriture a été l'objet d'une dévalorisation par rapport à la parole. C'est à une rupture avec cette conception – qui s'inscrit dans ce qu'il nomme la tradition « logocentrique » – que Derrida invite dans ses ouvrages.

Dans le second sens – manière d'écrire –, *écriture* tend à devenir un équivalent de « style ». Roland Barthes dans *Le Degré zéro de l'écriture* (1953) définit le mot ainsi : « *L'écriture est une fonction, elle est le rapport entre la création et la société ; elle est le langage littéraire transformé par sa destination sociale.* »

→ *Déconstruction – Écrivain – Écrivant*

ÉCRIVAIN nom masc. – Toute personne qui utilise l'écriture à des fins littéraires.

L'écrivain peut être poète, romancier, dramaturge, voire, dans certains cas, n'appartenir à aucune catégorie précise. Mais il s'oppose à celui qui utilise l'écriture à d'autres fins que la création littéraire.

La critique moderne propose quelquefois de substituer le mot « scripteur » à celui d'« écrivain » pour rompre avec toute la mythologie qui entoure la figure classique de l'écrivain. Elle oppose aussi l'« écrivain » à l'« écrivant ».

→ *Écriture – Écrivain – Scripteur*

ÉCRIVANT nom masc. – Terme introduit par Roland Barthes pour désigner quiconque utilise l'écriture à des fins non proprement littéraires.

La distinction entre « écrivain » et « écrivant » est introduite par Barthes dans un article de 1960 reproduit dans les *Essais critiques* (1964). Alors que pour l'écrivain, le verbe « écrire » est un verbe intransitif (sans complément d'objet), pour l'écrivant, il est toujours transitif. L'écrivant écrit non pas pour écrire, mais pour écrire *quelque chose*. Dans ce cas, la fonction littéraire de l'écriture est reléguée au second plan. Comptent essentiellement le message politique, doctrinal, le témoignage que le texte doit faire passer. En ce sens, le poète ou le romancier se doivent d'être des écrivains, alors que l'intellectuel ou le journaliste se veut un écrivant.

Barthes reconnaît cependant le caractère théorique de l'opposition : « *Aujourd'hui, chaque participant de l'intelligentsia tient en lui les deux rôles, dont il "rentre" plus ou moins bien l'un ou l'autre : des écrivains ont brusquement des comportements, des impatiences d'écrivants ; des écrivants se haussent parfois jusqu'au théâtre du langage. Nous voulons écrire quelque chose, et en même temps, nous écrivons tout court. Bref, notre époque accoucherait d'un type bâtard : l'écrivain-écrivant.* »

→ *Écriture – Écrivain – Intellectuel*

ÉDITION nom fém. – 1. Activité consistant dans la publication, la diffusion et la vente d'un texte.
2. Totalité des exemplaires d'un texte publiés en une fois.

La première édition d'un texte est appelée *édition originale*. On parle d'*édition princeps* lorsque le texte concerné est un ouvrage ancien et rare.

D'édition en édition, le texte peut légèrement varier : on parlera d'*édition revue et corrigée* et enfin, lorsque le texte se présente sous une forme considérée comme définitive, d'*édition ne varietur*.

Lorsque le texte a été établi à partir de l'étude des originaux et des manuscrits par des spécialistes qui peuvent l'assortir de notes et de commentaires, il s'agit d'une *édition critique*.

Quelques exemples montrent bien l'importance que peuvent revêtir les problèmes d'édition.

L'édition d'un texte peut d'abord être fautive et défigurer celui-ci. Ainsi, *Ulysse* de l'écrivain irlandais James Joyce fut publié dans les années 20 en anglais à Paris, d'où de nombreuses coquilles qui n'ont été corrigées que soixante ans après, à l'occasion d'une édition critique du texte qui sert désormais de référence. Comme l'explique bien Gérard Conio, dans *25 grands romans français résumés et commentés* (1990, Marabout), à propos de *Sous le soleil de Satan* de Bernanos, une œuvre peut aussi être dénaturée par l'intervention du responsable éditorial.

À l'inverse, l'édition d'un texte, loin de défigurer celui-ci, peut quelquefois lui donner forme. Cela se produit lorsque l'auteur n'a pas pu ou n'a pas voulu se charger lui-même de mettre en forme son texte. L'exemple le plus célèbre est celui des *Pensées* de Pascal. Le philosophe français est mort sans avoir mené à bien son projet d'une apologie du christianisme. Il a laissé seulement des fragments à partir desquels ses héritiers puis différents éditeurs ont proposé différents agencements de ces « brouillons ».

La même remarque s'appliquerait aux derniers volumes de *À la recherche du temps perdu* dont Proust n'a pas eu le temps de surveiller la publication. On pourrait enfin citer le cas de Rimbaud qui, sauf en ce qui concerne *Une saison en enfer*, s'est toujours désintéressé de la publication de ses œuvres, laissant ce soin à ses amis, ses éditeurs qui ont dû décider, par exemple, de l'ordre dans lequel classer les poèmes des *Illuminations*.

ÉDITORIAL nom masc. – Article souvent écrit par le rédacteur en chef, ou exprimant tout au moins la pensée de l'équipe rédactionnelle, et qui figure au début d'un journal.

ÉTYM. : formé sur le mot anglais *editor* = « rédacteur en chef ».

ÉDUCATION nom fém. – Ensemble des processus qui permettent d'acquérir les connaissances et les comportements requis dans une société donnée.

ÉTYM. : se rattache au verbe latin *educare* = « éduquer », mais littéralement « mener à bien » qui se rattache lui-même à *ducere* = « conduire ». À l'origine, le terme *educare* s'appliquait à la petite enfance, mais, déjà chez les grands auteurs comme Cicéron, le mot s'emploie pour la période suivante, celle de la formation morale et intellectuelle de l'enfant ayant atteint l'âge de raison.

La question éducative a été au centre d'importantes œuvres littéraires du passé. Rabelais, dans *Pantagruel* et *Gargantua*, définit, en opposition avec l'éducation du Moyen Âge, l'enseignement scolastique, les principes d'une éducation humaniste. Celle-ci propose, avec tout l'enthousiasme dont la Renaissance pouvait être capable, la maîtrise totale du savoir nouveau en train de se constituer. Elle donne aussi la priorité à la formation du jugement. Montaigne, dans deux chapitres célèbres de ses *Essais* – « Du pédantisme », et « De l'institution des enfants » –, condamne une éducation qui ne viserait qu'à l'apprentissage d'un savoir coupé de la vie.

Les deux auteurs, cependant, qui ont fait le plus pour la définition de l'éducation telle que nous la connaissons aujourd'hui sont sans doute à chercher au XVIIIe siècle. Avec Rousseau d'abord qui, dans *Émile ou De l'éducation* (1762), montre que l'éducation doit s'adapter à la spécificité de l'intelligence et de la sensibilité enfantines. Avec Condorcet, ensuite, qui plaide, notamment dans son *Tableau historique des progrès de l'esprit humain* (1793-1794), pour la démocratisation de l'enseignement, prolongement nécessaire de l'égalité de droit que venait de proclamer la Révolution française.

→ *Pédagogie*

EGO nom masc. – Philosophie et psychanalyse. Le « moi » comme sujet, c'est-à-dire comme centre de conscience et de volonté.

ÉTYM. : du latin *ego* = « je ».

ÉGOCENTRISME nom masc. – Tendance à se considérer comme le centre du monde.

Le « moi », l'« ego », dans le sens défini ci-dessus, est considéré comme la valeur suprême, celle à laquelle tout doit se ramener. De ce fait, bien sûr, pour un *égocentrique*, les autres n'ont d'importance que dans la mesure où ils peuvent contribuer à valoriser cet « ego ».

L'enfant est naturellement égocentrique dans une première phase de son développement qu'il dépasse ensuite pour s'ouvrir au monde et à autrui. De ce fait, l'égocentrisme est considéré comme le signe d'une immaturité dans le domaine affectif.

→ *Égotisme*

ÉGOTISME nom masc. – Attitude consistant à faire porter sur soi-même, sur son moi, l'essentiel de son attention.

ÉTYM. : formé sur le mot latin *ego* = « je » et emprunté à l'anglais (*egotism*).

Le terme peut désigner simplement la légitime pratique de l'introspection. Très souvent, cependant, il est connoté un peu péjorativement et devient pratiquement synonyme d'égocentrisme ou de narcissisme.

Ce mot a été particulièrement utilisé par Stendhal qui a laissé un ouvrage autobiographique inachevé intitulé *Souvenirs d'égotisme* (1832, posth. 1892).

→ *Introverti – Narcissisme*

ÉLÉGIAQUE adj. – Qui a le ton mélancolique propre aux élégies.

→ *Élégie*

ÉLÉGIE nom fém. – Poème exprimant la mélancolie de son auteur.

ÉTYM. : du grec *élégos* = « chant de deuil » et par suite « chant triste ». L'élégie était un chant accompagné de la flûte. Le mot grec *élégos* était d'ailleurs, à l'origine, un mot d'origine orientale qui désignait une flûte de roseau.

Dans la littérature antique, l'*élégie* était un poème composé de « distiques élégiaques », ceux-ci étant constitués d'un hexamètre (vers de 6 pieds) et d'un pentamètre (vers de 5 pieds ou plus exactement deux demi-vers de chacun deux pieds et demi). L'élégie, on le voit, se définissait à l'origine plus par la forme poétique adoptée que par le thème abordé. Ainsi les élégies antiques pouvaient-elles traiter aussi bien d'amour que de guerre, de politique que de mort.

Le mot a fini par désigner tout poème, quelle que soit sa forme, dans lequel s'exprime, sous forme de lamentations, la douleur ou simplement la mélancolie de son auteur. En France, les principaux auteurs à avoir recours à l'élégie ont été Ronsard, Malherbe, Chénier et Lamartine. Les *Méditations* (1820) de ce dernier constituent sans doute les ultimes et les plus réussies des élégies que compte la littérature française.

Le genre s'est développé de manière plus importante dans d'autres pays d'Europe. On retiendra surtout les *Élégies de Duino* du poète allemand Rainer Maria Rilke.

ELLIPSE nom fém. – Procédé de style par lequel on omet volontairement dans un énoncé un élément que l'on se contente de sous-entendre.

ÉTYM. : du grec *elleipsis*, littéralement « figure incomplète ».

L'ellipse est un phénomène très courant dans le langage. Par souci d'économie ou de rapidité, on réduit l'énoncé au minimum de ce qui est nécessaire pour que le message soit transmis de manière intelligible. L'ellipse du verbe – et notamment du verbe « être » – est particulièrement fréquente en français. Un exemple emprunté au poème de Verlaine « Mon rêve familier » :

« Son nom ? Je me souviens qu'il est doux et sonore

Comme ceux des aimés que la Vie exila. »

Il y a ellipse dans la question qui ouvre le premier vers. Au lieu de demander « Quel est son nom ? », Verlaine se contente d'écrire « Son nom ? ».

En principe, l'ellipse ne doit être la cause d'aucun problème de compréhension : le destinataire du message doit être en mesure de suppléer lui-même à l'absence de l'élément omis. Il doit être en mesure de combler sans hésitation le vide créé dans la phrase.

L'ellipse peut fonctionner à un niveau supérieur à celui de la phrase. L'élément omis n'est plus alors un mot ou un groupe de mots mais une scène, un épisode. L'exemple le plus célèbre est peut-être à chercher dans la conclusion du chant V de la *Divine Comédie* de Dante : Francesca da Rimini raconte au poète italien comment la lecture d'une histoire d'amour l'amena à recevoir le premier baiser de celui qui allait devenir son amant. Le récit de Francesca s'achève sur cette phrase :

« Et ce jour-là nous n'avons pas lu plus avant. »

Manière élégante de laisser deviner au lecteur ce à quoi les deux amoureux s'occupèrent.

ÉLOQUENCE nom fém. – Art de convaincre ou d'émouvoir par la parole.

ÉTYM. : dérivé du verbe latin *eloqui* = « parler ».

L'éloquence est aussi bien une technique qu'un don : une technique, car la rhétorique enseigne les figures et les procédés à l'aide desquels il est possible d'entraîner l'adhésion par le discours ; un don, parce que, comme l'écrit Pascal, « *la vraie éloquence se moque de l'éloquence* ».

L'art oratoire est un genre littéraire véritable comme en témoignent les sermons de Bossuet, les discours de Saint-Just ou ceux du général de Gaulle lorsque ces derniers ne cèdent pas à l'emphase.

L'éloquence peut cependant devenir une facilité lorsqu'elle ne consiste qu'en l'application mécanique de certains procédés, lorsque l'orateur est trop attentif à ses effets et que son discours, à trop vouloir convaincre, perd tout naturel, sombre dans l'artificiel. C'est pourquoi dans son *Art poétique*, Verlaine la condamne : « Prends l'éloquence et tords-lui son cou ! »

→ *Rhétorique*

EMBLÈME nom masc. – Figure symbolique accompagnée d'ordinaire d'une légende, d'une devise.

ÉTYM. : du grec *emblêma* = « objet jeté ou enfoncé dans », « figure gravée ».

Les premiers *emblèmes* apparurent au XVIᵉ siècle. Ils étaient consignés dans des ouvrages comme l'*Emblematum Liber* de l'Italien Alciati ou les *Emblèmes* de l'Anglais Francis Quarles. Joignant l'image au texte, ils présentaient de manière particulièrement frappante et souvent astucieuse les grandes figures symboliques qui habitaient l'imaginaire de la Renaissance.

À ce titre, ces *emblèmes* constituèrent de véritables sources d'inspiration pour des poètes comme Shakespeare, John Donne ou Maurice Scève. Ce dernier, par exemple, intègre dans son grand poème *Délie, objet de plus haute vertu* (1544) toute une série d'emblèmes qui scandent le texte et font écho, de manière plus ou moins décalée, aux poèmes eux-mêmes.

→ *Symbole*

EMPATHIE nom fém. – Attitude consistant à sympathiser avec autrui au point que l'on « se met dans sa peau ».

ÉTYM. : du mot grec *pathos* qui signifie « affection » avec le double sens qu'a ce mot, c'est-à-dire à la fois « maladie » et « passion ». Formé avec *en* = « dans », l'*empatheia* était, littéralement, « la passion qui emplit ». Le mot a changé de sens, puisqu'il comporte plutôt aujourd'hui l'idée de se transporter dans l'âme d'autrui et donc d'éprouver, de ce fait, les mêmes sentiments que lui.

Quand Sainte-Beuve dit que le critique doit tremper sa plume dans la même encre que celle dont s'est servi l'auteur, il veut exprimer la nécessité d'une certaine empathie pour bien parler d'un écrivain.

EMPHASE nom fém. – Enflure, outrance de style.

ÉTYM. : venu du grec *emphasis* = « image produite par quelque chose » (*en* = « dans » et *phasis* = « apparition »), d'où style expressif. En français, le mot prend une valeur péjorative.

L'emphase s'oppose à la sobriété, au naturel. On a beaucoup reproché, par exemple, à la littérature romantique son emphase. La frontière est cependant difficile à tracer entre l'emphase et le lyrisme. Le plus souvent, on condamne comme emphatique le lyrisme qui échoue à émouvoir.

→ *Redondance*

EMPIRISME nom masc. – 1. Sens philosophique. Conception philosophique qui fait de l'expérience la source de toute connaissance.
2. Sens courant. Attitude se caractérisant par l'absence ou le refus de théories et le fait de procéder par tâtonnements en tenant compte de l'expérience.

ÉTYM. : par le latin du grec *empeirikos* = « qui se dirige d'après l'expérience ».

Plus qu'un système doctrinal organisé, l'*empirisme* est un courant qui traverse toute l'histoire de la philosophie depuis l'Antiquité jusqu'au XXᵉ siècle.

Ce sont deux philosophes anglais du XVIIIᵉ siècle – David Hume et John Locke – qui en ont développé avec le plus de force les principes. Les empiristes affirment que l'esprit humain, à la naissance, est comme une table rase, une page blanche sur laquelle viennent s'inscrire, sous le coup de l'expérience, les différentes impressions issues des sens et dont procèdent nos connaissances. En France, c'est Condillac qui sera la figure de proue de l'empirisme.

Les empiristes s'opposent donc à tous ceux qui, comme Descartes, affirment l'existence d'idées innées chez l'individu. Pour ce que l'on a aussi nommé le « sensualisme », au commencement sont les perceptions issues des sens. L'idée, l'ensemble de nos idées n'en sont que la conséquence.

→ *Sensualisme*

ENCYCLIQUE nom fém. – Lettre adressée par le pape à ses évêques pour préciser la position de l'Église sur un problème particulier.

ÉTYM. : du grec *enkuklios* = « qui embrasse tout un cercle » formé sur *en* = « dans » et *kuklos* = « cercle », « circulaire » d'où nous est venu « cycle ».

Rédigées le plus souvent en latin, les *encycliques* sont en général l'œuvre d'une équipe plus que du seul souverain pontife. Le pape s'entoure d'experts qui le secondent dans l'élaboration de ce document capital. Il décide cependant seul des directions essentielles, et le texte porte parfois son empreinte très personnelle. C'est notamment le cas avec les textes de Jean-Paul II.

Dans la vie de l'Église catholique, les encycliques sont d'une grande importance, car c'est par elles que, souvent, les papes décident d'intervenir sur les grands problèmes du monde contemporain.

On citera, à titre d'exemple, l'encyclique *Rerum novarum* de Léon XIII (1891), à travers laquelle l'Église prenait position pour la première fois sur le sort du prolétariat. Tout en condamnant le socialisme, elle dénonçait les injustices que pouvait générer le système capitaliste et enjoignait aux ouvriers chrétiens de s'organiser dans le cadre d'associations appropriées.

ENCYCLOPÉDIE nom fém. – Livre dans lequel on vise à consigner l'ensemble des connaissances disponibles.

ÉTYM. : le terme vient du grec *enkuklios paideia* (en = « dans », *kuklos* = « cercle », *paideia* = « éducation ») qui signifie « éducation complète », « éducation qui fait le tour des connaissances ».

Le premier ouvrage français portant un tel titre semble avoir été *L'Encyclopédie des beaux esprits, contenant les moyens de parvenir à la connaissance des belles sciences* de Saunier (1657).

La plus célèbre des encyclopédies reste cependant celle que l'on désigne parfois comme l'Encyclopédie. Il s'agit de celle qui fut dirigée par Diderot, et pendant un temps par d'Alembert. Le projet, qui nécessita vingt-sept années de travail et qui s'acheva en 1765, était de dresser le bilan des acquis de l'esprit humain pour en mesurer les progrès historiques. Les collaborateurs furent variés et parfois prestigieux. On compte parmi eux, de manière épisodique il est vrai, Montesquieu, Voltaire et Rousseau.

Les sujets abordés étaient d'une très grande diversité : on traitait des problèmes philosophiques et politiques, mais on s'attachait aussi à présenter le monde de la science, de l'économie et des techniques. La partie critique se trouvait souvent dans des articles où la censure n'était pas tentée de la chercher. Ainsi, l'article « Christianisme » est acceptable, mais à « Junon » le culte des saints et de la Vierge est assimilé aux superstitions païennes. Quant à la critique des moines, elle figure à l'article « Capuchon ».

L'entreprise fut un véritable succès commercial, mais surtout, malgré la censure, l'*Encyclopédie* réussit à être le lieu d'une mise en question collective et raisonnée des structures de la société et du savoir qui en fait l'un des textes les plus importants et les plus représentatifs de l'esprit des Lumières.

ENGAGEMENT nom masc. – Acte par lequel un écrivain ou un artiste met son œuvre au service d'une cause politique.

La question de l'engagement est au centre des débats sur la littérature depuis la fin de la Seconde Guerre mondiale. Comme on aura l'occasion de le préciser plus bas, la responsabilité en incombe essentiellement au philosophe et écrivain Jean-Paul

Sartre qui en a fait un des axes essentiels de sa conception de la littérature.

La littérature engagée, cependant, ne naît pas en 1945, et on peut même affirmer qu'il n'est pas de littérature qui, d'une manière ou d'une autre, ne soit partie prenante dans les conflits et les enjeux politiques de son temps.

Si l'on considère par exemple le XVIᵉ siècle français, les plus grands écrivains d'alors ne purent que prendre position dans leurs œuvres par rapport à l'époque de mutations, de bouleversements et de violence qu'ils vivaient : les poètes s'engagèrent, Ronsard du côté des catholiques avec ses *Discours des misères de ce temps*, Agrippa d'Aubigné du côté des protestants avec ses *Tragiques*. Sensiblement à la même époque, Montaigne, qui, pourtant, se voulait à l'écart des désordres de l'histoire, fait, dans une certaine mesure, œuvre d'écrivain engagé avec ses *Essais* qui dénoncent le fanatisme, l'intolérance, la torture et qui plaident pour le respect des différences et des cultures étrangères.

Le XVIIIᵉ siècle voit s'affirmer cette tendance. Conscient du rôle qu'il est appelé à jouer, l'écrivain, le « philosophe », met son talent au service des causes qu'il estime justes, il tente de peser de tout son poids pour accélérer le progrès de l'humanité, pour diffuser l'esprit des Lumières. Quelquefois, il ne se contente plus d'écrire, mais il veut également agir de manière plus directe. Voltaire, par exemple, s'il dénonce le fanatisme religieux dans ses écrits, n'hésite pas à engager une campagne qui aboutira à la réhabilitation de Calas, un protestant injustement accusé du meurtre de son fils et exécuté de manière barbare par la justice.

La dimension politique de la littérature s'affirme : l'écrivain, nouveau héros d'une société qui se reconnaît en lui, incarne les valeurs de progrès et de vérité. Il est particulièrement significatif, à cet égard, que les révolutionnaires français aient décidé d'honorer au Panthéon le souvenir de Voltaire et de Rousseau, montrant par ce geste la dette du pays à l'égard de ces deux écrivains.

Au XIXᵉ siècle, la fonction politique et sociale de l'écrivain passe souvent au premier plan : le devoir du poète, du romancier est de participer par son œuvre et par son exemple au progrès de la société. Les poètes romantiques comme Lamartine et Hugo vont même souvent mener de pair une carrière politique et littéraire : Lamartine en participant à la révolution de 1848, Hugo en dénonçant sans relâche, du fond de son exil, le second Empire. Comme Voltaire avant lui, Zola, à la fin du siècle, dénoncera l'erreur judiciaire dont Dreyfus avait été la victime : il mettra en jeu sa notoriété et même sa liberté pour combattre l'antisémitisme de la société française. À plus d'un siècle de distance, de Voltaire à Zola, de l'affaire Calas à l'affaire Dreyfus, l'écrivain s'affirme bien comme le porte-parole des valeurs de justice et de vérité.

Sartre, on le voit, n'invente donc pas l'idée de littérature engagée. Au sortir de la guerre, il en formule cependant une théorie qui fera date. L'homme étant condamné à être libre, il n'a d'autre solution que de choisir son attitude par rapport au monde qui l'entoure. L'écrivain ne fait pas exception à la règle, qu'il l'accepte ou qu'il le refuse, son œuvre est toujours prise de position : on ne peut échapper, même par son silence, aux enjeux de son temps. C'est pourquoi, aux yeux de Sartre, Flaubert ou les Goncourt peuvent être tenus responsables de la répression des « communards », car, ni dans leur vie ni dans leur œuvre, ils ne se sont élevés contre elle. En ce sens, il ne peut y avoir de littérature qu'engagée. Toute la question est bien entendu de savoir quelle forme prendra cet engagement inévitable, et Sartre, sans hésitation, fait de la littérature une arme qui doit servir la révolution dans une perspective qui restera longtemps marxiste.

Les écrivains du Nouveau Roman et de l'avant-garde ont déplacé et radicalisé la question de l'engagement. Ils ont reproché au roman sartrien son académisme et son conservatisme : Sartre en effet écrit des romans qui ne sont engagés que par leur message et non par leur forme, il critique les valeurs de la bourgeoisie, mais dans le langage même du roman bourgeois. La véritable littérature engagée – celle que pratiqueront, par exemple, les écrivains de Tel Quel – est celle qui détruira le langage même de la bourgeoisie en inventant de nouvelles formes poétiques et romanesques : on pourra se reporter par exemple à *Lois* de Philippe Sollers.

Telle est, résumée, l'évolution de l'idée d'engagement en littérature. Celle-ci cependant n'a pas que des défenseurs. Sans évoquer les partisans de l'art pour l'art et de la gratuité totale de l'écriture, de très grands écrivains ont souligné que la littérature, au risque de cesser d'être elle-même, ne doit pas se définir d'abord par une ambition politique. Gide, par exemple, qui n'hésita pas à prendre des positions courageuses sur le fascisme ou le colonialisme, prenait grand soin de distinguer ses œuvres de témoignage – ses textes engagés – comme *Retour d'URSS* de ses livres proprement « littéraires ». De même, Proust dans *Le Temps retrouvé* affirme que le but de la littérature doit être la vérité et non une cause, aussi légitime qu'elle soit. Pour se convaincre de la véracité d'une telle thèse, il n'est que de prendre la mesure de la catastrophe esthétique que constitue par exemple le « réalisme socialiste ». À voir le discrédit qui pèse actuellement sur l'idée d'engagement, c'est à Gide et Proust plus qu'à Sartre – qui fut d'ailleurs amené à pratiquement abandonner ses convictions vers la fin de sa vie – que les écrivains et les lecteurs d'aujourd'hui semblent donner raison.

→ *Art (Art pour l') – Existentialisme – Jdanovisme – Réalisme socialiste – Tel Quel*

ÉNIGME nom fém. – Problème dont il est difficile de deviner la solution du fait d'une formulation volontairement abstruse.

ÉTYM. : du grec *ainigma* = « ce qu'on laisse entendre », « ce qu'on dit à mots couverts ».

La plus célèbre des *énigmes* est sans doute celle qui figure dans le mythe d'Œdipe. La légende raconte qu'un monstre – le sphynx – dévorait tous les voyageurs qui échouaient à résoudre l'énigme qu'il leur soumettait. Cette énigme était la suivante : « *Quel est l'animal qui, le matin, marche à quatre pattes, à midi sur deux pattes, et le soir sur trois pattes ?* » La réponse était

« l'homme » qui, enfant, marche à quatre pattes, adulte sur ses deux jambes, et, vieillard, en s'aidant d'une canne. En trouvant le mot de l'énigme, Œdipe mit fin aux exploits du monstre et en délivra le pays.

Dans le cas du mythe d'Œdipe, l'énigme est une sorte de devinette dont le genre va se perpétuer à travers les siècles. Mais l'énigme peut être employée d'une manière plus générale, le terme désignant tout mystère, toute réalité difficile à percer, à expliquer. Le roman policier, tel qu'il apparaît chez Edgar Poe, Conan Doyle ou Gustave Leroux, tourne tout entier autour d'une énigme policière – un crime impossible à élucider –, et c'est la résolution de l'énigme qui constitue le récit.

EXEMPLE : « Si j'étais ce que je suis, je ne serais pas ce que je suis. »

(le domestique suivant son maître)

ENJAMBEMENT nom masc. – Procédé poétique consistant à faire déborder une proposition du cadre du vers et à rejeter au début du vers suivant certains des mots utiles à son sens.

Par l'*enjambement* donc, une proposition commence dans un vers et s'achève au début du vers suivant sans cependant l'occuper tout entier. On distingue parfois l'enjambement (le procédé) du « rejet » défini comme l'élément « rejeté » dans le vers suivant.

L'enjambement perturbe la structure normale du vers, puisque la syntaxe et le rythme ne correspondent plus, puisque l'ensemble que devrait composer le vers se révèle incomplet quant au sens. La conséquence essentielle de l'enjambement est la mise en valeur de l'élément rejeté et cela d'autant plus que cet élément est court. Ainsi, dans cet extrait de l'« Hérodiade » de Mallarmé sont rejetés les mots « Vivre » et « Inviolé » qui se trouvent de ce fait soulignés :

« J'aime l'horreur d'être vierge et je veux
Vivre parmi l'effroi que me font mes cheveux
Pour, le soir, retirée en ma couche, reptile

Inviolé sentir en la chair inutile
Le froid scintillement de ta pâle clarté »

L'enjambement était rarement toléré dans la poésie médiévale. Au XVᵉ, et au XVIᵉ siècle, il se répand jusqu'à ce que Malherbe et Boileau à sa suite l'interdisent totalement. Dans un passage de son *Art poétique* (1674), Boileau en rend hommage à Malherbe, écrivant :

« Les stances avec grâce apprirent à tomber ;
Et le vers sur le vers n'osa plus enjamber. »

Les poètes et les dramaturges ne se soumirent pas toujours à l'interdiction formulée par Boileau. Racine pratique l'enjambement – un très bel exemple avec « Meurt » au début de *Mithridate* – et celui-ci, avec les romantiques, se multiplie. À mesure qu'avance le XIXᵉ siècle, le recours à l'enjambement est l'un des signes de la souplesse et de la liberté que s'autorisent les poètes qui préludent à l'avènement du vers libre.

Ci-après le fameux enjambement du début de *Mithridate* de Racine qui met en exergue le fait d'où provient la crise :

« Ainsi, ce roi, qui seul a durant quarante ans
Lassé tout ce que Rome eut de chefs importants
Et qui dans l'Orient balançant la Fortune
Vengeait de tous les rois la querelle commune,
Meurt... »

→ *Rejet – Vers*

ENNUI nom masc. – Langue classique. Tourment insupportable, violent désespoir.

ÉTYM. : « ennuyer » a été formé sur le latin de basse époque *inodiare* formé sur la locution *in odio esse* = « être un objet de haine ».

Le sens très fort du mot dans la langue classique se rattache donc à son étymologie. Comme c'est le cas pour de nombreux mots de la langue affective, ce mot a progressivement perdu de sa force. Déjà, au XVIIᵉ siècle, il était employé dans le sens de « fâcherie », « chagrin ».

ENVOI nom masc. – Dernière strophe d'une ballade par laquelle l'auteur dédie le poème à quelqu'un.

La célèbre « Ballade des pendus » de Villon s'achève sur l'*envoi* suivant :

« Prince Jhesus, qui sur tous a maistrie,

Garde qu'Enfer n'ait de nous seigneurie :

A luy n'avons que faire ne que souldre.

Hommes, icy n'a point de mocquerie ;

Mais priez Dieu que tous nous vueille absouldre. »

Dans *Cyrano de Bergerac*, Edmond Rostand fait improviser à son héros une ballade au cours d'un duel. Le refrain en est :

« À la fin de l'envoi, je touche. »

→ *Ballade*

ÉPICURISME nom masc. – Philosophie inspirée de l'écrivain grec Épicure et qui fait de la recherche du plaisir l'objectif même de l'existence.

On présente souvent l'*épicurisme* comme une doctrine qui justifierait la recherche effrénée du plaisir, qui inviterait à la débauche. Il s'agit là d'un contresens répandu par les adversaires de cette philosophie et qui survit jusque dans l'adjectif « épicurien » presque toujours aujourd'hui synonyme de « bon vivant ».

La doctrine véritable d'Épicure (IVᵉ-IIIᵉ siècles, av. J.-C.) était tout autre. L'essentiel des textes ayant été perdu, on ne la connaît que de manière indirecte et à travers des œuvres qui, tel le *De Natura rerum* de Lucrèce, s'en inspirent.

Sans nier totalement l'existence des dieux, Épicure était matérialiste et affirmait que l'âme ne survit pas à la mort. Le sens de l'existence devait donc résider dans la recherche du plaisir : il fallait libérer l'âme de l'angoisse et le corps de la souffrance.

Cependant, il ne devait pas être question, pour Épicure, de courir après tous les plaisirs. Il convenait de se contenter de ceux qui sont nécessaires à l'épanouissement de chacun et de renoncer à ceux qui mettent en péril notre équilibre. En ce sens, l'épicurisme s'apparente beaucoup plus à une doctrine ascétique qu'à une exaltation désordonnée de toutes les formes de jouissance.

→ *Stoïcisme*

ÉPIGONE nom masc. – Écrivain de second ordre qui se contente d'imiter un maître.

ÉTYM. : du grec *epigonos* = « né après », « descendant ». Dans la mythologie grecque, le mot désignait les héros qui, pour venger leurs pères morts au combat, s'emparèrent de la ville de Thèbes au cours d'une expédition fameuse.

Le mot est toujours utilisé aujourd'hui d'une manière péjorative pour qualifier des écrivains qui, faute d'un véritable talent et dépourvus de toute originalité, vont chercher leur inspiration du côté d'un grand artiste dont ils se font les disciples. On leur reproche le plus souvent d'imiter de manière mécanique leur maître en proposant de l'œuvre de celui-ci une caricature sans vie.

Ainsi, on a souvent présenté les poètes symbolistes comme de simples épigones de Mallarmé : en disciple trop scrupuleux, un écrivain comme René Ghil n'aurait fait dans ses œuvres que du « sous-Mallarmé », poussant jusqu'à l'absurde les procédés, les thèmes et les figures dont il avait hérité.

ÉPIGRAMME nom fém. – Petit poème à intention satirique.

ÉTYM. : du grec *epigramma* = « inscription gravée », « court poème ». En Grèce, l'*épigramme* était un poème court, mais qui ne se caractérisait pas, comme aujourd'hui, par une intention satirique.

Sans que cela soit donc une caractéristique du genre, la veine satirique apparaît déjà dans l'Antiquité, par exemple dans les épigrammes du poète latin Martial. Boileau et Voltaire s'illustrèrent dans le genre. On connaît en particulier celle où Voltaire évoque le serpent qui piqua Jean Fréron.

Voici, à titre d'exemple, une épigramme relative à un médecin dont on contestait les talents :

« Depuis que le docteur Gistal
Soigne des familles entières,
On a démoli l'hôpital…
Et l'on a fait deux cimetières. »

→ *Pointe – Satire*

ÉPILOGUE nom masc. – Texte ou discours par lequel s'achève une œuvre.

ÉTYM. : formé à partir du grec avec *epi* = « sur », « qui couronne » et *logos* = « discours ».

Dans le théâtre antique – mais encore chez Shakespeare –, l'*épilogue* est un bref discours par lequel un des acteurs, une fois l'action terminée, présente au public ses propres commentaires sur la pièce et demande l'indulgence de celui-ci pour la représentation qui vient de s'achever.

Personne mieux que Shakespeare n'a su utiliser les ressources de l'épilogue. Ainsi dans *Le Songe d'une nuit d'été* où Puck suggère au spectateur qu'il est lui-même pris dans ce jeu entre rêve et réalité que met en scène la pièce à laquelle il vient d'assister. Ou encore dans *Comme il vous plaira* où Rosalinde s'adresse au spectateur en jouant de l'ambiguïté sexuelle autour de laquelle la pièce vient tout entière de tourner. L'épilogue devient alors la dernière arme du dramaturge, celle par laquelle l'auteur attire le spectateur dans ce qu'il ne croyait être qu'une simple représentation et qui se découvre à l'image de sa propre existence.

Hors du théâtre, l'épilogue se présente soit comme un résumé soit comme un dernier élément du récit qui permet, après coup, d'en préciser la portée, d'en compléter la signification. Ainsi, on pourra définir les dernières pages de *L'Éducation sentimentale* de Flaubert comme l'épilogue du roman : l'histoire est achevée, le récit est bouclé et, après de nombreuses années, les deux protagonistes – Frédéric Moreau et son ami Deslauriers – se retrouvent pour évoquer un souvenir lointain de leur enfance qui semble renvoyer au néant toute l'histoire qui vient de nous être contée, qui en accuse l'échec et l'inutilité.

ÉPIPHANIE nom fém. – « Soudaine manifestation spirituelle » selon les mots de l'écrivain irlandais James Joyce.

ÉTYM. : du grec *epiphaneia* formé avec *epi* = « sur » et se rattachant à *épiphanios* = « qui apparaît ». D'abord dans le langage religieux pour la première « manifestation » de Jésus comme fils de Dieu (visite des rois mages) et fête commémorant cet événement.

L'écrivain irlandais James Joyce a repris le terme pour en faire un des mots clés de son esthétique littéraire. L'*épiphanie* est pour lui une sorte de « révélation » qui peut être d'ordre presque mystique et qui surgit dans les circonstances les plus diverses, aux occasions les plus banales. Le but de l'écrivain doit être de noter, de rassembler et de donner forme à ces moments privilégiés que constituent les épiphanies. Joyce lui-même s'y était attaché dans ses notes personnelles et, plus encore, dans ses romans comme *Stephen Hero*, *A Portrait of the Artist as a Young Man* ou même *Ulysse*. On trouve aussi chez Proust des développements sur les « moments privilégiés », mais sans le recours à l'expression employée par Joyce.

ÉPISTOLAIRE adj. – Qui a trait à la correspondance par lettres.

La littérature épistolaire est un genre en soi. On a publié après leur mort la correspondance d'un Baudelaire, d'un Flaubert ou d'un Mallarmé. Leurs lettres se sont révélées des documents décisifs pour la compréhension de leurs œuvres, mais, plus que cela, on peut considérer qu'elles font partie intégrante de ces œuvres tant s'y manifestent les mêmes qualités littéraires.

Cela est encore plus vrai si on considère des écrivains plus anciens. Au XVIIᵉ siècle, en l'absence de toute presse véritable, la correspondance fait office de moyen de communication et d'information. Les lettres sont destinées à être lues non seulement par leur destinataire, mais par toute la société qui les entoure. Elles perdent donc au moins en partie leur caractère intime, un véritable souci de l'écriture s'y manifeste, qui les fait accéder au rang d'œuvres littéraires authentiques.

Parmi tous les épistoliers du XVIIe siècle, la marquise de Sévigné est sans doute celle qui a su le mieux et le plus abondamment illustrer cet art particulier d'écrire. Elle est l'auteur de plus d'un millier de lettres – pour la plupart adressées à sa fille – et qui seront publiées au XVIIIe et au XIXe siècle. Cet ensemble imposant compose comme une chronique en laquelle se mêlent la vie d'une femme et celle de la société tout entière.

Au siècle suivant, Voltaire laissera une correspondance encore plus impressionnante par son volume et par son impact : il sera l'auteur de plus de dix mille lettres adressées à plus de sept cents correspondants, aussi bien des princes que des proches. La correspondance est, pour Voltaire, une des formes de l'engagement et de l'action : elle lui permet de diffuser ses idées à travers l'Europe. Certaines lettres seront publiées de son vivant en volume, ainsi les *Lettres philosophiques* ou *Lettres anglaises*, rédigées au cours de l'exil de Voltaire en Grande-Bretagne, et qui sont autant un grand reportage sur ce pays qu'une méditation sur la liberté économique, politique et religieuse.

Les transformations de la structure sociale – la disparition des salons – et le surgissement de nouveaux moyens de communication – développement de la presse et de l'édition, invention du téléphone – ont pratiquement fait disparaître aujourd'hui le genre épistolaire.

→ *Épistolaire (roman)*

ÉPISTOLAIRE (roman) – Roman par lettres.

Le *roman épistolaire* se présente comme un ensemble de lettres échangées par les différents personnages. Le genre a été particulièrement populaire au XVIIIe siècle et il a donné naissance au moins à trois grands romans français : *Les Lettres persanes* de Montesquieu, *La Nouvelle Héloïse* de Rousseau et *Les Liaisons dangereuses* de Laclos. Pour la littérature étrangère, on retiendra essentiellement *Les Souffrances du jeune Werther* de Goethe.

On affirme quelquefois que le principal intérêt du roman épistolaire est de faire pénétrer le lecteur dans l'intimité des personnages : ceux-ci semblent se confier directement dans leurs lettres comme ils le feraient à un ami ou à un confident et sans que l'expression des sentiments semble passer par la médiation de l'auteur du roman.

Cependant, la grande force du roman épistolaire paraît résider plutôt dans l'éclatement du point de vue et de la narration qu'il autorise, anticipant ainsi sur les constructions les plus modernes du roman contemporain. L'histoire n'est plus relatée à partir d'un point de vue unique – celui d'un personnage central ou d'un narrateur omniscient –, mais de manière polyphonique : plusieurs points de vue se juxtaposent ou s'affrontent sans qu'on puisse véritablement décider de la position que l'auteur et le lecteur doivent adopter par rapport à eux.

Ainsi dans *Les Lettres persanes* de Montesquieu. De nombreux personnages y dialoguent, proposant chacun sa vision propre de ces deux mondes opposés que constituent le sérail persan et la société européenne. Montesquieu peut ainsi nous montrer la même réalité envisagée sous un angle différent selon les personnages que, tour à tour, il met en scène, alternant, grâce à ce procédé, récit et analyses, anecdotes et démonstrations.

→ *Épistolaire*

ÉPITHALAME nom masc. – Poème célébrant l'union de deux époux.

ÉTYM. : venu par le latin du grec *epithamion* = « chant nuptial » formé avec *epi* = « sur » et un dérivé de *thalamos* = « chambre à coucher de la maîtresse de maison ». Il s'agissait du texte récité ou chanté devant la chambre de la mariée le soir de ses noces.

L'épithalame – en tant que forme poétique propre – remonterait à la poétesse grecque Sapho ; il fut pratiqué par de nombreux écrivains latins parmi lesquels Ovide et Catulle.

Délaissé au Moyen Âge, l'épithalame fut repris par les poètes de la Renaissance et cela aussi bien en Angleterre avec sir Philip Sidney qu'en France avec Ronsard et Du Bellay.

ÉPÎTRE nom fém. – Lettre composée en vers.

ÉTYM. : par le latin *epistula* du grec *epistolê* = « lettre ».

Le terme à l'origine désignait toute forme de lettre. C'est ainsi qu'on parle dans la Bible des « Épîtres de Paul », c'est-à-dire des messages qu'il adressait, en fait, aux différentes communautés chrétiennes. On emploie encore quelquefois ce terme d'« épître » dans le sens très général de « missive ».

Cependant, le mot désigne surtout une forme poétique particulière dont on trouve la trace jusque dans la littérature antique. Le poète latin Horace est, par exemple, l'auteur d'épîtres, poèmes adressés à Mécène, à des amis, à des poètes, à des interlocuteurs fictifs et, une seule fois, à Auguste. Ovide, surtout, illustra ce genre dans son œuvre : ses *Héroïdes* sont des lettres imaginaires attribuées à certaines des plus célèbres héroïnes de la mythologie : ses *Tristes* et ses *Pontiques* sont les lettres qu'il adresse à sa femme ou à ses proches depuis l'exil auquel l'avait condamné Auguste.

Les plus célèbres épîtres de la littérature française sont celles de Marot et de Boileau. Bien différentes d'ailleurs. Par ses épîtres, Clément Marot s'adresse à un ami, Léon Jamet, ou au roi lui-même pour leur demander secours du fond de sa prison : *À son ami Lyon* (1526), *Au roi, pour le délivrer de prison* (1527). L'épître est pour lui une prière élégamment tournée.

Les *Épîtres* de Boileau sont d'une autre nature : œuvre d'un poète établi et admirateur d'Horace, elles célèbrent le pouvoir de Louis XIV et traitent de littérature et d'art.

ÉPOPÉE nom fém. – Long poème narratif qui, mêlant la légende à l'histoire, célèbre un héros ou un peuple.

ÉTYM. : du grec *epopoiia* (*epos* = « parole », puis « vers », puis « vers épique » qui se rattache au verbe *poieïn* = « faire »).

L'*epopoiia* était un récit en vers épiques qui se caractérisait tout autant par la forme du vers que par le sujet.

L'*épopée* est l'une des formes les plus anciennes de la littérature. Son origine se perd souvent dans ce qu'on nomme, par commodité, « la nuit des temps ». Ainsi de l'épopée sumérienne remontant à plus de 3000 ans avant notre ère et qui raconte l'histoire de Gilgamesh en quête de la plante qui donne aux hommes l'immortalité. Ainsi de *L'Iliade* et *L'Odyssée* qui furent peut-être l'œuvre d'un écrivain nommé Homère ou bien qui ne furent que l'assemblage composite de textes dus à l'imagination de poètes à jamais anonymes.

Ces textes anciens et légendaires, qui, centrés autour de la figure d'un héros, racontaient des aventures à la mesure du monde, ont été comme des modèles et des défis pour les écrivains de toutes époques qui ont tenté de rivaliser avec eux : de Virgile – s'attachant à composer avec *L'Énéide* une sorte de pendant latin à *L'Odyssée* et à *L'Iliade*, qui exalterait les origines divines de Rome – jusqu'au romancier irlandais James Joyce transposant sur un mode parodique cette même *Odyssée* dans le décor moderne de Dublin.

En ce qui concerne la littérature française, la plus connue des épopées est *La Chanson de Roland* à l'origine incertaine : on la date de la fin du XIe siècle. Elle relate l'aventure et le sacrifice du preux Roland et exalte, à travers son destin, l'esprit des croisades et les valeurs du christianisme et de la féodalité.

Si l'on met de côté les autres chansons de geste, c'est au XVIe siècle que renaîtra en France le genre épique avec *La Franciade* de Ronsard ou *Les Tragiques* d'Agrippa d'Aubigné. Mais le genre, avant le XIXe siècle, ne produira aucun chef-d'œuvre : à cet égard, l'échec de Voltaire et de sa *Henriade* est particulièrement significatif.

Il faudra attendre le siècle suivant pour que l'épopée retrouve un sens en France. C'est peut-être qu'au XIXe siècle il se développait une nouvelle conception de l'histoire – le Progrès – et de la collectivité – la Nation ou le Peuple – susceptible de donner un souffle nouveau aux ambitions épiques des poètes. Aux côtés de Lamartine (*Jocelyn*) et Leconte de Lisle (*Qaïn*), on retiendra surtout l'œuvre monumentale de Hugo – *La Légende des siècles* – qui seule, peut-être, souffre la comparaison avec les épopées antiques.

Si l'on considère maintenant la littérature moderne, force est de constater que les épopées en sont pratiquement absentes : on pourrait citer pour la France certains textes de Pierre Emmanuel et, à l'étranger, de manière plus ample et convaincante, les *Cantos* de l'Américain Ezra Pound. S'attachant depuis Mallarmé au moins à explorer les ressources du langage, la poésie a déserté l'histoire. C'est sans doute pourquoi les véritables épopées de la littérature moderne sont à chercher du côté de la prose plutôt que des vers : le cycle romanesque de Zola ou, dans un genre bien différent, le *Finnegans Wake* de Joyce.

→ *Geste (chanson de)*

ÉQUIVOQUE nom fém. et adj. – Désigne ce qui est susceptible de plus d'une interprétation.

ÉTYM. : de *aequivocus* formé à partir de *aequus* = « égal » et *vox, vocis* = « voix » ; donc, littéralement, « qui dit des choses égales » et donc « qui peut s'interpréter de différentes manières ».

L'*équivoque* peut être involontaire, mais elle peut aussi être tournée vers l'érotisme, le mystère ou le comique.

ÉROS nom masc. – Terme psychanalytique désignant l'instinct de vie à l'œuvre chez les individus.

Éros était, chez les Grecs, le nom de la divinité de l'Amour qui, fils d'Aphrodite, faisait naître le désir chez les mortels comme chez les dieux. Il est traditionnellement représenté comme un enfant ailé, décochant des flèches sur ses victimes.

Le terme nous intéresse ici par la signification particulière que Freud lui a donnée. Dans le vocabulaire de la psychanalyse, l'*Éros* représente l'ensemble des forces qui poussent l'individu à se préserver lui-même, à satisfaire son désir et à assurer la reproduction de l'espèce. Il s'oppose à *Thanatos*, l'instinct de mort qui pousse l'individu à rechercher sa propre destruction.

→ *Psychanalyse*

ÉROTISME nom masc. – Ensemble des représentations ou des réalités qui suscitent le désir sexuel.

ÉTYM. : dérivé du mot grec *eros* (voir ce terme ci-dessus).

En littérature, l'*érotisme* est assez difficile à cerner. Prenons l'exemple du roman, tout en gardant à l'esprit qu'il existe aussi une poésie érotique, un cinéma érotique qui constitue une activité florissante, et même – dans certaines salles spécialisées – un théâtre érotique.

Le roman érotique s'oppose tout d'abord au roman d'amour par son contenu sexuel : ainsi, on ne saurait qualifier *L'Éducation sentimentale* de roman érotique bien qu'il s'agisse indiscutablement d'un roman d'amour. Le roman érotique cependant ne se confond pas exactement avec le roman pornographique : il suscite le désir, il suggère la jouissance sexuelle, mais, en principe, il ne la décrit pas directement, il se garde, en tout cas, de la montrer sous un jour libidineux, il évite de basculer dans l'obscénité. Ainsi, on pourra sans doute présenter *L'Amant de Lady Chaterley* de D. H. Lawrence comme un roman érotique, mais l'expression paraîtra faible et insuffisante pour rendre compte de la liberté et de l'audace des récits du marquis de Sade.

Les distinctions proposées plus haut sont en fait incertaines et peu satisfaisantes, car, en ce domaine, tout dépend de la subjectivité du lecteur. Pour reprendre l'exemple de *L'Éducation sentimentale*, si le roman de Flaubert est totalement dépourvu de références explicites à la sexualité des protagonistes, rien n'interdit au lecteur de trouver une dimension érotique à la description que l'auteur nous propose des cheveux de Mme Arnoux ou des arbres de la forêt de Fontainebleau.

Quant à la distinction entre érotique et pornographique, elle est tout aussi floue. Le mot « pornographique » étant souvent connoté péjorativement, on ne l'utilise que pour désigner l'érotisme qui échoue à vous exciter : Sade sera ainsi pornographique pour qui il dégoûte et érotique pour qui il séduit.

→ *Libertin – Pornographie*

ÉSOTÉRISME nom masc. – Doctrine dont le contenu ne doit être connu que d'un très petit nombre d'initiés.

ÉTYM. : du grec *esôterikos* (sur *eso* = « à l'intérieur ») signifiant « diffusé à l'intérieur » et s'opposant à *exôterikos* = « diffusé à l'extérieur ». Les mots « exotérisme » et « exotérique », qui sont les antonymes de « ésotérisme » et « ésotérique », existent en français, mais sont peu employés.

L'adjectif *ésotérique* se rapportait à toute école philosophique, tout cercle religieux, qui se refusait à vulgariser son enseignement, à répandre ses connaissances au-delà d'un groupe très étroit de fidèles. Ceux-ci devaient, souvent à l'occasion d'un rituel initiatique, faire preuve de leur valeur.

Ainsi, on peut dire des mystères d'Éleusis, dans la Grèce antique, qu'ils étaient de nature ésotérique : ils constituaient en effet un rituel obscur dont le secret, pour l'essentiel, a été préservé, mais qui devait consister en la découverte de visions mythologiques censées révéler le secret de la vie après la mort.

On parle également de l'ésotérisme d'une œuvre littéraire ou philosophique si complexe qu'il n'est pas possible d'en découvrir le sens. Cet ésotérisme peut être le fruit d'un calcul délibéré de l'auteur qui construit son œuvre à l'aide de références qu'il dissimule au lecteur : ainsi, certains critiques ont tenté de démontrer que le célèbre sonnet « Voyelles » de Rimbaud était en fait la retranscription poétique de théories occultistes auxquelles l'auteur aurait été initié.

De manière différente, Mallarmé a souvent reconnu et même revendiqué le caractère ésotérique de ses textes : leur difficulté pour lui était le signe d'une beauté qui d'abord se refuse. Le poème devait être semblable aux « hiéroglyphes inviolés des rouleaux de papyrus ».

→ *Hermétisme*

ESSAI nom masc. – Ouvrage littéraire traitant d'une question sur le mode théorique, mais de manière libre et concise.

Le terme nous vient de Montaigne qui en fit – au pluriel – le titre de son principal ouvrage. Livre multiple et déroutant qui, par sa singularité même, ne s'intègre dans aucun genre et n'en fonde aucun, les *Essais* se veulent épreuve, tentative, expérience : ils sont comme un long monologue dans lequel un individu s'essaye à traiter de différents sujets qu'il combine et enchaîne à sa propre « fantaisie », composant ainsi un portrait éclaté de lui-même.

Après Montaigne, l'*essai* est devenu un genre littéraire à part entière, en France comme à l'étranger. Cependant, au lieu d'accueillir toutes les réflexions et toutes les remarques de son auteur, il se concentre sur un ou plusieurs thèmes dont il entend traiter. On citera par exemple *L'Essai sur les mœurs et l'esprit des nations* (1769) de Voltaire.

L'essai peut aujourd'hui apparaître comme un genre intermédiaire entre la littérature et la philosophie. Moins technique, moins complet que le traité ou la thèse, il n'est pas soumis aux règles qui définissent, en principe, le sérieux de la démarche philosophique : l'auteur peut s'y laisser aller entièrement au plaisir d'écrire, il n'est pas tenu d'aller au bout de ses idées ; il peut se contenter de jouer avec elles ; il cherche plus à convaincre qu'à démontrer. Les livres de l'écrivain d'origine roumaine E.M. Cioran – comme *Précis de décomposition* ou *La Tentation d'exister* – en sont sans doute la plus parfaite illustration.

ESSENCE nom fém. – Ce qui définit la nature profonde d'un être.

ÉTYM. : le mot vient du latin philosophique et ecclésiastique *essentia* formé à partir du verbe *esse* = « être ».

En philosophie, on oppose classiquement ce qui est du domaine de l'essence à ce qui est du domaine de l'accident. L'essence correspond aux qualités intrinsèques, « essentielles » d'un être, celles qui le font ce qu'il est et en quoi se retrouvent tous les êtres d'une même classe : ainsi, on a pu définir la pensée comme étant l'essence de l'homme.

À l'inverse, les accidents sont ce qui varie d'être en être au sein d'une même classe, ce par quoi ils se différencient les uns des autres : ainsi, toujours chez l'homme, le sexe, la race, l'âge.

→ *Essentialisme – Existentialisme – Platonisme*

ESSENTIALISME nom masc. – Toute théorie philosophique qui affirme la primauté de l'essence par rapport à l'existence.

Le terme a été forgé récemment pour servir d'antonyme à « existentialisme » (voir ce mot).

ESTHÈTE nom masc. – Personne qui n'attribue de valeur qu'à la beauté artistique.

Le terme est quelquefois péjoratif. L'esthète est alors présenté comme une personne ayant une conception trop haute et trop exclusive de l'art, laquelle le détourne de la réalité et de l'action.

Parmi les esthètes célèbres, les frères Goncourt ou le personnage des Esseintes du *À rebours* de J.-K. Huysmans.

ESTHÉTIQUE nom fém. – 1. Domaine de la philosophie consacré à la réflexion sur l'art.
2. Conception du beau qui détermine pour un artiste donné sa pratique personnelle.

ÉTYM. : venu du grec *aisthêtikos* = « relatif à la sensation » formé sur *aisthêsis* = « sensation ».

Dans le premier sens, l'*esthétique* est une réflexion qui s'interroge sur la nature du beau et tente de rendre compte de l'émotion que celui-ci suscite. Les plus grands systèmes philosophiques, de Platon à Hegel en passant par Kant, ont réservé une place à l'esthétique.

Dans le second sens, l'*esthétique* est l'ensemble des principes, formulés ou non, qui donne son visage propre à l'œuvre d'un artiste ou d'un ensemble d'artistes. Ainsi, quand on parle de l'esthétique cubiste, on aura à l'esprit les différentes caractéristiques que partagent les tableaux de ce mouvement et qui permettent, au premier regard, de les identifier.

→ *Poétique*

ÉTHIQUE nom fém. – 1. Domaine de la philosophie consacré à la réflexion morale.
2. Ensemble des principes moraux régissant la conduite d'un individu ou d'un groupe.

ÉTYM. : du grec *êthikos* = « moral » se rattachant à *êthos* = « mœurs ».

« Éthique » et « morale » sont l'un et l'autre employés dans ces deux sens et sont donc des termes synonymes. À l'origine, ils signifiaient « mœurs », mais « éthique » vient du grec, alors que « morale » vient du latin.

→ *Morale*

ÉTYMOLOGIE nom fém. – 1. Origine d'un mot.
2. Étude de l'origine des mots.

ÉTYM. : du grec *etumologia*, à proprement parler « parole vraie » (de *etumos* = « vrai » et *logos* = « parole », « discours »).

Les auteurs d'un excellent *Trésor des racines grecques* (Belin) disent très justement : « *Percer le secret étymologique, ce n'est pas seulement satisfaire une curiosité, c'est donner aux mots un surcroît de sens et une énergie nouvelle.* »

Des poètes comme Mallarmé ou Valéry ont tendance à ramener certains mots vers leur sens étymologique. Il en va par exemple ainsi quand Valéry intitule l'un de ses recueils de poèmes *Charmes* qui renvoie au *carmen* latin.

→ *Philologie – Sémantique*

EUPHÉMISME nom masc. – Procédé visant à substituer à une expression pénible à entendre une formulation atténuée de celle-ci.

ÉTYM. : du grec *euphêmismos* : littéralement « bonne manière de parler ». Formé à partir de *eu* = « bien » et se rattachant à la racine *pha/phê* = « parler » qui se retrouve dans « aphasie » ou « prophète ».

Par hypocrisie, par gêne ou par égard pour son interlocuteur, on hésite souvent à désigner certaines réalités par leur nom. D'où le détour par l'*euphémisme.*

La mort est à l'origine de nombreux euphémismes. On dira de quelqu'un « il n'est plus », « il n'est plus de ce monde », « il nous a quittés », « il a disparu », etc., mais plus rarement « il est mort ». Une employée de banque désirant placer un contrat d'assurance-vie (bel euphémisme pour une assurance-mort) ne dira pas « si vous mourez », mais « s'il vous arrive quelque chose ».

Il en va de même pour ce que l'on considère comme scatologique. À tel point que, à l'exception des plus vulgaires, tous les mots dont nous disposons pour désigner les « toilettes » sont des euphémismes : « lieu d'aisances », « petit coin », « lieu où je pense », « là où le roi va à pied », etc. Les Américains vont encore plus loin, puisqu'ils préfèrent parler de « bathroom » à propos d'un endroit où il ne viendrait l'idée à personne de prendre un bain.

La langue diplomatique a systématiquement recours à l'euphémisme. Un diplomate expliquait par exemple : « Quand un chef politique, suite à une rencontre avec son homologue, dit que les conversations ont été "franches", il faut comprendre qu'elles ont été "orageuses". »

EUPHONIE nom fém. – Musique et littérature. Agencement agréable de sons.

ÉTYM. : formé sur les mots grecs *eu* = « bien » et *phône* = « son ».

L'*euphonie* se situe à l'opposé de la *cacophonie.* On est souvent amené à remplacer un mot par un autre pour des raisons d'euphonie. Le souci de l'euphonie peut aussi conduire à ajouter une lettre ; c'est par exemple le cas dans « Où va-t-il ? ».

→ *Allitération – Cacophonie*

EXÉGÈSE nom fém. – Explication approfondie.

ÉTYM. : du grec *exêgêsis* = « explication » se rattachant au verbe *exêgeisthai* = « expliquer ».

Le terme s'est d'abord appliqué à la seule interprétation du texte biblique. Il désigne maintenant toute forme d'explication minutieuse et approfondie d'un texte.

EMPLOI : « Il n'est pas utile de faire l'exégèse de cet ouvrage pour en montrer la légèreté théorique. »

EXERGUE nom masc. – 1. Inscription figurant sur une médaille.
2. Phrase – le plus souvent une citation – mise en tête d'un texte.

ÉTYM. : venu du mot de latin moderne *exergum* formé sur le grec *ex* = « hors de » et *ergon* = « œuvre ».

Exergum a d'abord désigné l'espace réservé pour l'inscription, puis l'inscription elle-même.

On emploie surtout l'expression « mettre en exergue ». Une « épigraphe » est une citation « mise en exergue ». « Mettre en exergue » est souvent utilisé dans le sens figuré de « mettre en évidence ».

EXISTENTIALISME nom masc. – Courant important de la philosophie moderne opposé à la tradition idéaliste et identifiant la vérité de l'être à la prise de conscience de son existence.

Le terme *existentialisme* reste attaché à la pensée de Jean-Paul Sartre exprimée dans *L'Être et le Néant* (1943) et qui postule que l'« *existence précède l'essence* ». Sartre prenait ainsi position contre l'idéalisme tourné vers l'appréhension des essences, c'est-à-dire des modèles idéaux d'après lesquels aurait été créé le monde réel. La négation des essences enlève tout fondement à la philosophie spéculative qui expliquait l'existence humaine en fonction d'un système d'idées générales. Dès lors, l'existence est livrée à elle-même, prisonnière de sa liberté. Cette conquête s'accompagne de la plongée dans l'absurde.

Selon les termes de Sartre, « l'existentialisme est un humanisme », l'homme est un être en situation, responsable de sa liberté et appelé à se construire lui-même, à créer son propre sens. Dans cette démarche, Sartre rejoint le marxisme qui identifie la philosophie à une « praxis », la construction du devenir de l'homme.

Pour Camus, l'homme se définit précisément par la conscience de l'absurde. Retrouvant les leçons du stoïcisme, Camus voit la grandeur de l'homme dans l'acceptation lucide et courageuse de son destin. La qualité humaine est indissociable de la pratique d'une morale qui n'est garantie par aucun système, métaphysique ou matérialiste.

Enfin, il y a un existentialisme chrétien qui trouve son expression la plus intense et la plus cohérente dans l'œuvre géniale du philosophe danois Kierkegaard (1813-1855), prolongée au XXᵉ siècle par la pensée de Léon Chestov et du disciple de celui-ci, Benjamin Fondane. Il faut également citer, dans ce contexte, l'œuvre de Gabriel Marcel qui ramenait le domaine religieux à la part incommunicable de l'expérience humaine.

Cette prise de conscience de l'indicible est au fondement même des philosophies de l'existence, ce que Kierkegaard appelait le « secret ».

→ *Essentialisme – Platonisme*

EXORDE nom masc. – Terme de rhétorique désignant le début d'un discours.

ÉTYM. : se rattache au verbe latin *exordiri* = « commencer ».

On rencontre parfois la faute consistant à dire « exorde » au lieu de « exode ». Il faut donc éviter de confondre l'« exorde » qui est comme l'« entrée » d'un discours et l'« exode » qui est plutôt une « sortie ».

EXOTISME nom masc. – Caractère de ce qui relève d'une culture différente de la nôtre.

ÉTYM. : dérivé de « exotique » venu du grec *exôtikos* = « du dehors », « extérieur ».

En littérature, l'*exotisme* consiste à évoquer des pays lointains et peu familiers au lecteur. Leurs paysages, leurs coutumes, leurs habitants deviennent alors des éléments plus ou moins importants du récit auquel ils s'intègrent. Ils donnent au texte une sorte de « couleur locale » qui satisfait le désir d'évasion, de dépaysement, du lecteur. Il en va ainsi, par exemple, avec certains romans de Jules Verne.

Le projet de l'auteur peut cependant être plus complexe. L'évocation de terres lointaines devient pour lui l'occasion de s'interroger et de faire s'interroger le lecteur sur leur propre culture. Le monde exotique devient alors le contrepoint à partir duquel nous nous jugeons nous-mêmes.

L'exotisme des *Lettres persanes* est à cet égard particulièrement complexe. De manière simple, l'évocation de la Perse permet à Montesquieu de donner un peu de « couleur locale » à son texte. Le lecteur a, en particulier, l'impression d'entrer dans le monde interdit des harems. Mais, de plus, les Persans, par leur fausse innocence, nous découvrent les aspects scandaleux ou étranges de notre monde, aspects auxquels l'habitude nous a rendus aveugles.

De manière plus évidente encore, tout le mythe du bon sauvage participe de cet exotisme qui permet à l'auteur de dénoncer les travers de sa propre société.

L'histoire de l'exotisme est indissociablement liée à celle de la découverte des autres cultures. *L'Odyssée* d'Homère, en un sens, et aux yeux des Grecs, était déjà un récit exotique, puisque, au cours de son périple, Ulysse découvre des terres hostiles et mystérieuses.

Pourtant, l'exotisme ne prend véritablement son sens qu'avec l'ère des grandes découvertes. À mesure que l'Occident prend contact, de manière violente ou pacifique, avec des continents jusque-là insoupçonnés, prennent place dans la littérature l'Orient, l'Afrique et le Nouveau Monde. Il faut retenir parmi les premières réussites de l'exotisme littéraire *Paul et Virginie* (1787) de Bernardin de Saint-Pierre. Mais c'est le XIXᵉ siècle – siècle de l'expansion coloniale – qui fut véritablement celui de l'exotisme. Rares sont les grandes œuvres qui ne sacrifient pas à ce goût. On signalera essentiellement *Les Natchez* et le *Voyage en Amérique* de Chateaubriand, *Salammbô* de Flaubert et, sur un autre plan, les romans de Pierre Loti.

L'exotisme reste-t-il aujourd'hui encore possible ? Malgré certaines réussites – tels les romans de Le Clézio –, on peut en douter. La terre a été pour l'essentiel explorée et ne contient plus de territoires vierges où s'aventurer. La « civilisation » chaque jour s'étend et le monde s'uniformise comme le constatait avec désenchantement l'ethnologue Claude Lévi-Strauss au début de ses *Tristes Tropiques* (1955). L'exotisme en viendra peut-être à se réfugier dans la littérature d'anticipation.

Phénomène récent, l'« autre », le « sauvage », n'est plus seulement vu et présenté aujourd'hui par un voyageur occidental. Il prend la parole et, face à cet exotisme que représente à ses yeux l'Occident, il entre comme acteur dans le jeu littéraire. Ce renversement est, par exemple, évoqué dans *Montaigne et le mythe du bon sauvage de l'Antiquité à Rousseau* de Bernard Mouralis (Pierre Bordas et Fils, collection « Littérature vivante »).

→ *Couleur locale*

EXPLICITE adj. – Qui est exprimé avec clarté et précision.

Le mot est de la même famille que « expliquer » et, quand il s'agit de l'écrit, il correspond à ce qui est dit « en toutes lettres ». Il s'oppose à *tacite* qui implique une part de non-dit parce que sous-entendu.

EXPOSITION nom fém. – Début d'une œuvre littéraire dans lequel sont présentés les éléments nécessaires à la compréhension de ce qui suit.

Le mot *exposition* est surtout employé à propos du théâtre et tout spécialement du théâtre classique. Ce début de la pièce doit apprendre au spectateur où l'on se trouve, quels sont les personnages en présence, quelle est la situation d'où va sortir la crise.

EXPRESSIONNISME nom masc. – Mouvement artistique qui s'est développé en Allemagne au début du XXᵉ siècle et qui vise à substituer à la représentation objective de la réalité l'expression du monde intérieur de l'artiste.

L'*expressionnisme* s'inscrit en peinture dans la postérité de Van Gogh et de Gauguin. L'usage intense de la couleur traduit une vision du monde entièrement dominée par les sentiments de l'artiste. Au lieu de représenter la réalité, l'artiste figure sur sa toile l'expression de son propre univers spirituel et affectif, à travers des images empruntées au monde extérieur, mais totalement déformées et transformées par des moyens plastiques qui, chez certains peintres (Kandinsky), confinent à l'abstraction.

Deux groupes de peintres ont défendu les positions de l'expressionnisme : « Die Brücke » (Le pont) à Berlin (1905-1913) avec Kirchner, Schmidt-Rottluf, Pechstein, Heckel, Nolde et, à Munich, « Der blaue Reiter » (Le cavalier bleu) avec Kandinsky, Franz Marc et August Macke (1912).

L'expressionnisme s'est prolongé dans les pays scandinaves à travers l'œuvre d'Edvard Munch, en Autriche à travers celle de Schiele et de Kokoschka, et en Belgique à travers les toiles grotesques et fantastiques de James Ensor.

L'expressionnisme s'est étendu aux autres arts, mais c'est surtout au cinéma que le concept reste pertinent. À partir de 1919, avec *Le Cabinet du docteur Caligari* de Robert Wiene, l'expressionnisme a donné naissance dans le cinéma allemand à un courant extraordinairement fécond, illustré par les chefs-d'œuvre de Fritz Lang, de Murnau et de Pabst.

EXTRAVERSION nom fém. – Tendance à se tourner vers le monde extérieur.

L'extraverti est actif et s'intéresse au monde qui l'entoure. Il s'oppose à l'*introverti* plus tourné vers son monde intérieur.

→ *Introversion*

F

FANATISME nom masc. – Adhésion exacerbée à un système le plus souvent religieux et intolérance vis-à-vis des convictions d'autrui qui en découle.

ÉTYM. : se rattache au mot latin *fanaticus* qui signifie « inspiré », « en délire » et qui vient de *fanum* = « le temple ». À l'origine, il désignait toute personne qui, à la faveur d'une expérience mystique, se croyait en contact direct avec la divinité.

À partir du XVIᵉ siècle, mais tout particulièrement au XVIIIᵉ siècle, le mot a été entendu de manière péjorative, le sème relatif à l'intolérance tendant à l'emporter.

De Montaigne à Voltaire et même Camus, la philosophie française n'a cessé de combattre le fanatisme – une sorte de folie de l'idée – et de plaider pour la tolérance. Pour s'en convaincre, il suffit de lire les *Essais* ou *Candide* ou la fin de *L'Homme révolté*.

→ *Dogmatisme – Intégrisme*

FABLIAU nom masc. – Genre poétique propre au XIIIᵉ siècle et consistant dans un bref récit d'intention souvent satirique.

Composé d'octosyllabes à rimes plates et dépassant rarement les 400 vers, le *fabliau* a été un genre particulièrement en vogue au XIIIᵉ siècle. On conserve encore 150 de ces textes dont la date de rédaction s'échelonne entre la fin du XIIᵉ siècle et le début du XIVᵉ. Si la plupart de ces fabliaux sont l'œuvre de poètes anonymes ou oubliés, certains grands écrivains, tel Rutebeuf (?-vers 1285), se sont aussi adonnés à ce genre.

À la différence de la fable, le fabliau n'est pas toujours moral et didactique. Il vise d'abord à distraire et à amuser. Il relève, en effet, de la littérature comique et a souvent recours à l'obscénité ou à la scatologie. Il tourne tout en dérision, mais ses cibles de prédilection sont les prêtres et les femmes. En ce sens, on a pu voir dans sa misogynie outrancière une réaction contre les excès de la poésie courtoise et de sa tendance à idéaliser, diviniser la femme.

→ *Apologie – Fables*

FABLE nom fém. – Récit en vers ou en prose par lequel l'auteur se propose d'illustrer une morale que le texte, le plus souvent, énonce soit en son début soit en sa conclusion.

ÉTYM. : vient du latin *fabula* = « propos » ou « récit ».

Dans la langue courante, *fable* correspond le plus souvent à « récit mensonger », celui que fait un « fabulateur » ou un « affabulateur ».

Dans le sens littéraire, il s'agit d'une fiction, dont les protagonistes sont souvent empruntés au monde animal, et qui, de manière allégorique, vise à démontrer le bien-fondé d'un précepte. La fable est donc, en principe, un genre didactique : elle se devrait tournée tout entière vers l'enseignement dans lequel elle se résume. Cependant, chez les grands fabulistes, l'art du conteur permet de dépasser le carcan moralisateur du genre. La vigueur du récit relègue au second plan le « message » de la fable.

On fait d'ordinaire remonter le genre de la fable à Ésope. On doit à cet esclave, qui aurait vécu en Grèce au VIᵉ siècle av. J.-C., toute une série de récits mettant en scène des animaux, qui ont connu une grande notoriété et ont constitué l'une des principales sources d'inspiration de La Fontaine. Le principal de ses successeurs fut Phèdre, esclave affranchi qui, à Rome, au début de notre ère, reprit les plus célèbres des fables d'Ésope.

En ce qui concerne la littérature française, l'œuvre de La Fontaine (1621-1695) domine indiscutablement toutes les autres. Il est l'auteur de trois recueils publiés en 1668, 1678-1679 et 1694. Très proche d'Ésope par les anecdotes rapportées dans son premier recueil, La Fontaine s'en éloigne ensuite, empruntant certains de ses sujets à un fabuliste indien – Pilpay – et se consacrant de lui-même à des thèmes plus ambitieux, de nature symbolique ou philosophique.

La Fontaine a su faire de la fable un genre littéraire à part entière. Il a ajouté aux histoires héritées d'Ésope un véritable pittoresque et les a marquées de son talent poétique. C'est avec lui surtout que la fable cesse de se réduire à sa morale ; elle s'émancipe de celle-ci pour devenir poésie véritable.

L'importance de La Fontaine ne doit pas nous faire oublier les autres moralistes français. Marie de France au Moyen Âge et surtout Florian qui, au XVIIIe siècle, donna au genre une dimension plus critique dans le domaine politique et social.

Le genre n'est plus très prisé aujourd'hui, du moins sous sa forme poétique. Cependant, le grand roman d'Orwell *Animal Farm* (*La Ferme des animaux*) dans lequel la révolution et le stalinisme sont transposés dans le monde animal peut être lu comme une fable moderne. Et, dans un genre bien différent, peut-être n'est-il pas exagéré d'affirmer que le plus fidèle et le plus talentueux des héritiers de La Fontaine n'est autre que... Walt Disney !

→ *Apologue – Fabliau*

FANTAISIE nom fém. – 1. Jusqu'au XVIIe siècle et plus rarement par la suite, équivalent de ce que nous appelons aujourd'hui l'« imagination ».
2. Aujourd'hui, quelque chose d'original, d'amusant, d'imprévisible dans le comportement.

ÉTYM. : du grec *phantasia* = « apparition » et de là « image qui apparaît à l'esprit ». En français *fantaisie* (on a longtemps écrit *fantasie*) a d'abord eu le sens de « vision ».

FANTASME nom masc. – 1. Représentation imaginaire, traduisant souvent une obsession, et mise en forme dans une œuvre littéraire et artistique.
2. Psychanalyse. Représentation imaginaire qui permet à un

individu de satisfaire un désir sans les inconvénients qu'il y aurait à le faire réellement.

ÉTYM. : du latin *fantasma* lui-même venu du grec *phantasma* = « apparition ». Se rattache à *phainein* = « faire briller », « faire paraître ». On écrit parfois « phantasme » par allusion à l'étymologie grecque. Ce mot *fantasme* fait partie de la même famille que « fantôme ». Il a d'ailleurs signifié « fantôme » au Moyen Âge.

→ *Psychanalyse*

FANTASTIQUE nom masc. – Genre littéraire se caractérisant par une hésitation entre le réel et le surnaturel qui doit provoquer chez le lecteur l'inquiétude, voire la peur.

ÉTYM : : par le latin du grec *phantastikos* = « imaginaire » se rattachant à *phantazein* = « faire voir » avec le suffixe *ikos* = « qui se rapporte ». Le mot, qui partage la même origine avec « fantaisie », a d'abord désigné tout ce qui naît de l'imagination. Jusqu'au XVIIᵉ siècle, *fantastique* a aussi signifié « fantasque », « chimérique ». À partir du XIXᵉ siècle, il devient souvent un synonyme de « surnaturel ».

À la suite de Todorov, on peut définir le *fantastique* moins comme le surnaturel que comme l'hésitation que le texte organise à l'intérieur de lui-même entre la réalité et le surnaturel. Le lecteur ne sait jamais avec certitude où se situer, et son malaise provient justement de cette incertitude.

Ainsi, à propos de l'exemple classique des histoires de fantôme. Le lecteur comme les personnages que met en scène le récit doivent se demander si les phénomènes inexplicables auxquels ils sont confrontés sont véritablement des revenants ou simplement des illusions de leurs sens. Dans la première hypothèse, le texte admettrait une explication surnaturelle, dans la seconde une interprétation réaliste. Mais c'est justement d'admettre et de refuser à la fois ces deux issues qu'il se définit comme « fantastique ».

Dans les œuvres du XIXᵉ siècle, l'auteur choisit le plus souvent de mettre fin à cette équivoque, mais déjà dans certaines œuvres de Maupassant et de ses contemporains, Gogol par exemple, et d'une manière générale pour le fantastique du XXᵉ siècle (Kafka, Buzzati), l'hésitation est maintenue jusqu'à la dernière ligne.

On a souvent affirmé que les écrivains français étaient peu doués pour le fantastique. Il est vrai que les plus grands maîtres du genre sont à chercher à l'étranger ; pour le XIXᵉ siècle, en Allemagne avec Hoffmann et aux États-Unis avec Edgar Poe ; pour le XXᵉ siècle, en Italie avec Buzzati, en Europe centrale avec Kafka, en Argentine avec Borges. Le fantastique est cependant présent de manière non négligeable dans la littérature française : avec Gautier, Villiers de l'Isle-Adam, Barbey d'Aurévilly, Mérimée et sa *Vénus d'Ille*, Maupassant avec cette réussite du genre qu'est *Le Horla* et même Balzac avec *La Peau de chagrin*. Plus près de nous avec Jean Ray et son *Malpertuis*.

→ *Merveilleux – Réalisme*

FARCE nom fém. – Genre théâtral populaire hérité du Moyen Âge et visant à un comique très simple, très direct et très efficace.

ÉTYM. : le mot *farce*, dérivé du latin populaire, a d'abord eu comme ce mot le sens qu'il a toujours dans le domaine de la cuisine. Il s'agit des aliments que l'on met à l'intérieur d'une volaille ou d'un autre contenant (dinde farcie, tomates farcies). Le sens littéraire semble se rattacher à ce sens culinaire. La *farce* était une petite pièce propre à détendre l'atmosphère qui était introduite à l'intérieur d'un mystère (voir ce mot).

Vers la fin du Moyen Âge, les farces se développèrent en un genre autonome. Leur objectif resta cependant identique : faire rire et cela en ayant recours aux procédés les plus gros, mais aussi les plus efficaces : comique gestuel, comique de répétition, coups de bâton, gros calembours, histoires de maris trompés ou d'imbéciles bernés. La plus aboutie de ces farces médiévales est *La Farce de Maître Pathelin* (XVᵉ siècle) qui raconte une burlesque histoire de procès et d'escroquerie en cascade.

La comédie du XVIIᵉ siècle hérite dans une certaine mesure de la farce. Cela est particulièrement sensible chez Molière qui fut l'auteur de farces comme *Le Médecin volant* et qui n'hésite pas à introduire des éléments de farce dans ses grandes pièces, par exemple dans *Les Fourberies de Scapin* ou dans *Dom Juan.*

Le genre a, par la suite, pratiquement disparu en tant que tel, mais, dans une certaine mesure, il persiste aujourd'hui dans le café-théâtre ou le théâtre de boulevard. On peut aussi considérer que Ionesco, qui définit l'une de ses œuvres comme une « farce tragique », a, d'une certaine façon, renouvelé le genre.

→ *Comédie*

FATALITÉ nom fém. – Puissance surnaturelle qui régit le cours des choses et la vie des individus.

ÉTYM. : comme « fatalisme » se rattache au *fatum* = « destin » des Latins.

On retrouve toujours – dans la *moïra* des Grecs, le *fatum* des Latins, le *mektoub* des Arabes – l'idée que la marche de l'histoire ou la destinée d'un individu ne sont que le déroulement d'un processus déjà décidé ailleurs.

Chez les Grecs, la fatalité imposait sa volonté aux dieux mêmes. Elle est l'un des éléments clés de la tragédie antique qui la montre poursuivant et brisant les héros tel Œdipe. Dans la *Phèdre* de Racine, cette fatalité s'intériorise – elle résulte de la passion amoureuse –, mais cette pièce reste selon la juste formule de Raymond Picard « un drame de la liberté ».

La fatalité peut prendre d'autres formes ; elle est cette vocation qui s'impose au poète, thème illustré par « Bénédiction » de Baudelaire ; elle peut résulter de l'hérédité comme c'est le cas pour certains personnages de Zola ; enfin, elle s'intériorise encore plus si on tire toutes les conséquences de l'œuvre de Freud.

→ *Fatalisme – Fatum – Tragédie – Pathétique*

FATALISME nom masc. – 1. Doctrine selon laquelle le destin des êtres est écrit par avance.

2. Attitude faite de résignation découlant d'une vision du monde au sens précédent.

ÉTYM. : se rattache au mot latin *fatum* = « destin ».

Le *fatalisme* peut se définir comme la croyance à une « fatalité », un destin écrit d'avance, le *fatum* des Latins. *Fatum* se rattache à *fari* = « parler » et signifie littéralement « ce qui est dit ».

→ *Existentialisme*

FATRASIE nom fém. – Poème médiéval enchaînant des propositions dénuées de sens dans une intention comique ou satirique.

ÉTYM. : dérivé du latin *farsura* = « remplissage ».

La *Fatrasie d'Arras* (1280) est l'un des textes les plus célèbres de ce genre littéraire.

FATUM nom masc. – Destin.

Le *fatum*, directement emprunté au latin, signifie littéralement « ce qui a été dit ». Il désigne le destin, la fatalité.

Le *fatum* est au centre de la doctrine des stoïciens qui pensaient que la sagesse véritable résidait dans l'« amor fati » (littéralement « amour de son destin »), c'est-à-dire dans l'adhésion à son propre destin.

→ *Fatalité – Fatalisme – Stoïcisme – Tragédie*

FAUVISME nom masc. – Mouvement pictural qui s'est développé en France au début du siècle et qui était caractérisé par un usage flamboyant de la couleur, la recherche des tons purs et une très grande liberté formelle ainsi que par l'abandon de la représentation réaliste au profit de la subjectivité de l'expression.

Le fauvisme doit son nom au terme méprisant de « cage aux fauves » donné par un critique au coin du Salon d'automne de 1905 où exposaient Matisse, Derain, Vlaminck, Van Dongen, Rouault, Friesz et Braque.

Le chef de file de ce groupe était Matisse qui, sous l'influence de Van Gogh, s'orientait depuis quelques années vers un renouvellement de la peinture fondé essentiellement sur l'organisation de la composition par la couleur. Il s'agissait d'abord de rompre avec l'impressionnisme qui menaçait de se transformer en un nouvel académisme. Privilégiant « l'expression » propre à l'artiste aux dépens de la représentation fidèle de la nature, Matisse ouvrait la voie à ce que l'on allait appeler « l'expressionnisme ».

C'est d'ailleurs une exposition de peintres fauves français organisée en 1911 à la Berliner Sezession qui est à l'origine du mot « expressionnisme » appliqué *a posteriori* à un vaste courant de la peinture allemande et nordique. Mais, alors que l'expressionnisme connaîtra une grande expansion dans l'espace et dans le temps et s'étendra aux autres arts, le fauvisme se limitera à la peinture et sera de courte durée. Né en 1905, il reflue déjà vers 1907 pour céder la place au cubisme.

FÉLIBRE nom masc. – 1. Écrivain, membre du « Félibrige », une association qui s'était donné pour mission le renouveau de la langue d'oc et de la culture occitane.
2. Écrivain qui, à la suite de la création du Félibrige, travailla dans la même perspective.

ÉTYM. : mot emprunté à un récit populaire et à partir duquel fut constitué « Félibrige ». Le récit en question est *Les Sept Félibres de la loi.*

Le *Félibrige* fut créé en 1854 par sept poètes dont le plus célèbre est Frédéric Mistral. Son action et celle de ses successeurs contribuèrent à une meilleure connaissance et à un rehaussement en dignité de la culture occitane.

FÉMININE (rime) – Rime se terminant par un « e muet ».

Digne-cygne, silence-violence, palme-calme, ville-tranquille, voile-étoile, etc., sont des mots dont les terminaisons correspondent à des rimes féminines.

Dans l'ancienne prononciation, comme cela se trouve encore dans quelques chansons (« Tu es le plus beau jour de ma vieeee »), ce « e » en fin de vers se prononçait. L'opposition entre rimes féminines et rimes masculines était donc plus nette qu'aujourd'hui. L'alternance entre rimes féminines et rimes masculines fut respectée pendant des siècles, mais, comme les autres règles, elle n'est plus considérée comme une obligation.

On ne compte pas cette dernière syllabe ; ainsi, on ne compte pas le « ce » qui vient à la fin de « silence » ou le « me » par lequel se terminent « calme » ou « palme ».

→ *Mime* – *Vers*

FÉMINISME nom masc. – Mouvement qui lutte pour la reconnaissance et le développement des droits des femmes.

Le féminisme n'est en rien un mouvement unitaire et structuré. On peut, en fait, parler de « féminisme » chaque fois que se manifestent des revendications visant à améliorer la condition féminine, à se diriger vers une plus grande égalité entre les sexes, à remettre en question le principe d'une société patriarcale, c'est-à-dire dominée par les hommes.

Sur le plan théorique, le féminisme ne repose pas sur un corps de doctrine unique. Certaines féministes nient que la différence entre hommes et femmes soit autre chose qu'une différence biologique. La différence de comportement entre les sexes ne serait que le fruit d'un conditionnement de tous les instants visant à maintenir les femmes dans une position sociale subordonnée. Selon la célèbre formule de Simone de Beauvoir, « *on ne naît pas femme : on le devient* ». Cette thèse – outre *Le Deuxième Sexe* de Simone de Beauvoir – a été bien illustrée dans *Du côté des petites filles* de Gianina Belotti (Des femmes).

À l'inverse, d'autres féministes, au lieu de nier l'existence d'une spécificité féminine, l'exaltent, présentant les valeurs féminines comme une alternative possible et positive aux valeurs patriarcales qui dominent notre société. S'ajoutant aux auteurs que nous venons de citer, les principales théoriciennes du féminisme sont Germaine Green, Kate Millet, Élisabeth Badinter, Gisèle Halimi.

Historiquement, le féminisme ne naît pas au XIXᵉ siècle, mais c'est à cette époque qu'il se développe et prend une véritable dimension politique et sociale : les suffragettes, en Angleterre, réclament et finissent par obtenir le droit de vote. Les principales victoires du féminisme seront l'obtention du droit au divorce, à des études équivalentes à celles des hommes, à la contraception, à l'avortement et à l'obtention progressive d'une place équivalente à celle des hommes dans le monde du travail.

En ce qui concerne la littérature, une importante réflexion s'est développée sur le rapport des femmes à celle-ci. L'ouvrage pionnier en ce domaine est sans doute celui de Virginia Woolf qui, dans *Une chambre à soi*, s'est interrogée sur les obstacles sociologiques qui barraient aux femmes la route à la création littéraire. Pourquoi n'y a-t-il jamais eu de Shakespeare féminin ?, demande-t-elle : parce que jamais, jusqu'à une époque récente, la femme n'a disposé d'*une chambre à soi*, répond-elle.

L'idée s'est affirmée, dans les années 60, d'une écriture féminine spécifique, radicalement différente de la littérature produite par les écrivains masculins. Des maisons d'édition réservées aux femmes ont été créées pour dégager un espace d'écriture qui leur soit propre ; ainsi « Des femmes » en France et « Virago » en Angleterre. Un considérable travail théorique a été réalisé, notamment par trois théoriciennes dont il faut citer les noms : Hélène Cixous, Luce Irigay et Julia Kristeva.

FÉTICHE nom masc. – Nom donné par les Européens aux divinités des peuples considérés comme païens qu'ils rencontraient, notamment, en Afrique.

ÉTYM. : dérivé d'un mot portugais, *feitiço* = « sortilège », « objet enchanté ».

Le sens du mot en portugais s'est conservé dans l'emploi fait actuellement de « fétiche » en Afrique.

→ *Animisme*

FÉTICHISME nom masc. – 1. Culte des fétiches.
2. Psychanalyse. Tendance à une surévaluation sexuelle d'une partie du corps (le pied par exemple) ou même d'une partie du vêtement (par exemple les chaussures).

FEUILLETON nom masc. – Roman publié avec régularité dans la presse et, par extension, film à épisodes destiné à la télévision.

2. Article revenant avec régularité dans un journal (le feuilleton littéraire).

Le genre du roman-feuilleton, appelé rapidement « feuilleton », apparaît en France dans la première moitié du XIXᵉ siècle, d'abord dans les mensuels, puis dans les quotidiens. Il connut un très grand succès populaire. Balzac, Hugo, Sand acceptèrent d'être publiés sous cette forme.

Le roman-feuilleton impose à l'auteur des contraintes spécifiques dont surent jouer les maîtres du genre comme Eugène Sue ou Alexandre Dumas. Il faut que chaque épisode relance l'intérêt du lecteur en interrompant l'intrigue à un moment crucial. Il faut jouer de manière constante du suspense. Le procédé, bien entendu, peut devenir systématique et oblige l'auteur à une surenchère qui ôte tout caractère vraisemblable à l'histoire contée.

Par extension, le mot désigne aujourd'hui les émissions radiophoniques ou télévisées qui racontent en de nombreux épisodes une histoire : *Thierry la Fronde*, *Dallas* ou *Dynasty*.

→ *Roman-feuilleton*

FICTION nom fém. – En littérature, l'ensemble des productions qui font une part à l'imagination créatrice.

ÉTYM. : se rattache au verbe latin *fingere* = « feindre ». À l'origine, *fingere* signifie « fabriquer », puis « inventer » (une machine), puis « feindre ». L'idée de « mensonge » se maintient dans le sens moderne ; le propre de la fiction est de se démarquer du réel et, en ce sens, elle est « mensonge ». La « feinte » du footballeur est aussi un « mensonge ».

En anglais, le mot *fiction* désigne le roman considéré dans son ensemble, alors que le mot *novel* est employé quand on parle d'*un* roman en particulier. Dans les rayons des librairies anglaises se trouve, à côté d'un rayon « Fiction » qui regroupe tous les romans, un rayon « Non-Fiction » rassemblant les essais, les témoignages, les reportages, etc.

→ *Roman*

FIDÉISME nom masc. – Doctrine qui, pour ce qui est de la croyance en Dieu, affirme la primauté de la foi sur la raison.

ÉTYM. : dérivé du latin *fides* = « foi » comme « foi », « fidèle » et son doublet « féal ».

Pour le fidéiste, la croyance en Dieu ne peut pas être la seule conséquence d'une démonstration. Elle ne peut que reposer sur une conviction profonde, mais non fondée en raison qui s'appelle la foi.

→ *Dogmatisme – Foi – Quiétisme*

FIGURATIF nom masc. et adj. – Terme se rapportant à toutes les formes d'art plastique dans lesquelles il est possible d'identifier un sujet.

Le mot « sujet », dans cette définition, désigne tout ce qui peut être identifié et rapporté à un élément du réel dans une œuvre d'art (paysage, objet, animal, être humain, etc.). À l'opposé de l'œuvre figurative, l'œuvre abstraite ne représente rien d'autre qu'elle-même.

→ *Abstrait*

FIGURE (de style) nom fém. – Tout procédé permettant d'amoindrir, de renforcer, de nuancer, d'étoffer l'information transmise par le langage.

On parlait autrefois dans le même sens de « tropes ». La définition du style comme un « écart » par rapport à la norme (qui serait une sorte de degré zéro du style) est utile sans être parfaitement satisfaisante.

L'ancienne distinction entre les *figures de mots* et les *figures de pensée* n'est pas non plus très convaincante.

La métaphore, l'euphémisme, l'hyperbole, l'ellipse, la

prétérition sont des figures de style, des procédés rhétoriques fréquemment employés et pas seulement en littérature.

→ *Rhétorique – Style*

FIGURÉ (sens) adj. – Par opposition à « sens propre », sens second pris par un mot quand il n'est plus employé dans son sens originel et concret.

La figure de style dans ce cas est en fait une métaphore. Le second sens se rattache au premier par une relation de ressemblance. Ainsi, dans son sens propre, le mot « tête » désigne la partie supérieure du corps, mais, dans son sens figuré, le mot peut se rapporter à bien d'autres réalités : la « tête d'une classe », la « tête d'une armée », la « tête du lit », etc.

Le *sens figuré* se distingue de la métaphore poétique en cela qu'il n'est pas laissé à la fantaisie de l'écrivain. Le sens figuré appartient à la langue et tous les locuteurs qui maîtrisent cette langue en perçoivent immédiatement la signification. Cette signification est d'ailleurs répertoriée dans les dictionnaires au même titre que le sens propre.

→ *Catachrèse – Métaphore*

FINALISME nom masc. – Toute doctrine philosophique postulant que le cours du monde est orienté vers une fin.

Dans cette définition, le mot « fin » est pris dans son sens philosophique (but, objectif, destination). En affirmant que la création a un sens, une destination, les partisans du *finalisme* supposent l'existence d'un monde dont l'origine et le garant se trouvent dans un principe transcendant. Le finalisme est donc étroitement lié à la croyance à la providence. Il tend à concilier la foi et la raison.

FLORILÈGE nom masc. – Anthologie.

ÉTYM. : le mot se rattache au latin *flos, floris* = « fleur », et à *logo, legere* = « cueillir », « choisir ». De ce même mot est venu le verbe « lire » d'où la formule « lire, c'est élire » (pour indiquer que l'acte de lecture implique un choix).

Le *florilège* est le résultat d'une sélection, il présente la « fine fleur », c'est-à-dire ce qu'il y a de meilleur dans un domaine. (Un florilège de textes littéraires sur la pêche à la ligne.)

→ *Anthologie*

FOCALISATION nom fém. – Point de vue où se situe celui qui évoque des événements ou leur contexte dans une œuvre de fiction.

Les événements peuvent être rapportés du point de vue de l'un des personnages, le lecteur étant au courant dès le début ou ne l'apprenant qu'à la fin. Ils peuvent être perçus par un témoin qui reste extérieur à l'action ou encore du point de vue d'un dieu omniscient. Différents points de vue peuvent être combinés.

À la suite de la critique anglo-saxonne et de Genette, on distingue :

– la *focalisation zéro* (récit non focalisé). Le narrateur en sait plus que n'en sait aucun des personnages ;

– la *focalisation interne*. Le narrateur se met dans la peau d'un personnage et n'en sait donc pas plus que lui ;

– la *focalisation externe*. Le narrateur est dans la situation d'un témoin, et donc extérieur à l'action. Il en sait, de ce fait, moins que le ou les personnages.

→ *Point de vue – Réalisme – Regard (École du) – Récit*

FOI nom fém. – Croyance très ferme en une vérité qui n'a pas besoin d'être assurée par une démonstration.

ÉTYM. : du latin *fides* = « croyance », « confiance ». Le mot « fidèle » (qui garde sa « foi ») est de la même famille.

Le mot a pris dans le latin ecclésiastique un sens religieux qu'il a conservé en français. Il peut cependant être employé dans d'autres contextes – en politique ou en art par exemple – à propos de personnes dont les convictions sont inébranlables.

→ *Fidéisme – Quiétisme*

FORMALISME nom masc. – École littéraire qui s'est développée en Russie au début du siècle et qui a donné naissance à quelques idées maîtresses de la linguistique et de la littérature contemporaines.

On peut dater la naissance de ce mouvement de la brochure de Viktor Chklovski, *La Résurrection du mot* (1904), et sa mort de l'autocritique du même Chklovski, lequel, en 1930, abjure ses convictions formalistes.

Le maître d'œuvre de la méthode formelle a donc été Chklovski, linguiste de formation, à qui l'on doit la formule principale du « formalisme russe » : l'« art comme procédé ». Chklovski est également l'inventeur de l'« *ostraniénié* » (l'étrangéisation), concept d'où procédera la distanciation brechtienne. Selon ce concept, l'art et la littérature ont pour fonction de rafraîchir constamment nos sensations. Ils doivent nous montrer les choses sous un angle insolite, encore jamais vu. Combattre l'usure, la routine, telle est la vocation des artistes.

Le principe essentiel du formalisme est l'autonomie de l'art, par rapport à la réalité et par rapport aux autres séries de la connaissance. L'art se suffit à lui-même. Il se définit par un ensemble de procédés d'expression qui sont appelés à se renouveler pour éviter la sclérose et l'académisme.

Ainsi, le *formalisme*, d'une part, reprenait et systématisait une idée qui avait été la dominante de la période symboliste, d'autre part, il apportait à l'avant-garde futuriste la caution scientifique de l'érudition universitaire. Le principe du renouvellement des procédés d'expression est la source de l'expérimentation formelle pratiquée par les poètes, aussi bien que par les peintres russes qui refusent d'être des épigones, des suiveurs se contentant d'imiter le passé. La valeur artistique est désormais synonyme de nouveauté, d'innovation, d'invention plastique ou verbale.

Outre Viktor Chklovski (1893-1984), les principaux théoriciens formalistes ont été Iouri Tynianov (1894-1943), Boris Eikhenbaum (1886-1959) et surtout Roman Jakobson (1896-1982). Ce dernier émigrera en 1920 en Tchécoslovaquie où il contribuera à fonder le Cercle de Prague. Puis, pendant la Seconde Guerre mondiale, il s'installera aux États-Unis où sa rencontre avec Lévi-Strauss sera déterminante dans la naissance et l'expansion du mouvement structuraliste. On oublie souvent cette filiation et le fait que les principales idées du structuralisme ont d'abord été exprimées par les formalistes russes.

FRAGMENT nom masc. – 1. Élément extrait ou conservé d'une œuvre complète et achevée.
2. Élément d'une œuvre involontairement ou volontairement non achevée.

ÉTYM. : se rattache au verbe latin *frangere* = « casser » tout comme « fraction » ou « infrangible ».

Le texte peut tout d'abord se présenter de manière fragmentaire pour des raisons indépendantes de la volonté de l'auteur. C'est le cas lorsqu'un texte, complet à l'origine, a été pour l'essentiel perdu. Il n'en subsiste alors que des fragments. Ainsi de nombreuses tragédies grecques ne nous sont parvenues que sous cette forme.

Il peut arriver également qu'une œuvre se présente sous une forme fragmentaire parce que son auteur n'a pas pu lui donner une forme définitive : ne nous restent alors que les brouillons, ébauches plus ou moins abouties, passages non coordonnés. Il en va ainsi des *Pensées* de Pascal qui sont en fait la publication posthume des notes de l'auteur.

Le fragment peut cependant relever d'une stratégie délibérée d'écriture. Plutôt que de développer en discours sa pensée, l'auteur choisit de juxtaposer des textes brefs. On se trouve alors très proche de l'aphorisme, comme en témoigne, par exemple, *Le Gai Savoir* de Nietzsche. C'est dans le même esprit que le philosophe Georges Bataille a écrit sous forme fragmentaire des textes comme *L'Expérience intérieure* ou *Le Coupable* : l'éclatement du texte renvoie à ce qu'il nomme la « déchirure du non-savoir ».

Roland Barthes a poussé plus loin la théorie et la pratique du fragment. Dans la dernière partie de son œuvre, il en a fait sa forme propre d'écriture avec son *Roland Barthes par Roland*

Barthes et *Fragments d'un discours amoureux*. Faire éclater le texte en fragments qui sont classés dans l'ordre le plus arbitraire qui soit – l'ordre alphabétique – permet d'interdire que l'autoportrait ou le récit amoureux ne constitue une « histoire » dans le sens traditionnel du terme. Cette procédure empêche que le sens ne se fixe en une signification unique.

FUTURISME nom masc. – Mouvement artistique et littéraire, fondé en 1909 par le poète italien Marinetti, qui proclamait le rejet du passé, le refus de se conformer aux modèles historiques traditionnels et la nécessité pour l'art et la poésie d'exprimer la modernité, laquelle s'identifiait essentiellement à ses yeux à la vitesse, à la violence et à la machine.

Il est à la fois normal et absolument naturel que le futurisme soit né en Italie, patrie de la tradition culturelle européenne, pays des églises et des musées dont Marinetti réclamait la destruction. C'est, en effet, par réaction contre ce culte excessif du passé que les futuristes italiens se firent les chantres de la modernité.

Si l'on fait la part de la provocation dans les scandales organisés par Marinetti, il n'en reste pas moins qu'il a été à la source de la plupart des procédés qui, en littérature, en peinture aussi bien qu'en musique définissent jusqu'à nos jours l'art moderne.

Marinetti a été le premier à pratiquer l'écriture automatique avec « *les mots en liberté* ». Son disciple Russolo a été l'inventeur de la musique concrète. Mais le futurisme italien a pour principal titre de gloire de compter parmi ses adeptes l'un des plus grands peintres du XXᵉ siècle : Boccioni (1882-1916).

Dans les arts plastiques et la photographie, le futurisme s'est efforcé de traduire le mouvement. En cela, il est fidèle à sa désacralisation de l'art qui ne doit plus prétendre à l'éternité, mais, au contraire, aura désormais vocation d'exprimer l'instant présent, dans sa fugacité et dans sa vérité. L'esthétique futuriste a eu pour principal mérite de substituer dans la création artistique l'action à la contemplation. Descendu de son piédestal, l'art est pour la première fois conçu en fusion étroite avec la vie quotidienne, avec l'existence commune. Les idées de Marinetti seront répercutées en France par Guillaume Apollinaire, Blaise Cendrars, et par la revue *Sic* de Pierre-Albert Birot. Elles seront reprises et développées par les dadaïstes et les surréalistes. Plusieurs groupes littéraires russes se réclamèrent aussi du futurisme.

→ *Dada – Surréalisme*

G

GALLICANISME nom masc. – Doctrine prônant une large indépendance de l'Église catholique de France par rapport au pape et au Vatican.

ÉTYM. : formé sur le latin médiéval *gallicanus* = « gaulois ».

Le gallicanisme se définit par la volonté de soustraire l'Église de France, en tant qu'institution, à l'autorité de Rome. Ses justifications sont plus politiques que théologiques. L'influence de l'Église ayant été par le passé extrêmement forte, il s'agit d'empêcher que cette influence ne s'exerce dans un sens contraire à celui souhaité par le pouvoir politique.

Le *gallicanisme* s'est en particulier traduit par la possibilité longtemps accordée au chef de l'État de nommer les évêques. Il s'oppose à ce que l'on nomme l'« ultramontanisme. »

→ *Ultramontanisme*

GÉNÉRATEUR nom masc. – Terme utilisé par les théoriciens du « nouveau roman » pour désigner les thèmes ou images qui, dans ces textes, engendrent le récit par leurs combinaisons et leurs transformations.

Le « nouveau roman » – ou plus exactement le « nouveau nouveau roman » – se propose de construire des fictions qui, en dehors de toute référence à une intrigue réaliste, se produiraient en quelque sorte elles-mêmes. À cette fin, le texte choisit des éléments – les *générateurs* – dont le développement et la combinaison vont constituer le nouveau fil directeur d'un récit qui se refuse à raconter autre chose que lui-même.

Ainsi, Jean Ricardou a montré que *Projet pour une révolution à New York* de Robbe-Grillet était en partie un texte produit à partir des différentes anagrammes du mot « rouge », chacune de ces anagrammes « générant » l'un des épisodes du roman.

→ *Nouveau roman*

GÉNIE nom masc. – 1. Être surnaturel.
2. Ce qui est propre à un individu ou à un groupe.
3. Aptitudes exceptionnelles qui, dans le domaine de l'intelligence ou de la création artistique, élèvent un individu au-dessus de tous les autres et distinguent sa production des autres.

ÉTYM. : du latin *genius* = « divinité tutélaire ». Ce mot se rattache à *genus, generis* = « race », « genre ». De l'idée du *genius*, dieu tutélaire, qui s'attache à vous dès votre naissance, on est passé à l'idée de talent inné (donc qui vous est propre), puis à celle de « talent supérieur ».

Le mot, dans la mythologie, désignait une divinité tutélaire, telle, par exemple, celle qui apparaît dans le conte « Aladin et la lampe merveilleuse ». Rimbaud fait appel à ce sens lorsqu'il intitule « Génie » l'un des poèmes des *Illuminations*. Dans la langue courante, on dira par exemple « grâce à mon bon génie ».

Le deuxième sens, proche de l'étymologie, correspond à ce qui est *sui generis*.

Dans son emploi le plus fréquent, le mot désigne la force d'intelligence ou de création qui se manifeste chez les individus les plus doués et qui les distingue des simples hommes de talent. Le mot s'appliquera par exemple à Léonard de Vinci ou à Einstein. Quand Chateaubriand parle du « génie » du christianisme dans un livre intitulé *Génie du christianisme ou Beautés de la religion chrétienne* (1802), il joue sur les deux sens du mot, puisqu'il s'agit de montrer à la fois la spécificité et la supériorité de cette religion.

La question est souvent posée de la part qu'il faut accorder au génie dans la création littéraire et artistique. Une grande œuvre naît-elle du *génie*, c'est-à-dire d'aptitudes innées chez l'artiste et qui se manifesteraient de manière quasi spontanée ? Est-elle, au contraire, le fruit d'un long travail, d'un apprentissage progressif de la technique ? La réponse est sans doute double, car, pour reprendre le mot de Buffon, le génie est « *une longue patience* ».

GÉNÉRATION PERDUE – Groupe constitué dans les années 1920 par des romanciers américains tels Hemingway ou Dos Passos.

La *génération perdue* (« lost generation ») ne constitue en aucun cas une école littéraire. Ce qui réunit, outre Hemingway ou Dos Passos, des écrivains comme Cummings ou Fitzgerald, c'est une même sensibilité : celle que partagent au sortir de la Première Guerre mondiale des jeunes gens qui ont, dans un monde bouleversé, à s'inventer de nouvelles valeurs et à découvrir leur manière propre d'écrire.

En ce sens, on peut dire que la génération perdue constitue la réponse littéraire américaine au choc du premier conflit mondial. Les deux romans les plus significatifs à cet égard sont sans doute *Le soleil se lève aussi* (1926) et *L'Adieu aux armes* (1929).

GENRE nom masc. – Littérature. Catégorie dans laquelle une œuvre littéraire peut être classée, ce classement pouvant être effectué selon différents critères.

ÉTYM. : du latin *genus, generis* = « genre » « race ». Les mots « engendrer », « général », « généreux », « ingénieur », « génie », « indigène », « gens », « germination » sont de la même famille.

On classait autrefois les œuvres en fonction de leur ton, distinguant par exemple les genres nobles et les genres « bas ». Les œuvres sont aussi classées en fonction de leur destination (poésie, théâtre, oraison funèbre) ou en fonction de critères formels (le sonnet est un genre à l'intérieur du genre que constitue la poésie, laquelle fait elle-même partie du genre littéraire).

Il est parfois difficile de bien cerner un genre ; ainsi, la distinction entre le conte et la nouvelle est souvent difficile à faire. Le roman lui-même est un genre protéiforme difficile à circonscrire avec précision.

GÉORGIQUES nom masc. plur. – Poèmes se rapportant aux travaux des champs.

ÉTYM. : le mot se rattache aux mots grecs *gê* = « terre » et *ergon* = « travail ». En grec, *geôrgos* désigne l'agriculteur. C'est de là que vient le prénom Georges.

Les *géorgiques* étaient des poèmes antiques qui exaltaient la campagne et la vie des champs et qui, de manière didactique, consignaient et transmettaient les règles à suivre par les paysans. Le travail de la terre y était donc quelquefois décrit avec beaucoup de détails. Le mot se rapporte à des poèmes qui, d'une manière plus générale, touchent à la vie rustique.

Les deux plus célèbres poèmes de ce type restent *Les Travaux et les Jours* d'Hésiode (poète grec, VIIIᵉ-VIIᵉ siècles av. J.-C.) et les *Géorgiques* du poète latin Virgile.

Le terme a été repris par le romancier Claude Simon dans l'un de ses ouvrages les plus aboutis : *Les Géorgiques* (1981). Il y raconte la vie de l'un de ses ancêtres qui, depuis les champs de bataille d'Europe qu'il parcourt, transmet à son intendante des conseils très précis sur l'exploitation de son domaine, conseils qui sont intégrés à la matière même du roman.

→ *Bucolique*

GESTE (chanson de) nom fém. – Long poème épique du Moyen Âge destiné à être déclamé et racontant les exploits d'un héros historique ou légendaire.

ÉTYM. : dérivé du latin *gesta* = « faits » se rattachant à *gerere* = « faire ». On dit *une* geste ou une chanson de geste. C'est le sens de « une » geste qui est présent dans l'expression « faits et gestes » (où *gestes* a le sens d'« actions mémorables »).

À l'origine, les *chansons de geste* étaient récitées, avec accompagnement de vielle, par des jongleurs au cours d'un véritable spectacle donné dans les châteaux. Cette dimension orale est pour nous perdue, et nous ne pouvons que la reconstituer imparfaitement. Nous ne connaissons en effet les chansons de geste qu'à travers les copies qui en ont été réalisées, lesquelles sont plus des réécritures et des remaniements tardifs que des retranscriptions fidèles. De la probable multitude des chansons de geste qui ont vu le jour entre le XIᵉ et le XIVᵉ siècle, nous ne conservons aujourd'hui qu'une centaine de textes.

Il est assez difficile de proposer une définition formelle de la chanson de geste. Sa longueur est très variable : en moyenne, un peu moins d'une dizaine de milliers de vers. Dans la plupart des cas, elle est composée en décasyllabes, mais le recours à l'octosyllabe ou à l'alexandrin se rencontre. Les vers sont regroupés en « laisses » – de longues strophes – construites sur la même assonance et, en ce qui concerne les chansons les plus tardives, quelquefois sur la même rime.

Quant au contenu des chansons de geste, depuis le Moyen Âge, on les classe en trois cycles principaux en fonction du personnage central qu'elles mettent en scène ou du thème qu'elles exploitent. On distingue ainsi la geste de Charlemagne ou geste du Roi, celle de Doon de Mayence et celle de Garin de Monglane.

En raison de leur sujet et plus encore de leur date de rédaction, les chansons de geste sont très différentes les unes des autres. Sur les plus tardives, notamment, se fait sentir l'influence de la littérature courtoise qui altère le caractère proprement épique du poème. Cependant, l'unité du genre existe : la chanson de geste exalte les prouesses guerrières d'un héros exceptionnel qui incarne les valeurs de la société médiévale.

→ *Épopée*

GLOSE nom fém. – Explication littérale d'un texte.

ÉTYM. : se rattache au grec *glôssa* = « langue » ou « langage ». Ces mots pouvaient aussi signifier « langue étrangère » ou « mot difficile » (ceux que l'on explique dans un « glossaire »). Le mot est passé en latin, puis en français. Du sens de mot difficile à expliquer, on est passé à celui d'explication.

En français, le mot *glose* est souvent employé aujourd'hui de manière péjorative pour désigner un commentaire inutile.

GLOSSOLALIE nom fém. – Don surnaturel permettant à des individus de s'exprimer dans des langues qui leur sont inconnues.

ÉTYM. : se rattache aux mots grecs *glôssa* = « langue » et *lalein* = « parler ».

Le mot *glossolalie* désigne un certain nombre d'expériences mystiques au cours desquelles un individu, possédé par une force supérieure, est censé pouvoir s'exprimer dans une langue qu'il ignore ou qui semble dépourvue de sens. L'exemple le plus célèbre est celui de la Pentecôte : habités par le Saint-Esprit, les disciples de Jésus se mirent à s'exprimer « en langues » et à convertir ainsi les personnes de différentes origines qui les écoutaient.

Certaines expériences littéraires s'apparentent à la *glossolalie*. Il en va ainsi lorsque l'écrivain se met à forger une langue nouvelle et quasi incompréhensible. On peut citer ici le *Finnegans Wake* de Joyce : le romancier irlandais y invente une langue faite de la fusion de plusieurs langues. Plus significatifs encore, car allant plus loin sur la voie de l'inintelligible, certains poèmes d'Antonin Artaud où le texte par moments bascule dans l'incompréhensible :

« Ce n'est pas un esprit qui a fait les choses mais un Corps, lequel pour être avait besoin de crapuler avec sa verge à bonder son nez.

Klaver striva
Cavour Tivina
Scaver Kavina
Okar triva. »

GONGORISME nom masc. – Style exagérément recherché.

Luis de Góngora y Argote (1561-1627) est l'un des principaux poètes du Siècle d'or espagnol (XVIᵉ). On lui doit notamment *La Fable de Polyphème et Galatée* et *Les Solitudes*. Son style poétique lui vaut souvent d'être associé au maniérisme et au baroque. Il se caractérise par une recherche extrême, le goût de l'hyperbole et des autres figures de style, le recours fréquent aux allusions mythologiques, la multiplication des constructions savantes souvent empruntées au latin.

Le terme *gongorisme* a été forgé par des adversaires de Gongora qui lui reprochaient le manque de sobriété de son style. Il conserve aujourd'hui cette nuance péjorative et s'applique à toute écriture d'une préciosité exagérée.

→ *Baroque – Hermétisme – Préciosité*

GOTHIQUE nom masc. et adj. – Employé comme nom et comme adjectif pour désigner l'art du Moyen Âge à partir du XIIᵉ siècle.

ÉTYM. : dérivé de *Goth*, nom d'un peuple venu de l'Est.

Le sens du mot a évolué en fonction de l'attitude d'ensemble vis-à-vis du Moyen Âge. Au XVIIᵉ siècle, époque où le Moyen Âge est méprisé, le mot *gothique* a le sens de « peu civilisé », « barbare », sens en liaison avec son étymologie.

Au XIXᵉ siècle, après la réhabilitation du Moyen Âge par les romantiques, le mot est pris en bonne part, mais dans une acception très large équivalant à « médiéval ».

Les progrès de l'histoire de l'art vont amener ce sens à se restreindre pour ne correspondre qu'à la période qui se situe entre l'art roman (Xᵉ-XIᵉ siècles) et l'art de la Renaissance (XVIᵉ siècle).

→ *Roman gothique*

GOTHIQUE (roman) nom masc. – Genre romanesque propre à la littérature anglaise de la fin du XVIIIᵉ siècle et du début du XIXᵉ siècle et que l'on peut considérer comme à l'origine de la littérature fantastique et d'horreur.

L'art gothique, c'est-à-dire l'art du Moyen Âge, fut redécouvert à travers l'Europe dans la seconde moitié du XVIIIᵉ siècle. De nombreux artistes y cherchèrent une source d'inspiration, et parmi eux l'Anglais Horace Walpole (1717-1797) qui publia, en

1764, *Le Château d'Otrante*, un roman de terreur et de sang situé aux XIIᵉ-XIIIᵉ siècles.

Le roman gothique qui était né, sans toujours se situer au Moyen Âge, avait souvent pour décor des châteaux hantés et effrayants. Il se caractérisait par le recours fréquent au surnaturel et surtout par un climat de mystère et d'horreur propre à déclencher la peur chez le lecteur. En ce sens, et par l'influence souvent importante qu'il a exercée sur des auteurs comme Hoffmann (Allemagne) ou Poe (États-Unis), le roman gothique peut être considéré comme l'ancêtre du roman fantastique.

Le plus célèbre des romans gothiques – ne serait-ce que par le mythe à l'origine duquel il a été et les nombreuses illustrations cinématographiques dont il a été l'objet – est le *Frankenstein* (1818) de Mary Shelley.

Pour leur importance sur la littérature française, il faut également citer deux autres ouvrages appartenant au genre : le *Vathek* (1787) de Beckford, écrit directement en français et redécouvert par Mallarmé ; *Le Moine* (1796) de Lewis, traduit en particulier par le poète Antonin Artaud.

→ *Roman*

GRADATION nom fém. – Énumération, accumulation dans laquelle il y a progression (et parfois régression) entre les différents éléments.

Un exemple célèbre de *gradation* est le fameux vers de Racine dans *Phèdre* (acte I, scène 3) :

« Je le vis, je rougis, je pâlis à sa vue. »

La gradation est un procédé très fréquemment employé, car il est rare que tous les éléments d'une « accumulation » soient vraiment sur le même plan. Balzac utilise, en particulier, ce procédé dans la description de la pension Vauquer (*Le Père Goriot*) : « *cette pièce* [...] ; *elle pue le service, l'office, l'hospice.* » [...] « *ce mobilier est vieux, crevassé, pourri, tremblant, rongé, manchot, borgne, invalide, expirant* ».

→ *Accumulation*

GRAMMAIRE nom fém. – Étude des différents constituants d'une langue (sons, mots, phrases).

ÉTYM. : par le latin du grec *grammatikê* = « science du bien dire » se rattachant à *gramma* = « chose tracée », chose écrite » et à *graphein* = « écrire », « dessiner ». Le même mot grec *grammatikê* a aussi donné en français le mot « grimoire ».

→ *Sémantique – Syntaxe*

GRAND JEU (le) – Revue et groupe littéraire d'inspiration surréaliste.

La revue *Le Grand Jeu*, qui n'eut qu'une très courte existence, fut fondée en 1928 par R. Gilbert-Lecomte, René Daumal, Roger Vailland, Joseph Sima… Proche du mouvement surréaliste, *Le Grand Jeu* considérait la poésie comme une activité mystique ou religieuse. Cette orientation fut condamnée par Breton, et, d'autres griefs moins importants s'ajoutant à cette condamnation, la rupture avec le surréalisme « officiel » intervint en mars 1929.

→ *Surréalisme*

GROTESQUE nom fém. pl. – Art. Nom donné à des œuvres d'art se caractérisant par leur aspect fantastique et caricatural. Nom masc. – Littérature. Ce qui déclenche le rire par son aspect contrefait ou ridicule à l'excès. Adj. – Langue courante. D'un ridicule achevé.

ÉTYM. : le mot vient de l'italien *grotta* = « grotte ». En effet, à l'origine, le terme s'appliquait à des motifs décoratifs d'inspiration fantastique – sphynx, végétation ou rochers – qui ornaient les ruines (appelées « grotta ») de certains monuments antiques.

Le mot fut repris par Théophile Gautier qui en fit le titre d'une étude consacrée à des poètes comme Villon ou Théophile de Viau : *Les Grotesques* (1844). Victor Hugo, dans sa *Préface de Cromwell* (1827), fait du grotesque l'un des éléments clés de son esthétique théâtrale, affirmant que la présence du grotesque est nécessaire à la vérité du drame romantique. De ce grotesque, deux personnages empruntés aux romans de Hugo – Quasimodo et « l'homme qui rit » – sont sans doute les meilleurs exemples.

GUIGNOL nom masc. – Marionnette lyonnaise qui a donné son nom aux spectacles dont elle est le héros.

L'inventeur de *Guignol* semble avoir été Laurent Mourguet (1769-1844) qui introduisit, sans doute à la toute fin du XVIIIe siècle, ce personnage dans ses spectacles de marionnettes non actionnées par des fils.

Guignol, très proche de Polichinelle auquel il a certainement emprunté quelques-uns de ses traits, est l'une des figures les plus importantes de la culture populaire et enfantine.

À la fin du XIXe siècle s'ouvrit à Paris le Théâtre du Grand Guignol qui proposait aux spectateurs des mélodrames d'une violence très grande et bien souvent gratuite. D'où l'expression encore utilisée aujourd'hui « C'est du Grand Guignol » pour ce qui est outrancièrement théâtral.

→ *Comédie – Farce*

H

HAGIOGRAPHIE nom fém. – Récit relatant la vie d'un saint.

ÉTYM. : du mot grec *hagios* =« saint » et d'un dérivé de *graphein* = « écrire », « tracer » ; le mot désigne donc dès l'origine le « récit de la vie d'un saint ».

Le mot est souvent employé aujourd'hui d'une manière un peu ironique à propos d'une biographie dans laquelle l'auteur manifeste une vénération un peu trop aveugle pour son héros.

Les « vies de saints » constituaient une part importante de la littérature médiévale française. Elles avaient une mission d'édification et étaient sans doute intégrées à la liturgie. Les plus célèbres sont sans doute la *Vie de saint Léger* et la *Vie de saint Alexis* qui comptent parmi les poèmes de langue française les plus anciens que nous connaissions.

La littérature moderne a délaissé cette source d'inspiration, ou alors c'est de manière bien différente qu'elle traite des saints. Ainsi Blaise Cendrars qui, dans *Le Lotissement du ciel*, relate la vie de celui qu'il considère comme le « nouveau patron de l'aviation » : Joseph de Copertino, un moine sujet à la lévitation et canonisé par Clément XIII.

HAÏKU (ou HAÏKAÏ) nom masc. – Forme poétique propre à la littérature japonaise et caractérisée par sa très grande brièveté.

Le *haïku* est un poème de dix-sept syllabes réparties en trois vers de respectivement cinq, sept et cinq syllabes. Du fait de sa brièveté même, on peut le comparer à une sorte de miniature poétique. On proposera ici deux exemples cités par Paul Claudel

dans son étude « Une promenade à travers la littérature japonaise » (*L'Oiseau noir dans le soleil levant*) :

« Pour tous les hommes,
Semence du sommeil pendant le jour :
La lune d'automne ! »
« Cela, cela
Seulement ! En fleurs,
Le mont Yoshino ! »

Paul Claudel définit ainsi le haïku : « *On peut dire qu'essentiellement un bon haïkaï se compose d'une image centrale et de sa réso-
nance dans l'esprit, de cette espèce d'auréole spirituelle et morale,
exprimée ou sous-entendue, dont elle est environnée.* »

La forme du haïku, par sa délicatesse, sa densité, la précision
à laquelle elle oblige, a fasciné de nombreux écrivains occiden-
taux qui se sont essayé à en produire un équivalent dans leur
langue. Paul Claudel, Eluard par exemple, mais aussi Roland
Barthes qui, dans *Fragment d'un discours amoureux*, écrit :

« Ce matin, beau temps sur le golfe,
Je suis resté immobile
À penser à l'absent. »

HAPPY END nom masc. – Expression anglaise signifiant
littéralement « fin heureuse » et qui sert à désigner le dénouement heureux d'une œuvre littéraire ou d'un film.

Le mot est souvent employé quand on veut attirer l'attention
sur le caractère conventionnel de ce dénouement. On parlera
ainsi du « happy end » d'un film américain, voire – avec un
certain anachronisme – de celui d'une comédie de Molière.

HARMONIE nom fém. – 1. Rapport juste et agréable entre
les différents éléments d'un ensemble.
2. Combinaison agréable et équilibrée de sons.

ÉTYM. : du grec *harmonia* = « ajustement », d'où « accord
musical ».

Dans le second sens, le terme est employé en stylistique pour
désigner une phrase ou un vers qui produit, par son rythme ou

sa sonorité, un effet agréable à l'oreille. L'exemple le plus souvent cité est celui de ces deux vers de Racine, tirés de *Phèdre* :

« Ariane, ma sœur ! de quel amour blessée
Vous mourûtes aux bords où vous fûtes laissée ! »

→ *Cacophonie – Euphonie – Harmonie imitative*

HARMONIE IMITATIVE – Procédé stylistique par lequel le texte, par ses sonorités, tend à imiter ou à évoquer le son produit par la réalité qu'il décrit.

L'exemple classique est celui fourni par ce vers de Racine tiré d'*Andromaque* :

« Pour qui sont ces serpents qui sifflent sur vos têtes ? »

Rares sont cependant les exemples aussi indiscutables que celui-ci et il convient de manier avec prudence la notion d'harmonie imitative.

→ *Allitération – Assonance*

HÉDONISME nom masc. – Doctrine philosophique qui fait du plaisir le but de l'existence.

ÉTYM. : du grec *hedonê* = « plaisir ».

La distinction avec l'*eudémonisme* pour lequel la valeur suprême est le bonheur n'est pas toujours évidente.

→ *Épicurisme*

HÉMISTICHE nom masc. – Moitié du vers délimitée par la césure.

ÉTYM. : du grec *hêmi* = « demi » et *stichos* = « vers ».

Dans le décasyllabe, les deux hémistiches peuvent être de longueur inégale, le premier comportant quatre syllabes et le second six. Ainsi dans ces vers tirés de la *Délie* de Maurice Scève (XVIᵉ siècle). Un trait oblique indique la place de la césure.

« Comme corps mort/vaguant en haulte Mer,
Esbats des Vents,/et passetemps des Undes,

J'errais flottant/parmy ce Gouffre amer,

Où mes soucis/enflent vagues profondes. »

L'alexandrin classique, lui, suppose deux hémistiches de longueur égale (six syllabes pour chaque hémistiche). De plus, l'hémistiche doit coïncider avec une unité syntaxique. En particulier, et cela vaut encore chez Hugo, la césure ne coupe jamais un mot en deux.

Insistant sur la nécessité de respecter cette règle, Boileau écrit au Chant I de son *Art poétique* :

« N'offrez rien au Lecteur que ce qui peut lui plaire.

Ayez pour la cadence une oreille sévère.

Que toujours dans vos vers, le sens coupant les mots,

Suspende l'hémistiche, en marque le repos. »

À titre d'exemple, outre les vers de Boileau qui respectent la règle qu'ils édictent, ce vers célèbre tiré de l'une des élégies de Chénier :

« L'Art ne fait que des vers ;/

le cœur seul est poète. »

→   *Césure – Enjambement*

HERMÉTISME nom masc. – 1. Doctrine ésotérique pratiquée par les alchimistes.

2. Tout système qui, par sa complexité ou son obscurité, échappe à la compréhension des non-initiés.

ÉTYM. : du nom propre *Hermès* qui en grec désignait le dieu du Commerce et des Voyageurs, mais aussi le dieu qui détenait les secrets de l'univers.

Dans le premier sens, l'*hermétisme* est la doctrine qui s'inspire des enseignements d'Hermès Trismégiste (« trois fois grand »). Celui-ci, figure mythique inspirée à la fois du dieu grec Hermès et du dieu égyptien Thot, était supposé être l'auteur de traités astrologiques, philosophiques et alchimiques qui jouèrent un grand rôle, notamment dans la culture de la Renaissance.

Dans le second sens, le mot est employé souvent de manière

péjorative ou en tout cas critique. On parlera ainsi de l'hermétisme de Mallarmé.

→ *Ésotérisme*

HÉROS nom masc. – 1. Demi-dieu dans la mythologie grecque.

2. Personne exceptionnelle par son courage et ses vertus.

3. Personnage principal d'une œuvre de fiction.

ÉTYM. : du grec *hêrôs* = « demi-dieu ».

Dans la mythologie grecque (premier sens), le *héros* était, soit parce que l'un de ses parents était un dieu, soit parce qu'il l'avait mérité par son exceptionnelle valeur, un demi-dieu. C'est dire qu'il incarnait des valeurs quasi surhumaines et représentait, de ce fait, ce que la condition humaine pouvait produire de meilleur : Hercule, Achille, Énée ou la plupart des grandes figures que mettent en scène les épopées antiques.

Ainsi s'explique que le mot « héros » en soit venu à désigner (deuxième sens) toute personne capable d'exploits extraordinaires qui la distinguent des autres hommes.

Entre le premier et le second sens et le troisième sens, l'histoire de la littérature témoigne d'un fossé croissant. À l'origine, les grands récits étaient tout entiers consacrés à des figures héroïques : les trois sens du mot « héros » se confondaient. Ainsi, dans *L'Iliade*, *L'Odyssée* ou *L'Énéide* qui exaltent les exploits du « valeureux » Achille, du « rusé » Ulysse ou du « pieux » Énée. Le héros s'élève au-dessus des autres hommes, il incarne les valeurs de sa société : il est un modèle et un symbole.

La situation est encore la même dans la littérature médiévale ou dans les tragédies de Corneille. Cette littérature se consacre à des personnages d'exception qui, en se dépassant eux-mêmes pour servir la collectivité à laquelle ils appartiennent, nous montrent la voie et deviennent pour chacun des exemples.

Dans la littérature moderne, cet héroïsme persiste, sous une forme modifiée, dans le roman d'aventure, le roman policier et chez les auteurs qui croient en la possibilité d'une morale nouvelle donnant son sens aux actes des hommes et qui justifient leur sacrifice : ainsi dans *La Peste* de Camus ou dans *La Condition humaine* de Malraux. Cependant, la tendance générale dans le roman moderne est à la mise en question du statut du héros : le personnage central n'est plus un être d'exception.

→ *Antihéros – Personnage*

HIATUS nom masc. – Rencontre de deux voyelles.

ÉTYM. : du latin *hiatus* ayant d'abord signifié « ouverture », puis « hiatus » dans le sens défini ici.

La rencontre de deux voyelles peut avoir lieu à l'intérieur d'un mot (*haïr*) ou naître de la rencontre de deux mots au sein d'une phrase (« Il *a a*ttendu »).

Le problème de savoir si le *hiatus* est acceptable ou non se pose essentiellement en poésie : en effet, la rencontre de deux voyelles, et, plus encore, la juxtaposition, sans pause les séparant, de deux voyelles, peut être source de cacophonie et s'avérer donc incompatible avec les exigences euphoniques de la poésie.

Admis en ancien français, toléré par les poètes de la Pléiade, le hiatus fut pour cette raison proscrit par Malherbe et Boileau. La règle le proscrivant est cependant peu suivie par les poètes. Seuls sont vraiment écartés les hiatus qui consistent en la répétition du même son.

→ *Cacophonie – Euphonie*

HISTOIRE nom fém. – 1. Discours s'attachant, de la manière la plus objective qui soit, à rendre compte des principaux événements constituant le passé de l'humanité.
2. Récit relatant des événements réels ou fictifs.

ÉTYM. : du grec *historia* = « enquête », de *histôr* = « qui sait ».

Dans le premier sens, on fait d'ordinaire remonter l'histoire à ces deux grands textes de la culture grecque que sont l'*Enquête* (titre original : *Historiè*) d'Hérodote et *La Guerre du Péloponnèse* de Thucydide.

En ce qui concerne la littérature française, si l'on excepte les textes les plus anciens qui, comme ceux de Grégoire de Tours, furent écrits en latin, les premières véritables œuvres historiques furent les *Grandes Chroniques de France*, traduites d'ailleurs du latin et évoquant le règne des premiers rois de France. Parmi les principaux textes médiévaux, il convient de citer Jean Froissart dont les *Chroniques* relatent la guerre de Cent Ans, Joinville, auteur d'une *Histoire de Saint Louis*, et Commines dont les œuvres évoquent notamment le règne de Louis XI. D'une manière générale, l'histoire médiévale se contente souvent de présenter au lecteur une série de faits à l'exactitude mal établie, mais dotés souvent d'une signification morale ou didactique.

Il faudra attendre le XVIIIᵉ siècle pour que naisse une histoire qui s'apparente à celle que nous connaissons aujourd'hui, c'est-à-dire qui articule les faits à l'analyse, ne se contentant pas de relater des événements, mais cherchant également à les intégrer dans un raisonnement qui les explique. Il faut citer ici *Le Siècle de Louis XIV* de Voltaire, mais plus encore *Considérations sur les causes de la grandeur et de la décadence des Romains* de Montesquieu. Dans cet ouvrage, l'auteur de *L'Esprit des lois* fait œuvre d'historien moderne : se fondant sur les faits et sur leur étude, il s'attache à élucider, en ayant recours au raisonnement, le mécanisme historique qui a mené Rome à sa grandeur, puis à sa chute.

C'est le XIXᵉ siècle qui, cependant, a vu le véritable développement de l'histoire. Guizot (*Histoire générale de la civilisation en Europe*), Tocqueville (*L'Ancien Régime et la Révolution*), Quinet (*Histoire de la Révolution*) interrogèrent le passé des peuples pour y trouver des solutions aux problèmes politiques de leur temps. À la fin du siècle, l'histoire positiviste, avec notamment Fustel de Coulanges, se développa. Se dotant d'une méthode et procédant à un travail critique systématique sur les documents, elle se proposa de faire de l'histoire une science.

La figure qui cependant domine au XIXᵉ siècle la discipline historique est celle de Michelet. L'œuvre qu'il laisse se caractérise non seulement par son volume, mais aussi par l'incontestable talent d'écrivain qu'elle manifeste et la force lyrique qui l'anime.

Nourri des idéaux romantiques, Michelet considère que l'historien a pour charge de ressusciter le passé, de donner la parole aux morts, d'arracher, en une entreprise quasi prométhéenne, au sphynx de l'histoire le mot de son énigme.

Au XXᵉ siècle sont posés à nouveau les problèmes de la discipline historique. Les « nouveaux historiens » de l'École des Annales (Braudel notamment à la suite de Bloch et de Febvre) remettent en question la conception étriquée de l'histoire événementielle. Pour répondre à sa mission, l'historien doit explorer les profondeurs de l'histoire et ne pas s'en tenir à cette mince surface que décrivaient autrefois les manuels de l'école primaire. L'histoire doit cesser de ne s'intéresser qu'au pouvoir et aux luttes de ceux qui le détiennent pour se consacrer à l'étude des mentalités, des structures économiques et du quotidien des hommes.

→ *Historiographie*

HISTORIOGRAPHIE nom fém. – Histoire faite au service d'un chef d'État et qui, par conséquent, n'a pas l'établissement de la vérité comme préoccupation première.

Dans la mesure où ils étaient historiographes du roi, Boileau et Racine ne pouvaient qu'écrire une version officielle de l'histoire tout à la gloire de leur employeur Louis XIV.

→ *Histoire – Mémoires*

HISTORIQUE (roman) – Roman dont l'intrigue se déroule sur fond d'événements historiques et qui mêle ainsi la fiction à la réalité.

Les modalités selon lesquelles le roman historique assemble la réalité et la fiction sont diverses. L'histoire peut ne constituer qu'un décor dans lequel le romancier introduit des personnages de fiction. On peut tenir ainsi *L'Éducation sentimentale* pour un roman historique : l'évocation minutieuse de la révolution de 1848 et de son échec définitif fait comme écho aux désillusions successives de son personnage principal, Frédéric Moreau. Selon un procédé bien semblable, Milan Kundera fait se dérouler en parallèle, dans *L'Insoutenable Légèreté de l'être*, la vie de ses personnages et l'histoire de la Tchécoslovaquie au moment de l'invasion des troupes russes.

Le romancier peut aller plus loin en faisant cohabiter dans son roman des personnages inventés et des personnages historiques, c'est-à-dire ayant réellement existé.

Il est amené alors à écrire l'histoire ou en tout cas à faire parler des silences ; on est alors dans l'« histoire romancée ». Cette formule concerne la plupart des grands romans historiques célèbres : *Les Trois Mousquetaires* d'Alexandre Dumas, *Les Pardaillans* de Michel Zévaco, mais aussi *Guerre et Paix* de Tolstoï.

Dans le premier cas, par exemple, Dumas s'approprie la figure de d'Artagnan, l'accompagne de personnages secondaires purement et simplement inventés et la précipite dans une intrigue où figurent Richelieu, Louis XIII et Anne d'Autriche, lesquels sont présentés sous un jour bien éloigné sans doute de la réalité. Tout cela est pure convention : nous sommes en pleine fiction.

Le roman historique connaît depuis bien des années une vogue très importante. Parmi beaucoup d'œuvres médiocres et commerciales, il faut distinguer quelques grandes réussites : *La Gloire de l'Empire* de Jean d'Ormesson, *La Bataille de Wagram* de Gilles Lapouge, *Mémoires d'Hadrien* ou *L'Œuvre au noir* de Marguerite Yourcenar et quelques autres.

HOMONYME nom masc. – Deux mots sont homonymes si, tout en se prononçant de la même manière, ils ont des significations différentes.

ÉTYM. : des mots grecs *homos* = « le même » et *onoma* = « nom ».

EXEMPLES : ceint, sain, sein, saint, seing.

On distingue parfois les *homophones* (même prononciation, mais orthographe différente) et les *homographes* (même orthographe, mais avec une prononciation qui peut être différente ; des « fils » de fer ; des « fils » à papa).

HONNÊTE HOMME (ou « honnête femme ») – Personne cultivée et d'un commerce agréable.

L'*honnête homme* correspond à l'idéal du XVIIᵉ siècle. Il est de bonne naissance (et s'oppose donc au « vulgaire », au « roturier »). Conformément à cette noblesse, il fait preuve de noblesse dans ses sentiments.

Il s'agit d'un idéal mondain et l'honnête homme se caractérise par la politesse, le goût, la réserve. Il ne dépasse la mesure en rien. Dans le domaine du savoir, en particulier, il évite tout excès de crainte de passer pour un pédant ou un maniaque.

Dans la langue classique, « honnête » et « commerce » ont encore un sens large, et ce n'est que par la suite qu'ils verront leurs sens se réduire au domaine commercial.

HUMANISME nom masc. – 1. Large mouvement intellectuel qui, dans l'Europe du XVIᵉ siècle (et même du XVᵉ siècle pour l'Italie), se propose de permettre un développement de la culture et de l'esprit par le retour aux textes de l'Antiquité.
2. Toute doctrine philosophique qui place l'être humain et son développement au centre de ses préoccupations.

Dans le premier sens, le mot *humanisme* désigne un moment spécifique de l'histoire de la culture européenne. Les humanistes ont été les artisans essentiels de ce que l'on nomme aussi la Renaissance. Après un Moyen Âge qui leur semblait le temps de l'obscurité et de l'ignorance, ils se proposaient de renouer avec l'art et le savoir de l'Antiquité et de permettre ainsi à la civilisation de prendre comme un nouveau départ. Les textes de la littérature grecque ou latine devaient donc être lus, compris et assimilés. Il ne s'agissait pas sur cette base de revenir en arrière, mais au contraire de progresser et d'ouvrir une nouvelle ère de savoir. Les œuvres d'Érasme, de Thomas More, de Budé, de Rabelais ou de Montaigne sont caractéristiques de cette ambition.

Dans le second sens, le mot est beaucoup plus difficile à cerner. Pratiquement tout système peut être défini comme humanisme dans la mesure où son but ultime est l'épanouissement de l'être humain. C'est ainsi que Sartre pouvait, par exemple, dans une conférence célèbre, affirmer : « *L'existentialisme est un humanisme.* »

On opposera cependant à l'humanisme toute une série de conceptions qui réfutent ce terme jugé trop flou. Ainsi, dans les années 60, au cours d'une querelle célèbre, le philosophe Louis Althusser pouvait-il définir le marxisme comme un « antihumanisme ». Ce qui ne signifie pas, bien entendu, que le marxisme se propose comme fin l'aliénation de l'homme, mais qu'il ne peut pas partager les présupposés bourgeois qui sont ceux de l'humanisme quant à la conception de l'homme.

→ *Pléiade – Réforme*

HUMANITARISME nom masc. – Toute doctrine visant à une amélioration du sort des plus démunis par des actions de type charitable.

Le mot est souvent connoté d'une manière négative par ceux qui pensent que la justice doit passer avant la charité.

HUMOUR nom masc. – Attitude faite d'un détachement plus ou moins feint qui souligne l'absurdité du contexte ou mode d'expression résultant de cette attitude.

ÉTYM. : via l'anglais, se rattache au mot « humeur » qui signifiait autrefois « liquide » et cela en relation avec la théorie médicale des humeurs. Pour plus d'informations sur cette théorie, se reporter à « Spleen ».

L'*humour* comporte toujours une part de feinte qui consiste à voir les autres sans entrer complètement dans leur système d'explication. Ainsi, celui qui, voyant un match de football, demande pourquoi ces vingt-deux individus se disputent si âprement le ballon alors qu'il serait si simple de leur en donner à chacun un. De ce fait, l'humour va souvent de pair avec le personnage du voyageur ou de l'étranger dans un monde dont il n'a pas intégré les *a priori* culturels, ou, pour parler plus simplement, les préjugés.

Le détachement propre à l'humour porte aussi sur celui qui

opte pour ce mode de comportement. On dit souvent qu'il prend les choses au sérieux sans se prendre lui-même au sérieux.

Dans son *Anthologie de l'humour noir*, André Breton évoque un texte de Léon Pierre-Quint qui présente l'humour comme une « *révolte supérieure de l'esprit* ». La formule selon laquelle l'humour est la politesse du désespoir va dans le même sens.

L'humour peut être un confort. Mais il a surtout le pouvoir de crever les baudruches de l'esprit de sérieux et d'être en cela le meilleur antidote contre le fanatisme. En ce sens, il est une sorte de terrorisme à rebours comme le souligne bien Romain Gary dans *Les Racines du ciel* :

« ... *il n'avait pas l'air d'un terroriste et pourtant c'était exactement ce qu'il était : l'humour est une dynamite silencieuse et polie qui vous permet de faire sauter votre condition présente chaque fois que vous en avez assez, mais avec le maximum de discrétion et sans éclaboussures* ».

→ *Ironie.*

HYBRIS (ou HUBRIS) nom masc. – Démesure.

Ce mot directement emprunté au grec était surtout employé à propos des héros de la tragédie. Il désigne la force négative qui habite le héros et l'amène à dépasser la limite sans tenir compte des avertissements des dieux. Cette transgression entraîne toujours le châtiment du héros. À la fin de *L'Homme révolté*, Camus invite l'homme moderne à retrouver cette méfiance pour tout ce qui s'apparente à la démesure.

HYMNE nom masc. (féminin quand il s'agit du poème religieux latin que les chrétiens chantent à l'église). – 1. Chant ou poème à un dieu.
2. Tout chant ou poème exaltant, sur le mode lyrique, une personne ou une idée.

ÉTYM. : du grec *hymnos* ; voir ci-dessous.

À l'origine, les *hymnes* étaient des chants à la gloire d'un dieu ou d'un héros. On peut citer ainsi les hymnes homériques.

Le mot a pris par la suite un sens plus large et moins

spécifique. Il a été repris notamment par Ronsard pour désigner une série de longs poèmes narratifs. Il est aussi utilisé pour toute forme de poésie lyrique qui célèbre de manière grandiose une réalité au rang du sacré. C'est en ce sens qu'on définit *La Marseillaise* comme un hymne.

L'hymne a progressivement disparu comme genre poétique. Cependant, il persiste sous une forme ou sous une autre chez les poètes qui, tels Claudel ou même Baudelaire (« Litanie de Satan ») et Rimbaud (« Génie »), s'attachent à chanter Dieu à leur manière.

HYPALLAGE nom fém. – Figure de style qui consiste à attribuer à un terme ce qui logiquement devrait revenir à un autre.

ÉTYM. : se rattache au verbe grec *hupallattein* = « échanger », « mettre à la place », « substituer » ; verbe qui se rattache lui-même à *allos* = « autre ».

L'*hypallage* est présente dans quelques expressions de la vie courante. Ainsi, lorsque l'on parle d'une « nuit sans sommeil », on associe à la nuit ce qui en réalité devrait s'appliquer à l'individu qui veille.

L'exemple littéraire que classiquement l'on donne est emprunté à Boileau. Lorsque celui-ci écrit :
« Trahissant la vertu sur un papier coupable »
il est bien évident que ce n'est pas le papier qui est coupable, mais celui qui l'utilise.

De même, lorsque Mallarmé parle dans « L'Azur » d'une nuit « hagarde » ou Rimbaud dans *Le Bateau ivre* des « neiges éblouies », les adjectifs utilisés renvoient non pas aux mots auxquels grammaticalement ils sont associés, mais au spectateur potentiel qui, hagard ou ébloui, les contemple.

HYPERBOLE nom fém. – Figure de style consistant en une sorte d'exagération emphatique.

ÉTYM. : de *bolê* se rattachant en grec au verbe *ballein* = « lancer » (le « discobole » lance le disque) et de *huper* = « au-dessus ». Déjà en grec *hyperbolê*, exprimant littéralement l'action de « jeter par-dessus », désignait aussi une exagération rhétorique.

La langue courante multiplie le recours à l'hyperbole. Celle-ci augmente la force expressive d'un propos. Musil cite dans *L'Homme sans qualités* l'exemple d'un journaliste sportif qualifiant un cheval de course de « génial ». De très nombreuses hyperboles se sont intégrées à la langue courante : « mourir de rire », « vieux comme le monde », « trempé jusqu'aux os ».

La poésie a recours également à l'hyperbole et notamment la poésie épique qui cherche à donner une dimension exceptionnelle aux exploits qu'elle relate. Dans « Le mariage de Roland » (*La Légende des siècles*), Hugo décrit ainsi le combat entre Roland et Olivier :

« Ils luttent maintenant, sourds, effarés, béants,
À grands coups de troncs d'arbre ainsi que des géants. »

I

ICONOCLASTE adj. – Qui détruit les idoles ou les préjugés.

ÉTYM. : du grec *eikonoklastês* = « briseur d'images » formé sur *eikôn* = « image » d'où nous est venue l'« icône » russe.

Le mot a d'abord été employé dans un sens propre et en particulier à propos des nouveaux chrétiens qui, tel le Polyeucte de Corncille, détruisaient les idoles païennes.

Il est aujourd'hui utilisé dans un sens figuré à propos de ceux qui, dans le domaine des idées ou des conventions, remettent en cause avec violence les valeurs établies.

ICONOGRAPHIE nom fém. – 1. Ensemble d'images. 2. Étude de l'iconographie dans le premier sens.

ÉTYM. : se rattache aux mots grecs *eikon* = « image » et *graphein* = « tracer », « écrire ».

Cet ensemble d'images peut concerner une époque. On parlera par exemple de l'iconographie religieuse du XVIᵉ siècle pour désigner l'ensemble des œuvres picturales d'inspiration religieuse réalisées durant cette période. On parlera aussi de l'iconographie d'un livre illustré pour désigner l'ensemble des images qu'il contient.

Mais l'iconographie peut consister à étudier ces images. On s'est par exemple intéressé à la représentation de l'enfant Jésus au cours des siècles ou à l'image du Noir dans l'art occidental.

IDÉAL nom masc. – Image d'une perfection vers laquelle on s'efforce de tendre.

ÉTYM. : du grec *idéa* = « forme visible » ou « forme abstraite », par l'intermédiaire du latin philosophique *idea*.

Le terme a été souvent utilisé par les poètes – notamment Baudelaire et les symbolistes – pour désigner le modèle vers lequel leur art s'efforçait de tendre. Ainsi, on pourra dire que, chez Mallarmé, l'Azur est l'image d'un idéal inaccessible.

IDÉALISME nom masc. – 1. Système philosophique qui, affirmant la primauté de l'esprit sur la matière, soutient que la réalité est constituée de l'idée que nous nous en faisons. 2. Attitude naïve et généreuse qui consiste à vouloir transformer le monde au nom d'un idéal.

Comme avec le mot matérialisme, il convient ici de bien distinguer les deux sens du terme. Le premier appartient au vocabulaire technique de la philosophie, alors que le second, beaucoup plus flou, est souvent connoté de manière péjorative.

Au second sens, on parlera, par exemple, de l'idéalisme de ceux qui veulent refaire le monde et on l'opposera au réalisme de ceux qui se contentent de vouloir le réformer.

Au premier sens, le mot *idéalisme* est très difficile à saisir dans la mesure où il désigne moins un système philosophique homogène et précis qu'un ensemble de systèmes très différents.

Parmi tous les systèmes idéalistes, certains vont jusqu'à affirmer que rien n'existe en dehors de notre conscience (solipsisme) ; d'autres reconnaissent que la réalité existe en dehors de nous, mais affirment qu'elle ne peut être connue qu'à travers notre esprit (Kant).

L'unité de l'idéalisme est très largement une illusion polémique entretenue par ses adversaires. Ainsi Marx ou Lénine parlent de l'idéalisme en général pour discréditer l'ensemble des conceptions du monde auxquelles ils s'opposent d'un point de vue matérialiste.

→ *Matérialisme*

IDÉOGRAMME nom masc. – Signe graphique, tels ceux utilisés en chinois, doté par lui-même d'une signification.

Les lettres de notre alphabet n'ont en elles-mêmes aucune signification : elles correspondent à des sons. Ce sont les combinaisons de ces lettres qui constituent des *signifiants* auxquels un *signifié* se trouve associé.

À l'inverse, dans certaines langues comme l'égyptien, le chinois ou le japonais, les signes graphiques utilisés ont en eux-mêmes, et hors de toute combinaison, une signification. Les *idéogrammes* sont à l'origine des dessins qui représentent, de manière obligatoirement sommaire, la réalité qu'ils désignent. Ainsi l'idéogramme qui, en chinois, signifie « changement » déri-verait de la représentation stylisée d'un lézard, cet animal étant associé soit au changement de couleur du caméléon, soit à la rapidité du déplacement.

Les idéogrammes ont exercé une grande fascination sur certains écrivains occidentaux. C'est qu'avec eux l'arbitraire du lien entre signifiant et signifié disparaît : le mot semble être la chose. De plus, il y a une véritable beauté de l'idéogramme qui donne à l'écriture, au sens le plus matériel du terme, une dimension artistique. C'est sans doute la raison qui a poussé des poètes comme Ségalen (*Stèles*) ou Pound (*Cantos*) à intégrer des idéogrammes dans leur propre texte. Dans une perspective assez différente et plus près de nous, il faut également citer *Nombres* de Philippe Sollers, roman ponctué d'idéogrammes renvoyant à la fois à la Chine de la Révolution culturelle et à celle du taoïsme.

IDÉOLOGIE nom fém. – Système d'idées et de valeurs propre à un groupe.

Le mot *idéologie* est particulièrement difficile à définir dans la mesure où son sens varie selon l'époque et le contexte dans lequel il est employé.

Le terme a été forgé à partir du grec à la toute fin du XVIIIe siècle par le philosophe français Antoine Louis Claude Destutt de Tracy pour désigner la « science des idées » à laquelle il se proposait de travailler.

Au milieu du XIXe siècle, Marx et Engels se sont emparés du mot en travaillant à un ouvrage décisif dans l'évolution de leur pensée, mais qui est resté inachevé : *L'Idéologie allemande*. Ils y définissent l'idéologie comme une forme d'illusion par laquelle, dans une société donnée, les valeurs de la classe dominante sont présentées comme les valeurs universelles et diffusées dans l'ensemble de la société. L'idéologie peut alors être définie comme l'ensemble des idées dominantes, idées qui sont en fait celles par lesquelles la classe dominante assure sa domination sur les autres classes sociales.

Malgré cette définition, on ne peut dégager du marxisme une conception unique et homogène de l'idéologie. On trouverait en effet dans d'autres œuvres de Marx des vues différentes sur ce problème. De plus, la question de l'idéologie a été reprise par de nombreux philosophes d'inspiration marxiste qui l'ont traitée de manière assez différente. Il faut citer ici le Français Louis Althusser qui a étudié notamment comment l'idéologie est diffusée dans une société par le biais de ce qu'il nomme les « Appareils idéologiques d'État (A.I.E.), notamment l'École.

Le mot garde de son utilisation par Marx et Engels dans *L'Idéologie allemande* une connotation souvent péjorative : l'idéologie est définie comme une illusion qui masque aux individus la réalité et les assujettit à leur insu à un système injuste. C'est en ce sens que paradoxalement ses adversaires définissent le marxisme comme une idéologie en montrant qu'en Chine ou en URSS il sert à l'endoctrinement du peuple.

Il faut souligner cependant que le mot peut être utilisé en dehors de toute visée polémique. On définira alors toutes les grandes visions du monde, tous les grands systèmes qui entendent rendre compte de la société et éventuellement agir sur elle, tous les mots en « isme » comme des idéologies : ainsi le marxisme, mais aussi le socialisme, le libéralisme... De manière différente, enfin, les sociologues définissent, eux, l'idéologie comme le système de valeurs qui donne à une société une grille d'interprétation pour comprendre le monde et qui oriente pour chaque individu, de manière plus ou moins consciente, les choix que celui-ci fait dans sa propre existence. C'est en ce sens, par exemple, que Louis Dumont définit l'individualisme comme l'idéologie des sociétés modernes.

→ *Weltanschauung*

IDYLLE nom fém. – 1. Petit poème d'inspiration bucolique, c'est-à-dire se rapportant à la campagne.
2. Aventure amoureuse généralement brève et toujours heureuse.

ÉTYM. : du grec *eidullion* = « petit genre » dérivé de *eidos* dans le sens du « genre littéraire », mais signifiant d'une manière plus générale « forme », « aspect ».

Au premier sens, le mot désignait un genre poétique aux contours relativement mal définis. L'idylle évoquait en général une scène empruntée à la vie des champs et traduisant la tranquillité et le bonheur de celle-ci. En ce sens, l'idylle était assez proche de l'*églogue* ou de la *pastorale*. Elle décrivait la beauté de la nature, la vie de la campagne comme en témoignent par exemple les *Idylles* de Théocrite (Grèce, v. 310-v. 250 av. J.-C.).

→ *Pastorale*

ILLUMINISME nom masc. – Doctrine philosophique d'inspiration mystique dont le principal initiateur fut le Suédois Swedenborg.

L'*illuminisme* exerça une influence décisive sur la culture française de la fin du XVIIIᵉ siècle et du XIXᵉ siècle. Cette doctrine dérive essentiellement de l'enseignement du Suédois Emmanuel Swedenborg (1688-1772) qui affirmait que le monde dans lequel nous vivons se doublait d'un autre – celui de l'esprit – auquel il nous sera permis d'accéder au terme d'un processus de purification. Pour les illuministes, l'homme est ainsi perdu dans un monde obscur où Dieu a placé comme des symboles et des signes qu'il doit déchiffrer pour découvrir la lumière divine.

De très grands écrivains français ont emprunté à l'illuminisme certaines de ses intuitions. Ainsi Balzac dans les trois récits qui composent son *Livre mystique : Louis Lambert, Les Proscrits* et surtout *Séraphita*. De même Baudelaire dont la conception des synesthésies – telle qu'elle s'exprime dans le célèbre sonnet « Correspondances » – s'enracine très précisément dans la doctrine de Swedenborg.

→ *Correspondances – Synesthésies*

IMAGE nom fém. – 1. Représentation picturale ou mentale d'une réalité.

2. Figure de style consistant à représenter de manière concrète et sensible un terme par un autre terme ayant avec lui des points de ressemblance.

ÉTYM. : vient du latin *imago*.

L'image, au second sens, est le terme générique qui recouvre à la fois la comparaison et la métaphore. Elle vise à donner plus de force à une idée en la rendant comme sensible.

À titre d'exemple, lorsque Verhaeren commence un poème en écrivant :

« En sa robe, couleur de fiel et de poison

Le cadavre de ma raison

Traîne sur la Tamise »,

il fait sentir avec plus de force la folie qui le menace en donnant à son esprit le visage d'une femme noyée emportée par les eaux de la Tamise.

Un langage poétique se caractérise notamment par son utilisation de l'image. C'est particulièrement vrai du surréalisme qui, dans sa poétique, lui a accordé une place centrale. Pour André Breton, ainsi qu'il s'en explique dans le *Manifeste du surréalisme*, la force d'une image naît de la distance qui existe entre les deux termes qu'elle rapproche et non pas du rapport de ressemblance simple qu'on pourrait établir entre eux :

« *C'est du rapprochement en quelque sorte fortuit des deux termes qu'a jailli une lumière particulière, lumière de l'image, à laquelle nous nous montrons infiniment sensibles. La valeur de l'image dépend de la beauté de l'étincelle obtenue ; elle est, par conséquent, fonction de la différence de potentiel entre les deux conducteurs.*

Lorsque cette différence existe à peine comme dans la comparaison,
l'étincelle ne se produit pas. »

→ *Catachrèse – Comparaison – Métaphore – Surréalisme*

IMAGINAIRE 1. adj. Fictif, privé de toute réalité.
2. nom masc. Ensemble constitué par les représentations ou les
images qui habitent l'esprit d'un artiste ou d'une collectivité.

Dans le second sens, le terme est souvent utilisé pour désigner
l'univers spécifique d'un artiste : on dira, par exemple, que dans
l'imaginaire de Baudelaire la femme est toujours un être double.

Mais on parlera tout aussi bien de l'imaginaire collectif d'une
société donnée pour affirmer, par exemple, que dans l'imaginaire
américain le mythe de la frontière joue encore un rôle essentiel.

IMAGINATION nom fém. – Faculté qu'a chaque individu
de produire dans son esprit des images en se laissant guider
éventuellement par la fantaisie, le rêve ou l'invention.

L'imagination peut être considérée aussi bien comme une
faculté négative que comme une faculté positive.

Pour Pascal, par exemple, elle constitue l'une de ces « puissances trompeuses » qui menacent de nous faire sombrer dans
l'illusion. En ce sens, l'imagination est ce qui nous détourne du
réel et nous amène à nous perdre dans le domaine du mensonge
et de l'illusion.

À l'inverse, l'imagination peut être perçue comme une faculté
créatrice, à la base de l'art et notamment de la littérature.

IMAGISME nom masc. – Mouvement poétique anglo-
américain du début du XXᵉ siècle.

L'imagisme se développa essentiellement en Angleterre et aux
États-Unis dans les années qui précédèrent la Première Guerre
mondiale. Il se définit par la recherche d'une forme de précision
et de clarté poétique notamment dans l'utilisation des images.
Son principal représentant fut l'Américain Ezra Pound qui, ulté-
rieurement, trouva dans la poésie antique, la culture chinoise et
la littérature française quelques-unes des sources de ses *Cantos*,

l'une des œuvres essentielles de la poésie de langue anglaise du
XXᵉ siècle.

IMBROGLIO nom masc. – Au théâtre ou dans la vie, situation particulièrement « embrouillée ».

ÉTYM. : de l'italien *in* = « dans » et *broglio* = « brouillé », donc
littéralement « embrouillamini ».

Le terme est souvent utilisé pour désigner des pièces de
théâtre aux intrigues si compliquées qu'il est impossible au spectateur de les suivre.

→ *Quiproquo*

IMITATION nom fém. – Pratique consistant pour un artiste
à calquer son œuvre sur celle d'un modèle qu'il s'est choisi.

ÉTYM. : venu du latin *imitari*.

De l'Antiquité jusqu'au XVIIIᵉ siècle, l'imitation était considérée comme partie intégrante de l'art et notamment de la
poésie. Se choisir un modèle était un moyen légitime et nécessaire pour apprendre son art en bénéficiant de l'expérience des
grands maîtres du passé.

Cette conception est au centre notamment de la poétique de
la Renaissance. Pour les membres de la Pléiade – et notamment
Ronsard et Du Bellay –, la poésie authentique passe par l'imitation des Anciens et des Italiens : il s'agit de leur emprunter
thèmes, images et formes poétiques pour donner leur grandeur à
la littérature et à la langue françaises. Ce qui d'ailleurs ne signifie
pas que l'imitation doive être totale et aller jusqu'au plagiat. Le
poète doit en effet être animé d'une force propre par laquelle il
donne une vie nouvelle aux emprunts qu'il s'autorise.

Appliqué avec plus ou moins de rigueur jusqu'à la fin du
XVIIᵉ siècle, le principe de l'imitation se trouve au centre de la
querelle des Anciens et des Modernes. Ces derniers prônent une
plus grande distance vis-à-vis des modèles de l'Antiquité et affirment que la littérature « moderne » se doit d'ouvrir une voie qui

lui soit propre sans répéter à l'infini l'héritage que lui ont laissé les Anciens.

La pratique de l'imitation ne cesse pas pour autant comme en témoigne le célèbre vers de Chénier, un siècle plus tard :

« Sur des pensers nouveaux, faisons des vers antiques. »

L'imitation de l'Antiquité passe encore pour la garantie d'une authentique perfection formelle.

C'est avec le romantisme seulement que l'originalité se substitue comme valeur à l'imitation : l'artiste se doit d'être lui-même. Avec le culte de la modernité s'affirme même l'idée qui deviendra le credo de toutes les avant-gardes : la valeur d'une œuvre se mesure à ce qu'elle apporte de nouveau, d'inédit. L'imitation devient alors synonyme de régression, d'incapacité à produire, de stérilité.

Il convient cependant de ne pas se méprendre : toute œuvre est inévitablement faite d'une part d'imitation, et ceci même chez les artistes les plus neufs et les plus authentiques. D'abord, parce qu'un écrivain n'accède pas du jour au lendemain au sommet de son art, et qu'il lui faut donc faire ses gammes en prenant comme modèle les artistes qui l'ont précédé. Ainsi Verlaine et plus encore Mallarmé ont commencé par ce qu'on peut tenir pour de véritables pastiches de Baudelaire. Ensuite parce qu'une œuvre n'existe jamais seule, mais qu'elle s'inscrit – ne serait-ce qu'en les refusant – dans un héritage, une langue, une culture dont inévitablement elle porte la trace.

IMPRESSIONNISME nom masc. – École picturale française qui s'est constituée vers la fin du XIXᵉ siècle en réaction contre l'académisme de l'art officiel et axée sur la recherche d'une reproduction véridique de notre perception de la nature.

Le mot *impressionnisme* provient du titre d'une toile de Claude Monet, *Impression, soleil levant* (1874). Il est apparu sous la plume d'un critique d'art qui se moquait de cette nouvelle tendance. Mais l'impressionnisme est tout d'abord le fruit du rapprochement qui s'est produit dans le courant du XIXᵉ siècle entre les sciences et les arts.

Les peintres impressionnistes ont tiré les conséquences des recherches du physicien Chevreul sur la décomposition de la lumière par le prisme et sur le cercle chromatique. Il en résultait, en effet, que le noir n'existait pas, que les couleurs ne sont pas la propriété des choses et que chaque couleur perçue appelle sa complémentaire. Tout est dans la lumière, tout est dans l'œil.

D'autre part, les impressionnistes s'attachèrent à observer et à reproduire sur leurs toiles le caractère éphémère de chaque « impression ». Non seulement, sur leurs tableaux, le monde réel se dissout dans la lumière, mais cette lumière étant en perpétuel changement, c'est la fugacité et l'inconsistance de cette réalité qu'ils essayèrent de fixer par le jeu des couleurs.

Fondé avant tout sur l'étude des sensations visuelles, l'impressionnisme récuse comme factice la reconstitution intellectuelle structurale de la réalité qui avait prévalu dans le classicisme (Poussin) et qui triomphera dans le cubisme. C'est pourquoi, affirmant la matérialité du phénomène pictural, il effectue une véritable révolution dans le domaine des valeurs esthétiques et de la représentation du monde.

Exaltés par la fraîcheur de la découverte et l'ardeur du combat, les impressionnistes ont réussi à saisir la totalité de l'être dans la fulgurance de l'instant qui passe. Par la suite, leurs imitateurs ont engendré un nouvel académisme, transformant en un catalogue de clichés des tableaux qui avaient, à l'origine, pour mission de réinventer le monde.

Ressentis comme de dangereux perturbateurs par les tenants de la tradition, les impressionnistes se regroupèrent en 1863 dans le Salon des Refusés.

Bien que n'appartenant pas de fait au mouvement impressionniste, Manet reste dans l'histoire de la peinture comme le premier à avoir fait sécession et avoir rompu avec les clichés de l'art officiel.

C'est le 15 avril 1874 que s'ouvrit la première exposition de la nouvelle école, dans la galerie du photographe Nadar. Les participants en étaient Monet, Boudin, Sisley, Pissarro, Degas, Renoir, Cézanne et Berthe Morisot. Plus tard, d'autres grands peintres se rallieront à ce noyau initial : Gauguin, Van Gogh, puis Seurat et Signac dont l'évolution vers le pointillisme contribuera au déclin de l'« impressionnisme » en tant que tel.

→ *Fauvisme*

IMPROMPTU nom masc. – Petit poème ou petite pièce de théâtre improvisés par l'auteur.

L'*impromptu* – en tant que poème – était un genre particulièrement apprécié des précieux. Molière le tourne à ce titre en dérision dans ses pièces. Il est lui-même l'auteur de *L'Impromptu de Versailles*, une pièce très brève dans laquelle il se met en scène ainsi que ses acteurs au cours d'une répétition. Le procédé sera repris par Giraudoux dans *L'Impromptu* de Paris.

L'expression « un impromptu à loisir » (c'est-à-dire un impromptu en prenant tout son temps) est évidemment un *oxymoron*.

IMPROPRIÉTÉ nom fém. – Emploi d'un terme incorrect.

Exemples d'impropriétés grossières : « querelles intestinales » au lieu de « querelles intestines » ; « romantique » au lieu de « romanesque ». On parle aussi, dans ce sens, de *barbarisme*.

→ *Barbarisme – Solécisme*

INCANTATION nom fém. – Paroles magiques et dotées d'un pouvoir ensorceleur.

ÉTYM. : dérivé du latin *incantare* = « faire des chants magiques ».

On évoque quelquefois le pouvoir incantatoire de la poésie. Par la force de son rythme, la perfection de sa mélodie ou la puissance de ses images, la poésie peut exercer en effet sur le lecteur ou l'auditeur une sorte de fascination allant jusqu'à l'enchantement.

Le poète Marcelin Pleynet a intitulé une de ses principales œuvres *Incantation dite au bandeau d'or*.

→ *Poésie – Prière*

INCIDENTE nom fém. – Phrase qui vient s'insérer dans le cours d'une autre phrase pour apporter un complément ou une restriction.

EXEMPLE : « Je n'ai su découvrir – *ai-je suffisamment cherché ?* – dans tout ce qui nous a été livré de ses écrits une rapide allusion aux problèmes théologiques. »

On parle d'une *incise* quand l'élément ajouté dans le cours ou à la fin d'une phrase indique que l'on rapporte les paroles de quelqu'un (« cette quiétude, *disait-il*, n'allait pas durer »). Le mot *incise* est cependant aussi employé dans un sens proche d'*incidente* pour la phrase introduisant un élément accessoire et comme entre parenthèses.

INCIPIT nom masc. – Premiers mots d'un texte.

Le mot signifie en latin « il commence ». Certains recueils poétiques comportent en fin d'ouvrage une liste des « incipit », c'est-à-dire une liste des poèmes désignés non par leur titre, mais par leur premier vers.

Louis Aragon dans *Je n'ai jamais appris à écrire ou les incipit* (1969) explique l'importance que ces premiers mots jouent pour lui dans le déclenchement du processus créateur qui aboutit à la rédaction d'un roman.

INCONSCIENT nom masc. – L'ensemble de ce qui, dans notre psychisme, échappe à notre conscience tout en influant sur nos actes.

Le terme d'*inconscient* appartient au vocabulaire de la psychanalyse telle qu'elle a été fondée par Freud. L'inconscient est le lieu obscur de notre esprit dans lequel nous refoulons les désirs ou les souvenirs que nous censurons parce qu'ils sont trop douloureux ou contraires aux exigences de notre conscience. Ces désirs ou souvenirs cessent ainsi d'être perçus directement, mais ils n'en continuent pas moins d'exister et font retour dans les rêves, les actes manqués, voire les déséquilibres psychologiques.

Dans « Fonction et champ de la parole et du langage » (*Les*

Écrits), le psychanalyste français Jacques Lacan propose notamment deux définitions de l'inconscient :

« L'inconscient est cette partie du discours concret en tant que transindividuel, qui fait défaut à la disposition du sujet pour rétablir la continuité de son discours conscient. »

« L'inconscient est ce chapitre de mon histoire qui est marqué par un blanc ou occupé par un mensonge : c'est le chapitre censuré. »

→ *Psychanalyse*

INCUNABLE nom masc. – Ouvrage datant des débuts de l'imprimerie (avant 1500).

ÉTYM. : *cunae* (toujours féminin pluriel) = « berceau » d'où *cunabula* = « petit berceau ». *Incunabula* désigne aussi les langes dont on enveloppe l'enfant que l'on place dans (*in*) le berceau. Du sens de « langes », le mot est passé à « berceau » et à « lieu de naissance », « enfance », « origine ». Les incunables sont des ouvrages parus « à l'origine » de l'imprimerie, lorsque celle-ci était encore au berceau.

INDEX nom masc. – 1. Table alphabétique récapitulant dans un ouvrage les noms des auteurs cités ou les matières traitées de manière à retrouver plus rapidement ceux-ci.
2. Liste établie par l'Église catholique des livres dont la lecture est interdite aux fidèles.

L'*Index* (exactement *Index librorum prohibitorum*), au XVIe siècle, dans le cadre de la lutte contre les protestants, établit la liste des livres dont la lecture était interdite aux catholiques. La dernière liste d'ouvrages prohibés parut en 1948. L'Index fut supprimé en 1966.

Outre les livres interdits, l'Index établissait la liste de ceux dont certains passages devaient être supprimés.

Casanova, Condillac, Fénelon, Victor Hugo, La Fontaine, Lamartine, Montaigne, Montesquieu, Pascal, Rabelais, Rousseau, Sand, Spinoza, Voltaire et bien d'autres figurèrent dans l'Index.

→ *Censure*

INDIVIDUALISME nom masc. – Toute théorie faisant de l'individu une valeur supérieure à la collectivité.

Le mot est susceptible de nombreuses et contradictoires interprétations.

Il peut d'abord être défini de manière péjorative. L'individualisme sera alors l'attitude qui consiste, pour chaque individu, à privilégier ses intérêts personnels au détriment de ceux de la communauté à laquelle il appartient. L'individualisme est, en ce sens, l'exacte antithèse de la *vertu* antique telle que la dépeignait Montesquieu. C'est dans cette même optique que Tocqueville pouvait définir l'individualisme comme la « rouille » des sociétés démocratiques.

Dans une perspective anthropologique ou sociologique, l'individualisme est l'opposé du *holisme*. Il est l'idéologie caractérisant les sociétés occidentales qui affirment la primauté de l'individu sur le groupe. À l'opposé, la société indienne avec son système de castes représente le modèle le plus explicite de société holiste : l'individu n'y existe qu'en fonction du groupe. « Holisme » se rattache au grec *holos* = « qui forme un tout ».

IN DIX-HUIT nom masc. – Livre appelé ainsi parce que les cahiers dont il est constitué ont été obtenus en pliant une feuille imprimée de façon à obtenir 18 feuillets soit 36 pages.

D'autres désignations du même type sont utilisées :

– *In plano*, la feuille n'est pas pliée ;

– *In folio*, la feuille est pliée en deux ;

– *In quarto, in octavo* ou *in-huit, in-seize, in vingt-quatre, in trente-deux*, la feuille est pliée en 4, 8, 16, etc.

Ces dénominations ne correspondent pas à des formats, puisque le format du livre dépend des dimensions de la feuille utilisée. Pour permettre de connaître le format du livre, il faut ajouter le format de la feuille. Ainsi, dans l'expression « In-quarto raisin » – ou « in 4° raisin » – le mot « raisin » indique le format de la feuille pliée en quatre (230 mm x 310 mm), ce qui permet de déduire le format du livre.

À titre d'exemple, les livres de la collection *Littérature vivante* sont constitués de quatre cahiers de 16 feuillets (32 pages chacun). Ce sont donc des *in-seize*.

IN EXTENSO – Dans son intégralité.

ÉTYM. : l'expression vient directement du latin. De *extendere* = « étendre ». Mot à mot *in extenso* = « dans toute son étendue ».

On parlera ainsi de la publication *in extenso* d'un texte.

INFRALITTÉRATURE nom fém. – Littérature considérée par certains comme de bas étage et ne méritant pas, à proprement parler, le nom de « littérature ».

ÉTYM. : formé en utilisant le mot latin *infra* = « au-dessous de ».

Ceux qui dénient à l'infralittérature le statut littéraire classent dans cette catégorie le photo-roman, le roman commercial dans le genre des produits de la collection Harlequin, la BD. Il est évidemment très difficile de tracer une ligne de démarcation entre ce qui est la « vraie » littérature et ce qui échappe à cette catégorie.

→ *Paralittérature*

INFRASTRUCTURE nom fém. – Dans la terminologie marxiste, ensemble des structures de production économique.

Dans la pensée marxiste, ces *infrastructures* « déterminent » les superstructures, c'est-à-dire les institutions et la vie culturelle. Elles ne les « déterminent » cependant qu'« en dernière instance », ce qui signifie que cette « détermination » ne doit pas être assimilée à un simple rapport de cause à effet. Les superstructures réagissent sur les infrastructures qui réagissent à leur tour sur elles, etc.

INSPIRATION nom fém. – Force supérieure qui anime les artistes dans le moment de la création.

ÉTYM. : du latin *inspirare* = « insuffler ».

Pour les Anciens – ainsi qu'en témoignent Platon mais aussi toute la poésie antique –, l'*inspiration* était un souffle d'origine surnaturelle qui s'emparait du poète pour en faire le traducteur d'un message céleste. L'inspiration était le don de ces Muses que les poètes évoquaient dans leurs textes. Ils recevaient d'elles ce don sans lequel ils étaient impuissants à pratiquer leur art. Cette conception de l'inspiration prévalut jusqu'au XVIIᵉ siècle comme en témoignent les références aux Muses qui, même si elles sont pure convention, habitent, par exemple, *Les Regrets* de Du Bellay.

Progressivement, la référence au surnaturel s'estompa, et se modifièrent, du même coup, les théories de l'inspiration. Sans nier l'existence de celle-ci, on alla chercher sa cause dans la spontanéité de la sensibilité (romantiques) ou dans les profondeurs de l'inconscient (surréalistes). L'inspiration reste cependant cette force mystérieuse et sauvage qui arrache l'individu à lui-même pour en faire un poète. C'est largement cette conception qu'on retrouve dans la célèbre *Lettre du voyant* d'Arthur Rimbaud. Lorsque celui-ci écrit : « Je est un autre », il découvre la présence en lui-même d'une force étrangère qui le dépasse et le transforme, le faisant poète.

L'inspiration est cependant un facteur qui en lui-même ne permet pas d'expliquer la création artistique. Tout art est en effet technique, et, comme l'ont montré Valéry et avant lui Poe la création d'un poème s'explique aussi par les mécanismes de l'intelligence et de la raison. Rationnel et irrationnel, inspiration et technique collaborent, en proportions variables, selon les écrivains, au processus de la création.

→ *Imagination – Imitation*

INTÉGRISME nom masc. – Attitude religieuse exigeant le retour au dogme dans toute sa pureté.

ÉTYM. : le mot se rattache au latin *integer* = « non touché », « non entamé » dérivant lui-même du verbe *tangere* = « toucher ». De *integer* sont venus en français « entier », « intègre », « intégrité ».

L'intégrisme, conformément à l'étymologie, tend vers le

respect de l'« intégrité » des vérités fondamentales de la religion. On parle aussi dans ce sens de *fondamentalisme*. Il s'associe souvent à ce terme les idées de passéisme et de fanatisme.

Le mot peut être employé dans d'autres domaines que la religion, chaque fois qu'est requis un respect strict des principes.

→ *Dogmatisme – Fanatisme*

INTELLECTUALISME nom masc. – 1. Toute théorie qui affirme la primauté de l'intelligence sur la sensibilité.
2. Tendance à se couper de la réalité pour vivre dans un monde constitué uniquement d'idées.

INTELLECTUEL nom masc. – Individu qui, au nom du rôle qu'il joue dans le monde de la culture, prend position dans le domaine politique.

On pourrait se contenter de définir l'*intellectuel* par opposition au manuel. Cette définition, cependant, nous ferait passer à côté de l'essentiel. L'intellectuel est, en effet, « *un homme du culturel mis en situation d'homme du politique* » (Ory et Sirinelli). Un avocat, un scientifique, un médecin, un instituteur exercent bien, à des degrés divers, des professions « *intellectuelles* ». Cependant, ils ne seront considérés comme des intellectuels qu'à partir du moment où, utilisant le prestige que leur confèrent leur formation et leur statut culturel, ils prendront position sur des problèmes politiques ou de société en cherchant à exercer une sorte de magistère moral. Comme le déclarait Sartre, « *l'intellectuel est celui qui se mêle de ce qui ne le regarde pas* ».

L'histoire du mot « intellectuel » est à ce titre particulièrement instructive. Celui-ci naît au moment de l'affaire Dreyfus pour désigner les écrivains qui s'engagent aux côtés de Zola afin de dénoncer l'erreur judiciaire qui a été commise. Si le mot surgit à ce moment dans le vocabulaire, c'est bien que la notion d'« *intellectuel* » est inséparable de celle d'« *engagement* ». De même si on a beaucoup parlé dans les années 80 d'une « *fin des intellectuels* », ce n'est pas parce que la France ne compterait plus d'individus exerçant des fonctions intellectuelles : au contraire, avec le développement du secteur tertiaire, ceux-ci n'ont jamais été plus nombreux. La raison en est que les écrivains, les philosophes, les « *hommes du culturel* » refusent de plus en plus de s'engager dans la lutte politique et cessent de ce fait d'être des intellectuels au sens plein de ce terme.

→ *Engagement*

INTELLIGENTSIA nom fém. – L'ensemble des intellectuels dans un pays donné.

Le mot est d'origine russe et s'est d'abord appliqué aux intellectuels de Russie. Il est souvent employé de manière péjorative.

→ *Intellectuel*

INTERMÈDE nom masc. – 1. Divertissement se situant entre les actes ou les parties d'un spectacle.
2. Petite pièce de théâtre jouée avant la pièce principale.

Pour éviter la confusion avec le sens précédent, on dit plus souvent aujourd'hui, pour ce deuxième sens, un « lever de rideau ».

INTERTEXTUALITÉ nom fém. – Relation qui lie un texte aux autres textes dont la présence se marque en lui de manière avouée ou dissimulée.

Le terme a été introduit dans la seconde moitié des années 60 par la linguiste Julia Kristeva à partir d'un travail réalisé sur le théoricien russe Bakhtine. Comme elle l'écrit, « *le mot (le texte) est un croisement de mots (de textes) où on lit au moins un autre mot (texte)* ». Ce qui signifie qu'un texte s'écrit toujours avec d'autres textes qui peuvent être présents en lui sous forme de citations, de références, d'allusions. Le texte se présente alors comme un réseau, un tissu inscrit dans le réseau, le tissu plus vaste que composent tous les textes.

Étudier l'intertextualité dans *les Essais* de Montaigne consistera par exemple à montrer comment l'auteur y mobilise un certain nombre de citations et de philosophies antiques pour les faire servir à sa propre démonstration. Ou encore : étudier l'intertextualité dans l'*Ulysse* de Joyce consistera à montrer la présence dans cette œuvre, entre autres, de *L'Odyssée* de Homère.

INTIMISME nom masc. – Caractéristique d'une littérature qui vise, par la confidence, à nous faire entrer dans l'intimité de l'auteur, à nous faire connaître les mouvements les plus secrets de sa conscience.

ÉTYM. : se rattache au latin *intimus* = « intérieur ». *Intimus* est en latin une forme au superlatif de *intus* = « à l'intérieur ». Il s'agit donc de ce qu'il y a « de plus intérieur ».

INTRANSITIF adj. – S'emploie pour un verbe qui n'a pas de complément d'objet direct.

Ainsi le verbe « débuter » est intransitif. On ne peut donc pas dire « Les joueurs débutent le match » comme le disent neuf commentateurs sportifs sur dix, mais seulement « Le match débute ». De la même manière, il n'est pas correct de dire « Nous débutons notre concert par… » comme on l'entend dix fois par jour sur Radio Classique. Mais escalader est obligatoirement transitif. On ne peut pas dire « J'escalade », mais seulement « J'escalade la montagne », « J'escalade la colline », etc.

Un verbe transitif peut être employé absolument, c'est-à-dire comme un verbe intransitif. Ainsi, il est possible de dire « Je peins un tableau » et « Je peins ».

L'emploi transitif a parfois un sens particulier. Par exemple, lorsque l'on dit de quelqu'un « Il boit », cela sous-entend qu'il a une propension à lever le coude.

INTRIGUE nom fém. – Tous les événements qui, dans une œuvre de fiction, s'organisent pour constituer l'action du récit.

ÉTYM. : venu de l'italien *intrigare*, lui-même venu du latin *intricare* = « embarrasser », « embrouiller ».

→ *Action – Diégèse*

INTROVERSION nom fém. – Attitude de celui qui tend à s'intéresser plus à son propre monde intérieur qu'au réel qui l'entoure.

ÉTYM. : de l'adverbe latin *intro* = « dedans » et du verbe *vertere* = « tourner », « retourner ».

On oppose l'*introverti* à l'*extraverti*, plus « tourné » vers le monde extérieur et l'action.

→ *Extraversion*

INTUITION nom fém. – Aptitude à deviner ou résultat de cette aptitude.

ÉTYM. : du latin *intuitio* = « regard » se rattachant au verbe *intueri* = « regarder », « considérer ».

L'*intuition* permet de découvrir une solution ou une vérité sans que soit perceptible le cheminement rationnel, la démonstration, qui a permis d'aboutir à ce résultat. Elle donne souvent, de ce fait, le sentiment d'être une « inspiration », mais elle résulte, dans la plupart des cas, d'un long travail de maturation.

INVERSION nom fém. – Procédé consistant à renverser l'ordre normal des éléments d'une phrase.

En allemand, l'inversion est obligatoire chaque fois que la proposition commence par un autre mot que le sujet. En français, elle n'est absolument obligatoire que dans l'interrogation directe : « Quelle réponse me *donnez-vous* ? »

Lorsqu'elle n'est pas imposée par la syntaxe, l'inversion est un procédé de style dont l'intérêt est de mettre en évidence le terme par lequel on choisit de commencer sa phrase.

« Ô triste, triste était mon âme »
(Verlaine)

INVOCATION nom fém. – Appel semblable à la prière.

ÉTYM. : du latin *invocare* = « appeler dedans » se rattachant à *vocare* = « appeler » et à *vox, vocis* = « voix ».

L'invocation à la Muse était classique dans la poésie antique. Elle prend une forme différente dans la poésie moderne : on invoque moins pour demander assistance que pour prendre à témoin.

Ainsi chez Lamartine :

« *Ô lac ! l'année à peine a fini sa carrière,*
Et près des flots chéris qu'elle devait revoir,
Regarde ! Je viens seul m'asseoir sur cette pierre
Où tu la vis s'asseoir ! »

→ *Prière*

IRONIE nom fém. – 1. Procédé par lequel on dit tout haut le contraire de ce qu'on veut en réalité démontrer de manière à susciter chez l'interlocuteur une réaction qui l'amènera à partager vos vues.
2. Moquerie.

Si, après avoir échappé à un accident de voiture, je me retourne vers le conducteur maladroit du véhicule et lui déclare : « Vous êtes vraiment un excellent conducteur », je fais de l'ironie.

Lorsque Montesquieu plaide pour l'esclavage des nègres ou Swift pour l'anthropophagie comme solution à la famine en Irlande, on peut dire qu'ils font de l'ironie au premier sens dans la mesure où ils visent à faire prendre conscience au lecteur du caractère intolérable de la condition des Noirs ou de la situation en Irlande.

Tout le problème de l'ironie, c'est que celle-ci peut n'être pas perçue par le lecteur ou l'interlocuteur et être interprétée au premier degré. Ainsi, il s'est peut-être trouvé des landlords anglais scandalisés par le livre de Swift et condamnant son auteur sans se rendre compte qu'ils étaient eux-mêmes visés par celui-ci.

→ *Antiphrase – Humour*

IVOIRE (tour d') – Image utilisée pour désigner le refuge dans lequel certains artistes choisissent de se retirer pour se consacrer entièrement à leur art.

L'expression vient du *Cantique des cantiques* dans la Bible. Sainte-Beuve l'aurait employée pour la première fois au sujet de Vigny. Dire d'un artiste qu'il vit dans une tour d'ivoire, c'est en fait lui reprocher de ne prêter aucune attention au monde qui l'entoure.

Dans une lettre du 22 novembre 1852 à Louise Colet, Flaubert écrivait :

« *Ne t'occupe de rien que de toi. Laissons l'Empire marcher, fermons notre porte, montons au plus haut de notre tour d'ivoire, sur la dernière marche, le plus près du ciel. Il y fait froid quelquefois, n'est-ce pas ? Mais qu'importe ! On voit les étoiles briller clair et l'on n'entend plus les dindons.* »

Flaubert écrivait aussi dans une autre lettre :

« *J'ai toujours essayé de vivre dans une tour d'ivoire, mais un océan de merde clapotait contre les murs.* »

J

JANSÉNISME nom masc. – Mouvement religieux qui, au XVIIe siècle, exerça une influence décisive sur la littérature et la culture française.

L'origine du *jansénisme* est à chercher dans les travaux théologiques de l'évêque d'Ypres, Cornelius Jansen ou Jansénius (1585-1638). Celui-ci, s'inspirant de l'œuvre de saint Augustin, affirmait la toute-puissance de la grâce et semblait de ce fait défendre l'idée d'une prédestination de l'homme, nier le libre arbitre de celui-ci et sa capacité à faire son salut par ses actes. Dans le domaine de la morale, le jansénisme traduisait aussi une aspiration vers une plus grande rigueur et une plus grande austérité.

Le rayonnement du jansénisme fut au XVIIe siècle indiscutable. Il se développa à partir de Port-Royal, à l'origine un couvent cistercien situé dans la vallée de Chevreuse, qui donna, par la suite, son nom au centre des jansénistes à Paris.

Le jansénisme fut au cœur de l'un des plus importants débats du siècle de Louis XIV. Les jésuites, favorables à une conception plus mondaine de la religion, en effet, s'opposèrent aux thèses de Port-Royal et à la vision de la morale et de la religion qu'elles impliquaient. Ils obtinrent à plusieurs reprises la condamnation du jansénisme par le Vatican jusqu'à ce qu'en 1708 soit prise par le pape la décision de fermer Port-Royal.

Malgré cet échec final, le jansénisme exerça une influence considérable sur la culture du XVIIe siècle. Les jansénistes mirent en effet sur pied tout un système éducatif – les Petites Écoles de Port-Royal – qui leur permit de diffuser, outre leurs idées, un enseignement de très grande qualité. Racine, par exemple, fut l'un de leurs élèves.

De plus, de manière avouée ou non, de nombreux écrivains furent profondément influencés par les thèses de Port-Royal. Le plus célèbre d'entre eux est sans doute Pascal qui, à travers ses *Lettres provinciales*, prit la défense des jansénistes dans le débat qui les opposait aux jésuites.

Port-Royal resta une source de fascination pour les écrivains des siècles suivants. Sainte-Beuve y consacra le principal de ses ouvrages critiques, *Histoire de Port-Royal* (1840-1859), et Montherlant l'une de ses plus célèbres pièces, *Port-Royal* (1954).

→ *Jésuite – Port-Royal*

JARGON nom masc. – Langue utilisée par un groupe donné d'individus pour parler d'un domaine qui leur est commun et qui, de ce fait, reste incompréhensible pour quiconque n'appartient pas à ce groupe.

ÉTYM. : a d'abord eu, du XIIᵉ au XVᵉ siècle, le sens de « gazouillement ». Se rattache à une racine *guarg* évoquant le « gosier » et donc, à l'origine, « faire du bruit avec la gorge ».

Sauf dans un sens technique – pour les linguistes, par exemple –, le mot est toujours employé de manière péjorative. Lorsqu'on parle, par exemple, du « jargon de la psychanalyse », on sous-entend que les psychanalystes utilisent à dessein un vocabulaire inutilement compliqué pour rendre incompréhensible leur théorie et s'en réserver le monopole.

JDANOVISME nom masc. – Doctrine artistique formulée en URSS par Jdanov (1896-1948) et subordonnant l'art à la politique.

Responsable de la propagande dans le régime de Staline, Jdanov développa une théorie de l'art et de la littérature qui se traduisit par un véritable appauvrissement de la création. Les écrivains devaient se soumettre aux directives du Parti et faire servir leurs œuvres à l'éducation du peuple et à la construction du socialisme. Toute forme réellement novatrice d'expression était condamnée comme décadente ou cosmopolite.

→ *Réalisme – Socialiste*

JÉSUITE nom masc. – Membre de la « Compagnie de Jésus » fondée en 1534 par Ignace de Loyola.

Cet ordre religieux fut fondé pour combattre les progrès du protestantisme et, à ce titre, joua un rôle actif dans la Contre-Réforme, ce qui explique les liens entre l'art jésuite et l'art baroque.

Les deux axes essentiels de son activité furent l'évangélisation des continents nouvellement découverts – l'Amérique, mais surtout la Chine que les jésuites ont permis à l'Occident de mieux connaître – et l'enseignement. C'est à ce titre surtout que les jésuites ont exercé une réelle influence sur la culture européenne. Influence qui a été largement discutée, car la Compagnie de Jésus a été tout au long de son histoire l'objet de violentes critiques. D'où le sens péjoratif du mot « jésuitisme » qui signifie une tendance à tourner avec subtilité, mais de manière hypocrite, les règles de la morale.

→ *Contre-Réforme – Jansénisme*

JONGLEUR nom masc. – Interprète des chansons, des poèmes et des textes épiques dans le monde médiéval.

Le jongleur, au Moyen Âge, était plus un homme de spectacle qu'un homme de littérature. Il participait aux grandes fêtes et aux grands événements de la vie médiévale tels que les pèlerinages ou les foires. Il jouait à la fois le rôle de musicien, d'acrobate, de jongleur, de dresseur d'animaux et de récitant. Cette dernière attribution explique l'importance du jongleur dans la vie littéraire. Celui-ci, s'accompagnant d'un instrument de musique, déclamait devant de larges audiences les grands textes médiévaux tels ceux des chansons de geste. Il était loin d'en être l'interprète passif, mais par son talent donnait vie au texte.

Le jongleur se distingue mal quelquefois du *ménestrel* et du *trouvère*. Disons que, alors que le ménestrel exerçait son art pour un seigneur et un public aristocratique, le jongleur était, lui, un homme de spectacle itinérant. En ce qui concerne le trouvère, le jongleur s'en distinguait en ceci qu'il était seulement l'interprète de son texte et non son auteur.

→ *Geste (chanson de) – Ménestrel – Trouvère*

JOURNAL INTIME – Texte dans lequel on consigne, en principe au jour le jour, ses réflexions et les événements de sa vie.

On estime qu'aujourd'hui, en France, trois millions de personnes tiennent un journal intime. Il s'agit donc d'une pratique des plus répandues, la première, en termes quantitatifs, des activités littéraires.

En principe, cependant, le *journal intime* – comme, de manière différente, la correspondance – ne se définit pas d'abord par sa dimension proprement littéraire. Il n'est destiné en effet ni à la publication ni même à la communication. Il sert, pour celui qui le tient, à faire le point de manière quotidienne sur lui-même, à consigner au jour le jour ses souvenirs, de manière à mieux se comprendre soi-même : il fait donc office à la fois de confident et de mémoire.

Le journal intime peut cependant acquérir une valeur proprement littéraire. C'est particulièrement le cas lorsqu'il est tenu par un écrivain. Sa fonction change alors du tout au tout. Le journal participe en effet à l'œuvre d'ensemble à laquelle, bien souvent, il finit par s'intégrer lors de sa publication. Il ne cesse pas d'être pour l'écrivain un auxiliaire de la mémoire et un outil d'analyse. Mais, en plus de cela, il devient comme un tremplin pour l'œuvre : on y consigne, au jour le jour, les impressions ou les faits qui prendront place par la suite dans un roman. De plus, la perspective d'une éventuelle publication – même posthume – peut changer le rapport de l'écrivain à son journal intime : l'auteur cesse de ne se confier qu'à lui-même, conscient de la présence du lecteur qui, plus tard, lira ses pages.

Le plus célèbre et le plus important des journaux intimes est sans doute celui des frères Goncourt : outre qu'il constitue un témoignage irremplaçable sur la France littéraire, mais aussi sociale de la fin du XIXe siècle, par la cruauté de certaines de ses notations et le travail du style qui s'y manifeste, il constitue une œuvre à part entière et sans doute – plus que les romans ou les essais – la plus importante de ses auteurs.

Parmi les importants journaux intimes, citons ceux de Jules Renard, de Gide et de Green.

→ *Autobiographie – Mémoires*

JOURNALISME nom masc. – Métier de celui qui écrit pour la presse ou qui travaille dans la presse parlée.

Mallarmé opposait la poésie à ce qu'il nommait l'« universel reportage ». Il est vrai qu'en principe le journaliste cherche d'abord à faire passer une information dans le style le plus direct, le plus clair et le plus simple qui soit. En un sens – et pour reprendre la fameuse distinction de Barthes –, le journaliste est d'abord un « *écrivant* » et non un « *écrivain* ».

Cependant, la frontière entre *journalisme* et littérature n'est pas aussi étanche qu'il y paraît. Il y a en France, mais aussi en Angleterre et aux États-Unis, une longue tradition de collaboration de l'écrivain à la presse. Pour des raisons alimentaires quelquefois, mais aussi par souci de trouver un public plus large et de diffuser ainsi leurs idées, de nombreux écrivains se sont faits journalistes. On citera par exemple François Mauriac qui a tenu pendant de longues années le « Bloc-Notes » de *L'Express*. Par ailleurs, le reportage, comme ce fut par exemple le cas pour Albert Londres, peut confiner à la littérature.

K

KABUKI nom masc. – Forme théâtrale propre à la littérature japonaise.

Plus populaire que le Nô, le *Kabuki* combine l'art de la danse, celui du chant et celui du théâtre. Il emprunte ses thèmes à la mythologie et à l'histoire japonaises, ceux-ci ne constituant jamais qu'un cadre pour mettre en valeur la technique et le jeu très stylisé des acteurs.

→ *Haïku*

KAFKAÏEN adj. – Qui s'apparente à l'univers étouffant que met en scène le romancier Kafka.

C'est au prix d'une simplification abusive de l'œuvre de Kafka qu'on a fait de ce nom propre un adjectif. On ne retient de romans comme *Le Château* ou *Le Procès* que l'image d'un monde incompréhensible et menaçant dans lequel l'individu est impuissant à agir et à se libérer. C'est en ce sens qu'on parle souvent d'une « *bureaucratie kafkaïenne* ».

L

LAI nom masc. – Petit poème médiéval, narratif ou lyrique.

ÉTYM. : vient du mot breton *laid* emprunté à l'irlandais.

Le terme s'applique à des textes très différents par leur forme. Le mot est d'origine celte, et on suppose qu'il a désigné d'abord un chant accompagné à la harpe avant de s'appliquer au récit d'inspiration merveilleuse qu'évoquait ce chant.

Les « lais » les plus célèbres sont ceux de Marie de France. Rédigés en octosyllabes, ils relatent des histoires d'amour, d'inspiration sans doute celtique et dans lesquels le réel se mêle au surnaturel.

Au XIVᵉ siècle, le terme désignera un poème lyrique de douze strophes.

LAISSE nom fém. – Ensemble de vers construit sur une même rime ou une même assonance dans la chanson de geste.

ÉTYM. : semble se rattacher au verbe « laisser ».

→ *Assonance – Geste (chanson de)*

LAKISTES nom masc. employé le plus souvent au pluriel. – Poètes anglais du début du XIXᵉ siècle qui manifestèrent une prédilection pour la « région des lacs » (Lake District).

Les poètes concernés sont Southey, Coleridge, Wordsworth. Le Lake District est situé dans le Cumberland, au nord-ouest de l'Angleterre. Ces poètes romantiques avaient en commun le désir de chanter les beautés de la nature.

LANGAGE nom masc. – Système de signes assurant la communication entre les individus.

ÉTYM. : du latin *lingua* = « langue ».

On distingue, à la suite des linguistes, langage, langue et parole. Alors que le *langage* est la faculté existant chez l'homme de communiquer par le biais de signes émis par la voix, la langue est le système spécifique de signes utilisé dans telle ou telle communauté linguistique. Ainsi, quoique les deux termes soient souvent employés comme synonymes, on dira plutôt du français et de l'anglais qu'ils sont des « langues » plutôt que des langages.

En ce qui concerne l'opposition entre « langue » et « parole », on la doit au linguiste Ferdinand de Saussure : la « langue » est le système de signes avec ses éléments et ses règles alors que la « parole » est l'utilisation de ce système – c'est-à-dire la production d'un énoncé – par un locuteur. En ce sens, on peut dire que la langue détermine la parole qui l'actualise.

Dans une large mesure, la distinction opérée par le linguiste américain Chomsky entre « compétence » et « performance » recoupe l'opposition entre « langue » et « parole ».

LANGUE voir LANGAGE.

LAPIDAIRE adj. – Se dit d'une façon de s'exprimer concise ou procédant par formules ramassées.

ÉTYM. : se rattache au latin *lapis, lapidis* = « pierre ». Le latin *lapidarius* se rapportait aux inscriptions le plus souvent concises gravées dans la pierre. Un style lapidaire, une formule lapidaire.

LAPSUS nom masc. – Altération involontaire du discours (déformation ou substitution d'un mot) par laquelle se manifesterait l'inconscient d'un individu.

Le *lapsus* peut altérer soit la langue parlée (« lapsus linguae »), soit la langue écrite (« lapsus calami »). Dans cette dernière expression, « calami » se rattache au latin *calamus* = « roseau » qui servait à écrire.

Freud – notamment dans *Le Mot d'esprit et ses rapports avec l'inconscient* – nous a appris que ce glissement, en apparence involontaire et dénué de sens, est en fait déterminé par notre inconscient qui s'y marquerait au même titre que dans les rêves ou les symptômes. Un mot en remplaçant un autre ou se faisant entendre à l'intérieur d'un autre laisse percevoir ce que le discours conscient cherchait à taire.

Un exemple célèbre, analysé par Freud, est celui de cet individu déclarant qu'il avait été traité par un riche banquier de manière très « familionnaire ». Il voulait dire bien entendu de manière très « familière », mais trahissait ainsi la véritable nature du rapport qu'il voulait entretenir avec le banquier en question.

On voit que le lapsus est très proche du jeu de mots. Il s'en distingue cependant en ceci qu'il est involontaire. C'est sur cette parenté que se fondent certains écrivains pour faire du « *jeu de mots* » le langage par lequel l'inconscient se marque dans le texte. Ainsi, mais dans une certaine mesure seulement, Joyce dans *Finnegans Wake*.

→ *Psychanalyse*

LATO SENSU – Expression d'origine latine signifiant « au sens large ». S'oppose à *stricto sensu*.

LECTEUR nom masc. – Celui qui lit et donc le « consommateur » de la chose écrite par opposition au producteur qu'est l'auteur.

ÉTYM. : se rattache au verbe latin *legere* = « lire ».

En principe, le lecteur se situe à l'extérieur du dispositif de l'ouvrage dont il est en train d'opérer la lecture. Il en déchiffre le sens, en tire un certain plaisir ou un certain savoir, mais reste, par rapport au texte, dans une situation d'extériorité, de consommation, de passivité.

Certains auteurs, cependant, cherchent à faire sortir le lecteur de cette position et à l'attirer en quelque sorte à l'intérieur du texte. Le procédé le plus simple consiste à cet égard à interpeller le lecteur comme le fait par exemple Victor Hugo dans *Notre-Dame de Paris* ou plus encore Diderot dans *Jacques le Fataliste*. Le lecteur n'est plus alors seulement celui qui consomme le texte ; il devient, explicitement, celui à qui l'on s'adresse : une sorte de dialogue s'instaure.

Certains textes modernes poussent le procédé plus loin et font du lecteur le personnage même qu'ils mettent en scène, rendant ainsi explicite la relation d'identification, de projection qui existe toujours sous une forme ou sous une autre. Ainsi Michel Butor qui, dans *La Modification*, mène tout son roman en le rédigeant à la seconde personne du pluriel comme si c'était en fait l'histoire du lecteur lui-même – la nôtre – qu'il était en train de nous raconter.

L'exemple limite est sans doute à cet égard fourni par le romancier italien Italo Calvino dans *Si par une nuit d'hiver un voyageur* qui n'est rien d'autre que l'histoire de la lecture contrariée que le lecteur est en train de mener de *Si par une nuit d'hiver un voyageur*.

→ *Lecture*

LECTURE nom fém. – 1. Action consistant à parcourir un texte du regard et à en percevoir le sens.
2. Interprétation, façon d'appréhender.

ÉTYM. : du latin *legere*. En latin, *legere* a d'abord signifié « cueillir ». Le mot est passé ensuite au sens de « lire ». Dans son étymologie, le mot comporte déjà l'idée d'un choix.

On pourrait avancer que toute lecture au premier sens est toujours une lecture au second sens. En effet, la lecture n'est pas une activité purement passive qui consiste à enregistrer mécaniquement le sens d'un texte. Lire un texte, c'est toujours en reconstruire le sens et donc dans une certaine mesure le réécrire. Une telle affirmation est particulièrement justifiée dans le cas d'un certain nombre de textes modernes qui visent justement à faire participer le lecteur au processus de création du sens et, de ce fait, à en faire une sorte de coauteur.

En une formule célèbre, Mallarmé déclarait :

« Nommer *un objet, c'est supprimer les trois quarts de la jouissance du poème qui est faite du bonheur de deviner peu à peu ; le* suggérer, *voilà le rêve.* »

La lecture devient alors cet acte par lequel l'auteur invite le lecteur non pas à enregistrer passivement le sens de son poème, mais à le deviner, c'est-à-dire d'une certaine manière à refaire le cheminement qui a été celui de l'auteur lui-même.

Dans cette même perspective, une importante école critique a, aux États-Unis – sous le nom de « *reader-response theory* » –, développé l'idée que le sens d'un texte était toujours le produit d'une interaction entre l'auteur et le lecteur.

→ *Lecteur*

LÉGENDE nom fém. – Récit fabuleux dans lequel la réalité historique prend une dimension mythique.

ÉTYM. : se rattache au verbe latin *legere* = « lire » (voir à « Lecture »). *Legenda*, c'est littéralement « ce qui doit être lu ».

À l'origine, le mot *légende* désignait les « vies de saints » qui étaient lues soit à l'église soit dans les monastères. C'est en partie ce sens – récit centré autour d'une figure de saint – que Flaubert utilise lorsqu'il écrit *La Légende de saint Julien l'Hospitalier*.

Le mot a pris un sens assez différent. Il peut être synonyme de mythe, mais bien souvent il désigne une aventure historique qui, par son importance dans l'imaginaire collectif ou national, a acquis un statut presque surnaturel. C'est en ce sens que l'on peut parler de la légende de Charlemagne ou de Napoléon ou que Victor Hugo a pu écrire une *Légende des siècles*.

LEITMOTIV nom masc. – Élément qui, dans une œuvre ou un texte, revient de manière répétitive et régulière.

ÉTYM. : *leitmotiv* vient de l'allemand et signifie « fil conducteur ».

Le mot a d'abord été utilisé en musique pour désigner un thème musical qui, associé à une certaine émotion ou à un certain objet ou personnage, l'accompagne tout au long de l'œuvre comme dans les opéras de Wagner par exemple.

On l'utilise de manière plus large pour désigner dans un discours ou une œuvre littéraire un thème qui se répète avec une grande fréquence. Ainsi, on pourra dire que les thèmes de l'impuissance poétique et de la stérilité sont deux des leitmotive de l'œuvre de Mallarmé.

À noter la forme plurielle : des *leitmotive.*

LÉONIN adj. – 1. Se rapportant à des vers : vers rimant à la fois en fin de vers et à la césure.

2. Se rapportant à des rimes : rimes très riches, ayant plusieurs syllabes en commun.

ÉTYM. : le mot viendrait du nom d'un poète du XIIe siècle nommé Léon.

Exemple de vers léonins emprunté à Saint-Gelais :
De cœur par*fait* chassez toute douleur
Soyez soign*eux* ; n'usez de nulle feinte :
Sans vilain *fait* entrerez en douceur ;
Vaillant et pr*eux* abandonnez la feinte. »
Exemple de rimes léonines emprunté à Jean Pellerin dans *La Romance du retour* (1921) :
« Drap blanc, satin *cardinalice,*
Dans l'ombre du car dîne Alice. »

→ *Rime*

LETTRISME nom masc. – Mouvement poétique français de l'après-guerre se proposant de valoriser la lettre et le son au détriment du mot et du sens.

Le *lettrisme* a été fondé juste après la Seconde Guerre mondiale. Son principal représentant est Isidore Isou. Il constitue une forme particulière de poésie concrète et débouche sur des poèmes qui ne valent que par leur sonorité, puisqu'ils sont totalement privés de sens.

À titre d'exemple, on citera ce quatrain d'Isou :
« Dianne dé décume dierge naî
A ne dédianne que ha groupe
Telle hoan se voa viroupe
Seliloanne sanle à lanlaî »

LEXICOGRAPHIE nom fém. — 1. Art de la composition des dictionnaires.

2. Étude de la façon dont sont constitués les dictionnaires.

ÉTYM. : se rattache aux mots grecs *lexis* = « mot » et *graphein* = « tracer », « écrire ».

La *lexicographie* est une étude descriptive des mots et de leur emploi. La *lexicologie* est une étude de leur histoire et de leur signification fondée sur l'étymologie.

→ *Sémantique*

LEXICOLOGIE nom fém. — Partie de la linguistique qui traite du vocabulaire.

ÉTYM. : vient des mots grecs lexis = « mot » et *logos* = « discours », « raison », « compte ».

→ *Lexicographie – Lexique – Sémantique*

LEXIQUE nom masc. — 1. Dictionnaire consacré à un champ particulier du vocabulaire.

2. Vocabulaire d'un individu ou d'une langue.

ÉTYM. : vient du grec *lexikos* = « qui concerne les mots ».

LIBELLE nom masc. — Texte bref dans lequel l'auteur critique avec violence, tourne en dérision, voire diffame un individu.

ÉTYM. : se rattache au latin *liber* = « livre ». *Libellus* était un diminutif de *liber* ; il servait donc à désigner un « petit livre. »

→ *Pamphlet – Polémique – Satire*

LIBÉRALISME nom masc. — Doctrine économique et politique visant à limiter le rôle de l'État de manière à assurer la liberté la plus grande aux individus.

Le *libéralisme économique* et le *libéralisme politique* procèdent d'une même conception des rapports entre l'individu et la société. Cependant, ils ne vont pas toujours de pair dans la réalité sociale et historique.

Le libéralisme politique se définit par la volonté de protéger le citoyen contre les atteintes à sa liberté qui pourraient être le fait d'un gouvernement autoritaire ou totalitaire.

Le libéralisme économique repose sur la conviction que l'économie fonctionne de manière optimale par le libre jeu des forces du marché, la rencontre entre l'offre et la demande aussi bien sur le marché des biens que sur celui du travail. En conséquence, l'État doit se garder d'agir dans un domaine qu'il ne peut que perturber par ses interventions. Concrètement, le libéralisme économique se traduit par la volonté de réduire au minimum le secteur public.

Montesquieu, Benjamin Constant, Tocqueville ou Raymond Aron appartiennent par exemple à la tradition du libéralisme français.

LIBERTAIRE adj. – Qui prône la valeur absolue de la liberté et refuse de ce fait que la société se donne le droit de limiter celle-ci.

Le mot est pratiquement synonyme d'« anarchiste ».

→ *Anarchie*

LIBERTIN nom masc. et adj. – 1. Qui ne se soumet pas aux lois de l'Église et qui remet en cause les principes de la religion. 2. Qui mène une vie de plaisir, de débauche.

Au premier sens, le mot renvoie à un courant philosophique et littéraire qui se développa au XVIIᵉ siècle et dont les principaux représentants furent Théophile de Viau et Saint-Évremond ou encore Gassendi. Sans forcément mener une vie de débauche, les libertins, s'inspirant largement d'Épicure, rejetaient le christianisme et affirmaient la valeur d'une pensée libérée des dogmes. Leur influence fut considérable, mais clandestine dans la mesure où, dans une France catholique, la diffusion de telles idées était impossible. La dette de Voltaire et des Encyclopédistes à leur égard est sans doute considérable.

C'est au second sens que le mot persiste dans la langue moderne : un libertin est quelqu'un qui fait de la jouissance – notamment sexuelle – l'objectif unique de sa vie et qui, de ce fait, prend plaisir à briser toutes les règles sociales et les tabous.

Les deux sens ne sont pas toujours distincts dans la mesure où un individu peut associer dans sa vie le refus philosophique de l'enseignement de l'Église et le refus des lois morales que cet enseignement impose. C'est le cas du dom Juan de Molière comme de la plupart des personnages de Sade. D'où l'alternance caractéristique dans les romans de ce dernier des scènes sexuelles et des dissertations philosophiques.

→ *Critique (Esprit)* – *Libre examen* – *Libre penseur*

LIBRE ARBITRE nom masc. – Faculté de choisir en fonction de sa seule volonté.

La question du *libre arbitre* a été au cœur de toute une série de débats philosophiques et théologiques. En principe, Dieu a créé l'homme en le dotant du libre arbitre, c'est-à-dire de la capacité à choisir ou le Bien ou le Mal. Il s'agit même là de la raison qui explique la présence du Mal dans la création d'un Dieu bon. Cependant, un certain nombre de penseurs religieux nient ou semblent nier le libre arbitre en affirmant que c'est Dieu, dans sa toute-puissance, qui sauve l'homme en lui attribuant sa grâce ou qui décide qu'il fera partie des damnés en ne lui attribuant pas cette grâce. L'homme de ce fait est prédestiné au salut ou à la damnation et perd toute liberté. Il est donc, dans cette perspective fataliste, privé du libre arbitre.

→ *Jansénisme*

LIBRE EXAMEN nom masc. – Principe en vertu duquel chaque individu, par l'usage de sa raison, est en mesure d'examiner par lui-même une question sans se référer à l'autorité d'un dogme ou d'un système.

Le principe de *libre examen*, qui se fonde sur l'esprit critique, s'oppose donc au principe d'autorité. Il jouera un rôle fondamental au siècle des Lumières, mais le mouvement protestant du XVIᵉ siècle en contenait déjà les ferments.

→ *Critique (Esprit)* – *Libertin* – *Libre penseur* – *Lumières*

LIBRE PENSEUR nom masc. – Individu qui, en matière de religion ou de philosophie, ne se fonde que sur l'exercice libre de sa propre raison.

Le mot est pratiquement synonyme du mot « libertin » mais seulement au premier sens de celui-ci. Il est encore d'usage courant, ce qui n'est pas le cas, dans ce sens, du mot libertin.

LICENCE (poétique) nom fém. – Liberté prise par un poète par rapport à l'usage de la langue le plus courant.

La *licence* peut concerner l'orthographe (*encor* à la place de *encore*), la grammaire (on emploie *où* pour *auquel*), et même parfois le vocabulaire (recours à un mot archaïque).

LIEU COMMUN nom masc. – Idée si souvent utilisée qu'elle en est devenue un cliché.

C'est, par exemple, un *lieu commun* que de dire de l'argent qu'il est le nerf de la guerre ou qu'il ne fait pas le bonheur.

→ *Cliché – Poncif*

LIMERICK nom masc. – Forme poétique propre à la littérature anglaise et qui consiste en quelques vers dont l'absurdité produit un effet comique.

LINGUISTIQUE nom fém. – Étude scientifique du langage.

ÉTYM. : se rattache au latin *lingua* = « langue ».

La linguistique naît véritablement avec les travaux de Ferdinand de Saussure. Alors qu'au XIXe siècle les langues étaient étudiées dans une perspective diachronique – c'est-à-dire qu'on en étudiait les transformations historiques –, Saussure, lui, se situe dans une perspective synchronique (étude de la langue à un moment donné) et considère le langage comme un système, ce qui l'amène – lui et les linguistes modernes – à en étudier les caractéristiques et les règles de fonctionnement. La linguistique se distingue donc de la grammaire traditionnelle en ceci qu'elle n'est pas normative (c'est-à-dire que son problème est la langue telle qu'elle est et non telle qu'elle devrait être).

En tant que discipline, la linguistique comprend notamment l'étymologie, la sémantique, la phonétique, la morphologie et la syntaxe.

Elle a joué un rôle déterminant dans l'évolution des sciences humaines au XXe siècle en constituant pour les autres disciplines comme l'anthropologie ou la psychanalyse un modèle dans le cadre du structuralisme.

LIPOGRAMME nom masc. – Texte dans lequel l'auteur se refuse à utiliser l'une des lettres de l'alphabet.

ÉTYM. : du verbe grec *leipein* = « laisser », « abandonner » qu'on retrouve dans la famille du mot « ellipse » ou du mot « éclipse ».

Le *lipogramme* est un exercice de style par lequel un écrivain peut faire la preuve de sa virtuosité à manier sa langue. Tout dépend cependant de la lettre dont on se refuse l'usage. La plupart des poèmes de la langue française sont en effet des lipogrammes en w et en k. L'exercice n'a d'intérêt que si l'auteur se prive d'une lettre d'un usage courant. À cet égard, il convient de citer le tour de force réalisé par Georges Perec qui, dans *La Disparition*, a composé tout un roman sans avoir recours à la voyelle la plus fréquente de l'alphabet : le « e ».

→ *Oulipo*

LITANIE nom fém. – Prière liturgique consistant en la répétition d'invocations.

ÉTYM. : par le latin du grec *litaneia* = « prière » par le latin *litania*.

Cette forme liturgique a été reprise par certains poètes. Ainsi Baudelaire qui est l'auteur des « Litanies de Satan ».

Dans la langue courante, le mot est souvent pris en mauvaise part avec le sens d'une énumération fastidieuse.

→ *Incantation – Prière*

LITOTE nom fém. – Procédé qui consiste à dire peu, en atténuant l'expression de sa pensée, tout en se faisant exactement comprendre de son interlocuteur.

La *litote* est l'inverse de l'hyperbole. Elle est très courante dans le langage quotidien. Ainsi dire « ce n'est pas mal » pour signifier « c'est bien » est une forme de litote. Il s'agit toujours de dire moins pour faire comprendre plus.

Parmi les exemples souvent cités, « *Non sum adeo informis* » (Virgile, *Bucoliques*, II) = « Je ne suis pas à ce point difforme », pour dire, en fait, « je suis beau ». « Va, je ne te hais point » (Corneille, *Le Cid*), formule qui permet à Chimène de dire le moins pour exprimer le plus (« je t'aime »).

→ *Euphémisme*

LITTÉRARITÉ nom fém. – Caractère de ce qui donne à un texte son statut littéraire.

Voir à « Littérature ».

LITTÉRATURE nom fém. – Ensemble des textes qui se définissent par un usage esthétique de la langue.

ÉTYM. : du latin *litteratura* (plutôt le sens de « grammaire », « érudition ») se rattachant à *littera* = « lettre ».

La définition ne peut qu'être vague pour rendre compte de la diversité des formes littéraires. Tout le problème est bien entendu de tracer la frontière qui sépare ce qui est de la *littérature* de ce qui n'en est pas. De manière simple, on peut avancer que la littérarité d'un texte naît de l'importance accordée à la langue elle-même qui véhicule le sens et au travail dont elle est l'objet.

Notons que le mot littérature peut aussi avoir un sens péjoratif lorsqu'on l'associe à ce qui, dans l'expression, est secondaire, décoratif et insincère. Ainsi dans le célèbre vers qui termine *L'Art poétique* de Verlaine :

« Et tout le reste est littérature »

De même, c'est par antiphrase, par mépris de ce que le mot désigne trop souvent que les surréalistes ont nommé *Littérature* l'une de leurs revues.

LIVRET nom masc. – Texte mis en musique pour un opéra.

Le livret peut être en soi une œuvre littéraire authentique. Il peut consister en une œuvre originale ou en l'adaptation d'un texte littéraire antérieur : théâtre le plus souvent (et ici on peut citer aussi bien le *Macbeth* de Verdi sur un livret de Piave que le *Don Giovanni* de Mozart sur un texte de Da Ponte) ou roman (*Guerre et Paix* de Prokofiev d'après Tolstoï).

→ *Opéra*

LOCUTEUR nom masc. – Personne qui parle, qui émet le message.

ÉTYM. : se rattache au verbe latin *loqui* = « parler ».

LOGOMACHIE nom fém. – Propos fait de mots creux, dénués de substance, qui n'abordent pas les vrais problèmes.

ÉTYM. : du grec *logos* = « parole », « discours » et *makhê* = « combat », donc littéralement « combat de mots » d'où « accumulation des mots creux ».

C'est partiellement ce qu'on appelle aujourd'hui la « langue de bois ». Mais l'expression « langue de bois » comporte aussi l'idée d'un discours sclérosé et systématiquement mensonger.

LOI nom fém. – 1. Règle formulée par une autorité compétente et dont l'obéissance s'impose aux membres d'une société donnée.
2. Formule qui traduit, de manière scientifique, l'existence de rapports constants.

Les deux sens sont présents chez Montesquieu par exemple. En tant que juriste, Montesquieu constate la diversité des *lois* (premier sens). Il essaie de voir si, derrière ce désordre, il n'y aurait pas quelques grandes *lois* (second sens), c'est-à-dire des relations se caractérisant par leur caractère permanent et l'absence d'exceptions.

LUMIÈRES (philosophie des) – Mouvement intellectuel européen qui, fondé sur les valeurs de progrès et de raison, exerça une influence décisive sur l'histoire et la culture du XVIIIᵉ siècle.

Les « Lumières » en question sont celles de l'esprit humain. Pour les philosophes du XVIIIᵉ siècle, elles doivent, comme l'explique Kant, permettre à l'individu de sortir de toutes les tutelles injustes par l'usage de sa propre raison.

Le mouvement des Lumières – qui a donné son nom à un XVIIIᵉ siècle qu'on nomme quelquefois le « Siècle des Lumières » – a été un mouvement européen. Il s'est développé aussi bien en France qu'en Allemagne, en Angleterre ou en Écosse. Ses principaux représentants en France furent Montesquieu, Voltaire, Diderot et, d'une manière générale, les Encyclopédistes. On peut tenir également Rousseau pour un des philosophes des Lumières quand bien même il a toujours occupé une place en marge du mouvement et cela notamment à cause de la méfiance qu'il avait pour le progrès.

La philosophie des Lumières est d'abord une philosophie critique. Elle se caractérise par le refus d'une autorité toute-puissante aussi bien dans le domaine de la religion que dans celui de la politique. De ce fait, les philosophes des Lumières s'opposent au dogmatisme, au fanatisme, à l'intolérance, au despotisme et s'attachent à agir contre ces fléaux en diffusant leurs idées. Ils affirment la valeur de la raison, de la science, de l'expérience et veulent participer au progrès d'une humanité qui, grâce à la connaissance, à la technique et à la philosophie, devrait se défaire des maux qui l'affligent.

→ *Aufklärung* – *Critique (Esprit)* – *Libre examen*

LYRISME nom masc. – Poésie traduisant la force du sentiment qui habite l'auteur et celle de l'élan qui l'anime.

ÉTYM. : le « lyrisme » se rattache à la « lyre », instrument de musique utilisé pour accompagner le poète et souvent associé à la création poétique. Du grec *lurikos* = « lié au jeu de la lyre », se rattachant à *lura* = « lyre ». Certaines catégories de poèmes, et notamment ceux où le poète exprimait ses sentiments personnels, étaient chantées et accompagnées à la lyre.

Chez les Grecs, un poème lyrique était un poème chanté avec accompagnement de lyre. Ce sens est resté dans la langue moderne lorsqu'on définit l'opéra comme un art lyrique.

On peut caractériser le lyrisme moderne en disant qu'il est une poésie du chant – au sens figuré et non plus au sens propre – et surtout une poésie de l'émotion. En ce sens, il n'y a ni genres lyriques ni thèmes lyriques : tout dépend d'abord de l'émotion et du souffle que le poète réussit à faire passer dans son texte.

André Breton définit ainsi le lyrisme :

« *J'entends à ce moment par lyrique, ce qui constitue un dépassement en quelque sorte spasmodique de l'expression contrôlée. Je me persuade que ce dépassement, pour être obtenu, ne peut résulter que d'un afflux émotionnel considérable et qu'il est aussi le seul générateur d'émotion profonde en retour, mais – et c'est là le mystère – l'émotion induite différera du tout au tout de l'émotion inductrice. Il y aura eu transmutation.* »

M

MACARONISME nom masc. – Procédé comique qui vise à mélanger dans un texte des mots latins avec des mots de sa propre langue qu'on dote de terminaisons latines.

ÉTYM. : de l'italien *macaronea* = « poème burlesque ».

Molière a, notamment, recours à ce procédé dans *Le Malade imaginaire* pour se moquer du pédantisme des médecins qui ont recours au latin.

MACHIAVÉLISME nom masc. – Doctrine inspirée des œuvres de Machiavel et qui consiste en politique à ne reculer devant aucun moyen pour parvenir à ses fins.

ÉTYM. : de Machiavel, auteur italien.

Machiavel (1469-1527), auteur du *Prince*, était sans doute loin d'être machiavélique. Il se contentait de faire preuve de réalisme politique et de donner des conseils aux princes de son temps pour asseoir leur autorité et assurer ainsi la paix tout en délivrant l'Italie.

Rousseau est même allé jusqu'à suggérer que Machiavel ne décrivait le pouvoir sous un jour si noir que pour mettre en garde les peuples contre ceux qui les gouvernent. Sans aller aussi loin, il faut se garder de confondre la pensée de Machiavel avec la doctrine sommaire à laquelle on a associé son nom.

MADRIGAL nom masc. – Petite poésie galante.

ÉTYM. : de l'italien *madrigale*.

À l'origine, le madrigal était un poème destiné à être chanté. Le genre fut développé en Italie et illustré notamment par Pétrarque.

MAÏEUTIQUE nom fém. – Méthode utilisée par Socrate pour amener, par une série de questions, ses interlocuteurs à la vérité.

ÉTYM. : du grec *maieutikê* = « art de faire accoucher ».

Par analogie, on applique ce terme à la technique pédagogique utilisée par Socrate. Celui-ci, au lieu de livrer la vérité toute faite, s'attachait à amener progressivement ses contradicteurs à la découvrir eux-mêmes par les questions qu'il leur adressait. En ce sens, Socrate se voulait un « accoucheur de pensées ». Il s'amusait d'ailleurs à rapprocher sa méthode de la profession de sa mère, laquelle était sage-femme.

MANICHÉISME nom masc. – 1. Religion orientale inspirée de l'enseignement de Mani (ou Manès) et affirmant que le monde est le lieu d'un combat entre les principes égaux du Bien et du Mal.
2. Toute doctrine qui oppose de manière trop simple le domaine du Bien à celui du Mal.

ÉTYM. : de Mani ou Manès.

EMPLOI : (de l'adjectif correspondant) « Il faut éviter de voir les choses d'une manière trop manichéiste. »

MANIÉRISME nom masc. – Style exagérément travaillé.

ÉTYM. : de l'italien *maniera* = « manière ».

Le mot a été utilisé notamment par la critique moderne pour qualifier un style pictural et architectural en vogue dans l'Italie du XVIe siècle. D'une manière plus générale, on peut parler de « maniérisme » chaque fois qu'on est en présence d'un style qui se caractérise par son raffinement excessif.

→ *Gongorisme – Préciosité*

MANIFESTE nom masc. – Texte théorique par lequel un individu ou un groupe présente au public ses positions en matière esthétique ou politique.

ÉTYM. : du latin *manifestus* par l'intermédiaire de l'italien *manifesto*.

En littérature, le *manifeste* sert la plupart du temps à lancer un mouvement littéraire en exposant les principes de son esthétique. C'était l'ambition par exemple du *Manifeste du surréalisme* (1924) d'André Breton. La *Défense et Illustration de la langue française* (1549) de Du Bellay peut être considérée comme un manifeste.

MARINISME nom masc. – Style affecté à l'image de celui du poète italien Giambattista Marini (1569-1625).

ÉTYM. : de Marini.

→ *Gongorisme – Hermétisme – Préciosité*

MARIVAUDAGE nom masc. – 1. Préciosité propre au théâtre de Marivaux.
2. Badinage amoureux dans le ton des pièces de Marivaux.

ÉTYM. : de Marivaux.

Le raffinement du langage dans le théâtre de Marivaux – le marivaudage au premier sens – se justifie par la volonté de peindre les nuances les plus subtiles de l'âme, et de rendre les mouvements les plus fins de la sensibilité. Il s'agit notamment de saisir le moment où l'amour naît sans oser encore s'avouer. D'où une hésitation que le style se doit de rendre en se calquant sur la complexité du sentiment décrit.

Au second sens, le mot désigne le jeu amoureux et galant auquel peuvent se livrer deux individus qui, avec raffinement, cherchent à se séduire.

MARXISME nom masc. – Système philosophique, économique et politique inspiré des œuvres de Karl Marx et de Friedrich Engels.

Lénine définissait ainsi le marxisme :

« *Le marxisme est le système des idées et de la doctrine de Marx. Marx a prolongé et génialement achevé l'œuvre des trois principaux courants d'idées du XIXe siècle, qui appartiennent aux trois pays les plus avancés de l'humanité : la philosophie classique allemande, l'économie politique classique anglaise et le socialisme français, lié aux doctrines révolutionnaires françaises en général.* »

À la philosophie allemande, Marx emprunte le matérialisme de Feuerbach et la conception dialectique de l'histoire de Hegel. À l'économie politique, Marx doit les bases d'une théorie de la valeur et du travail qui lui a permis de fonder son analyse du système capitaliste. Quant aux socialistes français, Marx partage avec eux la conviction qu'il faut remettre en cause une société bourgeoise qui ne vit que de l'aliénation du prolétariat.

Sur cette triple base, le marxisme se présente, conformément à la XIᵉ thèse sur Feuerbach, comme une philosophie qui ne se contente pas d'interpréter le monde mais entend également le transformer. Elle veut proposer une analyse scientifique de la société capitaliste et participer à la révolution qui mettra un terme à celle-ci. Le marxisme a joué un rôle essentiel dans l'histoire du mouvement communiste et constituait la doctrine officielle dans les pays de l'Est. La question reste posée de savoir si le communisme, tel qu'il existe aujourd'hui, constitue la réalisation du marxisme ou la trahison de celui-ci.

Le marxisme a exercé une influence considérable sur la culture et la littérature françaises. Les grandes avant-gardes du XXᵉ siècle – du surréalisme à *Tel Quel* – ont voulu conjuguer à la révolution poétique à laquelle elles travaillaient une révolution politique d'inspiration clairement marxiste. Défini par Sartre comme l'« *horizon indépassable de notre temps* », le marxisme a constitué l'un des principaux systèmes de références aussi bien pour la philosophie que pour la critique littéraire, cette dernière s'essayant, de manière plus ou moins réductrice, à interpréter les œuvres littéraires à la lumière de notions telles que l'idéologie ou la lutte des classes.

→ *Infrastructure*

MASCULINE (rime) – Toute rime qui ne se termine pas par un « e » muet.

La règle voudrait en principe que, dans un poème, les rimes masculines et les rimes féminines, selon des modalités variables, alternent.

Il existe cependant des exceptions. À titre d'exemple, voici une strophe d'un poème de Rodenbach qui ne contient que des rimes masculines :

« *Ô ville, toi ma sœur à qui je suis pareil,*
Ville déchue, en proie aux cloches, tous les deux
Nous ne connaissons plus les vaisseaux hasardeux
Tendant comme des seins leurs voiles au soleil,
Comme des seins gonflés par l'amour de la mer.
Nous sommes tous les deux la ville en deuil qui dort
Et n'a plus de vaisseaux parmi son port amer,
Les vaisseaux qui jadis y miraient leur flanc d'or ;
Plus de bruits, de reflets… Les glaives des roseaux
Ont un air de tenir prisonnières les eaux,
Les eaux vides, les eaux veuves, où le vent seul
Circule comme pour les étendre en linceul
Nous sommes tous les deux la tristesse d'un port :
Toi, ville ! toi ma sœur douloureuse qui n'as
Que du silence et le regret des anciens mâts ;
Moi, dont la vie aussi n'est qu'un grand canal mort ! »

→ *Rime*

MASOCHISME nom masc. – Perversion qui consiste à jouir de sa propre souffrance.

ÉTYM. : de Sacher-Masoch, écrivain autrichien du XIXᵉ siècle.

Le principal ouvrage de Sacher-Masoch, *La Vénus à la four-rure*, met en scène un jeune homme, Séverin, qui accepte, au terme d'un contrat passé avec sa maîtresse, de devenir l'esclave de la femme qu'il aime. Notons que comme c'est le cas avec le sadisme – dont le masochisme constitue à certains égards l'envers –, l'œuvre de Sacher-Masoch ne se réduit pas à l'image simplifiée que les psychiatres en ont proposé.

→ *Sadisme*

MASS MÉDIAS nom masc. – Moyens de diffusion de masse.

ÉTYM. : du latin *médius* = « intermédiaire » dont le pluriel neutre *media* = « mécanismes intermédiaires », « procédé ». Le mot nous est venu de l'anglo-saxon en association avec *mass* = « masse ». On retrouve dans l'expression *mass médias* l'idée d'« intermédiaire », puisqu'il s'agit des différents moyens de diffusion qui se trouvent entre l'émetteur du message et son récepteur.

Les *mass médias* sont plus des moyens de diffusion de masse que des moyens de communication. En effet, le message circule surtout dans le sens émetteur-récepteur. Il existe parfois un retour du récepteur du message vers l'émetteur, mais qui reste contrôlé et de toute façon marginal.

Les principaux médias sont la presse à grand tirage, l'édition à grand tirage y compris la BD, les disques, cassettes, compacts, la radio, la télévision, le cinéma, le minitel.

Le téléphone et la télécopie se distinguent du reste par le fait que le message circule vraiment dans les deux sens. De ce fait, les spécialistes hésitent souvent à les classer dans les mass médias. Il en va de même pour les échanges sur Internet.

ORTHOGRAPHE : en latin, il n'y a pas d'accent, et le pluriel est *media* (sans « s ») ; faut donc choisir entre un pluriel latin (sans accent sur le « e » et sans « s ») ou un pluriel français (donc avec accent et « s »).

On peut mettre un tiret ou ne pas en mettre. Si l'on était cohérent, dans le cas où l'on francise *media,* il faudrait aussi franciser *mass,* mais cet usage ne s'est pas répandu. On pourra donc écrire : mass-media, mass media, mass-médias, mass médias. C'est à cette dernière orthographe que va notre préférence, car nous pensons que les mots étrangers doivent être intégrés, et donc francisés en ce qui concerne les accords grammaticaux.

MATÉRIALISME nom masc. – Philosophie. 1. Doctrine philosophique selon laquelle la réalité est matière.
2. Désir exclusif des biens matériels.

Il est essentiel de bien distinguer les deux sens du mot, car, comme c'est le cas pour l'idéalisme, on procède souvent à l'amalgame en confondant volontairement le sens philosophique (premier sens) avec le sens courant (second sens) qui n'en est que la caricature.

Dans *Matérialisme et empiriocriticisme*, Lénine, s'inspirant de Engels, définit ainsi le matérialisme en l'opposant à l'idéalisme :

« *Engels déclare dans son* Ludwig Feuerbach *que le matérialisme et l'idéalisme sont les courants philosophiques fondamentaux. Le matérialisme tient la nature pour ce qui est premier et l'esprit pour ce qui est second ; il met l'être à la première place et la pensée à la seconde. L'idéalisme fait le contraire. Engels met l'accent sur cette distinction radicale entre les "deux grands camps" qui divisent les philosophes des "différentes écoles" de l'idéalisme et du matérialisme, et accuse carrément de "confusionnisme" ceux qui emploient ces termes dans un autre sens.* »

Le matérialisme, même s'il s'oppose clairement à l'idéalisme, est loin d'être une doctrine homogène. On distingue les matérialistes antiques comme Lucrèce ou Épicure des représentants du matérialisme classique, tel Diderot. Ces derniers défendaient souvent une conception mécaniste du matérialisme en affirmant que la pensée était déterminée par la matière. À l'inverse, les représentants du matérialisme dialectique – Marx, Engels, Lénine, Mao – affirment que l'esprit et la matière constituent un couple d'opposés dans lequel le second terme est la base déterminante.

→ *Idéalisme*

MAXIME nom fém. – Formule exposant de manière brève et frappante un jugement d'ordre moral.

ÉTYM. : du latin médiéval *maxima sententia* = « la sentence la plus grande ».

La *maxime* se distingue mal de l'aphorisme ou de la pensée. Lapidaire, elle condense dans l'espace d'une phrase une proposition très générale sur la nature humaine. Elle constitue en soi un genre littéraire.

La maxime fut très à la mode au XVIIᵉ siècle et au XVIIIᵉ siècle.

Outre Vauvenargues (1715-1747), il faut citer ici La Rochefou-cauld (1613-1680) qui sut donner aux maximes – qui, à l'origine, étaient un divertissement de salon – une véritable dimension littéraire. Citons la principale de ses maximes qui donne la tonalité d'ensemble de son œuvre et livre la clé de sa conception de la morale :

« *Les vertus se perdent dans l'intérêt, comme les fleuves dans la mer.* »

→ *Pensée – Sentence*

MÉLODRAME nom masc. – Genre théâtral caractérisé par le pathétique et par l'outrance.

ÉTYM. : du grec *mélos* = « chant » et « drame ».

À l'origine, le terme désignait une pièce théâtrale accompa-gnée de musique. Le mot a pris le sens qui est aujourd'hui le sien dans la langue au tout début du XIXe siècle. Le *mélodrame* se caractérise par la complexité de l'intrigue et le simplisme d'une psychologie où s'opposent les bons et les méchants ; il joue sur le pathétique jusqu'à l'excès et fait appel à la sensiblerie et à la sentimentalité du public : il est un théâtre des bons sentiments. Citons parmi les mélodrames les plus populaires : *Les Deux Orphelines* (1875) d'Ennery.

Le genre a pratiquement disparu des scènes contemporaines. Sans doute parce que les séries télévisées assurent aujourd'hui la fonction dévolue autrefois aux mélodrames.

→ *Drame – Pathétique*

MÉMOIRE nom masc. – Écrit récapitulatif faisant le point sur une question judiciaire, financière ou scientifique.

ÉTYM. : du latin *memoria*.

MÉMOIRES nom masc. (toujours au pluriel) – Ouvrage dans lequel un individu relate sa vie et les événements dont il a été le contemporain.

On distingue quelquefois les mémoires de l'autobiographie ou de la confession en cela que les mémoires seraient moins centrés

sur le moi de l'auteur et davantage sur les événements historiques qu'il a pu traverser ou auxquels il a pu participer. Ainsi
les *Mémoires* (1717) du cardinal de Retz tout entiers consacrés
à la participation de celui-ci à la Fronde et, dans une moindre
mesure, les *Mémoires d'outre-tombe* (1849-1850) de Chateaubriand. Souvent, la distinction est cependant artificielle. Flaubert, par exemple, dans sa jeunesse a écrit un ouvrage intitulé
les *Mémoires d'un fou* qui relève très largement de la confession
romancée. Mauriac est l'auteur de *Mémoires intérieurs*, et
l'adjectif utilisé correspond bien au désir de montrer qu'on
s'écarte du sens traditionnel.

Chateaubriand montre bien l'imbrication entre destinée individuelle et évolution politique quand il écrit : « *Je représenterai
dans ma propre personne, représentée dans mes Mémoires, l'épopée
de mon temps.* »

→ *Autobiographie – Journal*

MÉNESTREL nom masc. – Interprète de la poésie médiévale.

ÉTYM. : du bas latin *ministerialis*. En latin *ministerium* =
« ministère », « métier » et *minister* = « serviteur ». Le ménestrel
est un serviteur à gages.

Le ménestrel se distingue du jongleur en ceci qu'il est attaché
à la cour d'un noble qu'il a pour fonction de divertir de sa
musique et de ses poèmes.

→ *Geste – Troubadour*

MERVEILLEUX nom masc. – Le merveilleux consiste dans
l'intervention surnaturelle d'éléments féeriques dans une œuvre
littéraire.

ÉTYM. : du latin *mirabilia* = « choses étonnantes ».

On parlera de *merveilleux* chaque fois qu'une œuvre littéraire
met en scène un monde surnaturel qui se présente comme tel
sans besoin de se justifier aux yeux du lecteur (à la différence
du fantastique ou de la science-fiction). Relèveront donc du
merveilleux toutes les œuvres qui nous transportent dans un

univers féerique (*Alice au pays des merveilles* de L. Carroll) ou qui font intervenir dans notre monde des personnages surnaturels : fées et elfes (*Le Songe d'une nuit d'été* de Shakespeare) ; anges ou saints (*Le Soulier de satin* de Claudel) ; figures de la mythologie antique (*Orphée* de Cocteau).

Le merveilleux ne se confond pas exactement avec le fantastique, car ce dernier suppose toujours une hésitation entre le réel et le surnaturel qui génère chez le lecteur une angoisse.

→ *Fantastique*

MÉTAPHORE nom fém. – Figure de style qui consiste à substituer un mot à un autre en se fondant sur un rapport de ressemblance existant entre les deux termes.

ÉTYM. : du grec *metaphora* = « transport de sens » d'un mot propre à un mot figuré. Formé avec *meta* = « en changeant » et un dérivé de *pherein* = « porter ».

La métaphore se distingue de la comparaison en ceci qu'elle n'explicite pas le rapport établi entre les termes.

Comparaison : « il est stupide comme un âne », « il est têtu comme une bourrique ». Métaphore : « c'est un âne », « c'est une bourrique ».

La comparaison distingue le comparant, le comparé et le terme de comparaison. Avec la métaphore, un seul élément subsiste – le comparant – et c'est au lecteur lui-même de percevoir le comparé auquel il renvoie. D'où la force de la métaphore, mais aussi sa difficulté.

On donnera cet exemple de métaphore filée (métaphore se développant dans un texte sous forme de plusieurs images liées entre elles) :

« Si ma tête, fournaise où mon esprit s'allume,
Jette le vers d'airain qui bouillonne et qui fume
Dans le rythme profond, moule mystérieux
D'où sort la strophe ouvrant ses ailes dans les cieux. »

Victor Hugo, *Les Feuilles d'automne*

Dans *Le Temps retrouvé*, Marcel Proust insiste sur l'importance de la métaphore dans le processus de la création littéraire. Il écrit :

« *On peut faire se succéder indéfiniment dans une description les objets qui figuraient dans le lieu décrit, la vérité ne commencera qu'au moment où l'écrivain prendra deux objets différents, posera leur rapport, analogue dans le monde de l'art à celui qu'est le rapport unique de la loi causale dans le monde de la science, et les enfermera dans les anneaux nécessaires d'un beau style ; même, ainsi que la vie, quand, en rapprochant une qualité commune à deux sensations, il dégagera leur essence commune en les réunissant l'une et l'autre pour les soustraire aux contingences du temps, dans une métaphore.* »

→ *Analogie – Comparaison – Surréalisme*

MÉTAPHYSIQUE nom fém. – Partie de la philosophie qui traite de l'être et de la connaissance.

ÉTYM. : du grec *meta phusika* = ce qui suit les questions de physique.

Le terme vient du grec et trouve son origine dans l'œuvre du philosophe Aristote : il désignait à l'origine tous les livres qui, dans l'œuvre de celui-ci, venaient après *La Physique*. Par la suite, on a appliqué le mot non plus aux livres eux-mêmes, mais aux sujets qui étaient abordés dans ceux-ci.

Quels sont ces sujets ? Ils concernent tout ce qui se situe au-delà du monde physique et qui, de ce fait, est particulièrement difficile à aborder. Disons que la métaphysique est cette branche de la philosophie qui traite de l'univers et de ses causes, de Dieu et de l'âme, de l'être et de la connaissance.

Le mot est quelquefois employé de manière péjorative. À la suite de Voltaire, on considère que toutes ces grandes questions étant sans réponse, la métaphysique n'est qu'une activité creuse et inutile de l'esprit. À la suite des marxistes, on condamne la métaphysique qui échoue à penser, comme la dialectique, la dynamique du monde.

MÉTONYMIE nom fém. – Figure de style par laquelle on substitue un mot à un autre mot en se fondant sur un rapport clair – mais de nature variable – existant entre les termes.

ÉTYM. : du grec *meta* = « changement », « déplacement » et *onoma* = « nom ».

La *métonymie* se distingue de la métaphore en raison de la nature du rapport qui s'établit entre les deux termes. Alors que dans le cas de la métaphore, ce rapport est un rapport d'analogie, de ressemblance, dans le cas de la métonymie, le rapport est de nature très variable.

Il peut être :

– un rapport de cause à effet. Ainsi lorsqu'on désigne un livre ou un tableau par le nom de son auteur : « un Picasso », « un Renoir » ;

– un rapport de la partie au tout (on parlera alors de synecdoque) : « une voile » pour « un bateau à voile », un « quatre roues motrices » pour une « automobile à quatre roues motrices » ;

– un rapport de contenant au contenu : « boire un verre », « une salle de spectacle en délire » ;

– un rapport du lieu d'origine à un objet : « un bordeaux » pour « un vin de bordeaux ».

La liste ici n'est pas limitative.

La distinction entre métonymie et métaphore apparaît bien dans ces deux exemples : « Déguster *un chèvre* chaud », métonymie, car le nom du « producteur » désigne le produit. « C'est *une chèvre* » (à propos d'une personne), métaphore parce que rapport de ressemblance.

→ *Métaphore*

MÈTRE nom masc. – Nature d'un vers définie par le nombre de ses syllabes.

ÉTYM. : du grec *metron* = « mesure ».

On dira, par exemple, que, dans *L'Art poétique*, Verlaine recommande aux poètes l'usage du mètre impair.

La *métrique* est l'étude des mètres.

→ *Poésie – Vers*

MIME nom masc. – 1. Acteur dont le jeu consiste exclusivement en gestes et en attitudes sans aucun recours à la parole.
2. Type de spectacle pratiqué par un acteur du style défini ci-dessus.

ÉTYM. : du grec *mimos* = « mime » à travers le latin *mimus*.

L'art du *mime* remonte à l'Antiquité. En Grèce, puis à Rome, les mimes interprétaient de très courtes pièces où la musique et la danse jouaient un rôle très important et qui, comme dans notre théâtre de boulevard, traitaient, de manière comique et licencieuse, de l'adultère et de la vie familiale.

La tradition se maintint sous des formes variables tout au long du Moyen Âge et connut un véritable renouveau dans l'Italie du XVIᵉ siècle dans le cadre de la commedia dell'arte.

Il y a une tradition française du mime dont le grand représentant est aujourd'hui le mime Marceau et qui se trouve magnifiquement illustrée dans le grand film de Marcel Carné avec Jean-Louis Barrault, *Les Enfants du paradis*.

MIMÉSIS nom fém. – Représentation de la réalité par l'art.

ÉTYM. : du grec et se rattachant au verbe *mimeisthai* = « imiter ».

L'idée comme le mot nous viennent de l'œuvre d'Aristote qui affirmait, dans sa *Poétique*, que la tragédie, et de manière plus générale l'art, représentait le monde réel. Une telle conception si elle reste classique et assez largement acceptée a été au cœur de nombreux et complexes débats théoriques. Elle a notamment été refusée par tous ceux qui pensent que l'art jouit d'une autonomie véritable par rapport à une réalité qu'il ne se contente pas de copier servilement. Pascal souligne le paradoxe de la mimésis, puisque nous admirons l'imitation de choses alors que les choses qui ont servi de modèles nous laisseraient indifférents.

Quand Stendhal parle d'un roman comme d'« un miroir qu'on promène le long du chemin », on peut penser qu'il admet l'idée de l'art comme *mimésis*. Pourtant, pour lui, comme pour Oscar Wilde, l'art n'est pas figuration, mais transfiguration du réel.

→ *Réalisme*

MODERNISME nom masc. – Recherche systématique du nouveau.

ÉTYM. : du bas latin *modernus* de *modo* = « récemment ».

Le mot est souvent employé par la critique pour s'appliquer aux arts et à la littérature depuis la fin du XIXᵉ siècle. Cependant, il est très difficile de lui donner un sens précis dans la mesure où c'est tout l'art contemporain, pratiquement, qui se définit par la volonté de trouver de nouvelles formes d'expression.

MODERNISMO nom masc. – Terme mis à la mode par le poète Rubén Dario (1867-1916) pour désigner sa volonté de modernisation et de renouveau de la poésie hispano-américaine.

ÉTYM. : de l'espagnol *modernismo*.

MONARCHIE nom fém. – Système politique dans lequel le pouvoir est exercé par un seul individu, mais dont l'autorité est limitée et contrôlée.

ÉTYM. : du grec *monos* = « seul » et *arkhê* = « pouvoir », « commandement ».

On distingue la monarchie du despotisme par le fait que, dans la monarchie, le souverain n'est pas tout-puissant. Son pouvoir est limité par des usages (droit coutumier) ou un texte (Constitution). Il est contrôlé par des institutions qui peuvent prendre différentes formes selon les régimes.

Les monarchies modernes sont des monarchies formelles dans la mesure où le monarque ne détient pas véritablement le pouvoir.

→ *Despotisme*

MONOGRAPHIE nom fém. – Étude précise consacrée entièrement à un problème spécifique ou à un auteur particulier.

ÉTYM. : du grec *mono* et *graphie* ; *mono* = « un » et « graphie » venant d'un dérivé de *graphein* = « tracer », « écrire ».

MONOLOGUE nom masc. – 1. Scène théâtrale au cours de laquelle un personnage parle seul de manière à faire connaître au spectateur ses idées ou ses sentiments.
2. Texte bref, souvent comique, devant être dit par un seul acteur.

ÉTYM. : du grec *mono* = « un » et *logos* = « discours ».

Le *monologue* – au premier sens – est un des éléments essentiels du texte théâtral.

Dans la mesure où le théâtre est un art du dialogue et de l'action, le monologue pourrait être considéré comme antithéâtral : il rompt avec les conventions et les règles, puisqu'il constitue une parenthèse dans l'action et que l'acteur, au mépris de la vraisemblance, se met à parler seul et à voix haute, suspendant ainsi le dialogue avec les autres protagonistes de la pièce.

Parenthèse dans l'action, suspension du dialogue, le monologue est cependant indispensable dans nombre de pièces. Il permet essentiellement au spectateur de prendre connaissance de ce qui ne peut lui être montré directement sur la scène : les conflits intérieurs des personnages, leurs sentiments cachés, les convictions dont l'exposition ne pourrait se faire sous forme dialoguée.

Certains monologues comptent parmi les passages les plus célèbres du répertoire théâtral, ceux qui fournissent aux acteurs l'occasion de donner toute la mesure de leur talent : le monologue de Rodrigue dans *Le Cid*, celui d'Harpagon dans *L'Avare*, celui d'Hamlet ou de Macbeth chez Shakespeare.

Parmi les exemples de monologues – au second sens –, on peut citer *Les Méfaits du tabac* de Tchékhov.

MONOLOGUE INTÉRIEUR – Technique romanesque qui consiste à donner l'impression au lecteur que l'auteur retranscrit directement sur la page les pensées de son personnage.

Le *monologue intérieur*, en principe, se veut le reflet direct du flux des pensées, des émotions, des images qui existe en permanence en nous. Il n'en est bien entendu que la reconstitution dans la mesure où le texte ne se contente pas d'enregistrer une réalité extérieure à lui, mais en est la « construction » littéraire. Cependant, le monologue cherche à donner au lecteur une impression de spontanéité, d'immédiateté : il joue donc, alors même qu'il est très minutieusement écrit, à feindre le désordre, l'inachèvement, la maladresse, l'incohérence.

On fait d'ordinaire remonter la technique du « monologue intérieur » à un romancier aujourd'hui bien oublié, Édouard Dujardin, et à son roman *Les lauriers sont coupés* (1888). Le véritable inventeur en est cependant le romancier irlandais James Joyce qui, dans *Ulysse* (1922), a recours à de nombreuses reprises à cette technique. L'exemple le plus achevé et le plus significatif est sans doute à chercher dans les dernières pages de ce livre où Joyce, dans un flux de mots sans ponctuation, retranscrit les pensées nocturnes de son héroïne, Molly Bloom, qui, à mi-chemin entre le sommeil et la veille, évoque dans un désordre apparent sa vie quotidienne, ses désirs et ses souvenirs.

Le monologue intérieur, depuis Joyce, est devenu une des techniques romanesques de prédilection de la littérature d'avant-garde. On en trouvera des illustrations chez Virginia Woolf (*Mrs Dalloway*, 1925), William Faulkner (*Le Bruit et la Fureur*, 1929) et dans les romans de Claude Simon.

→ *Stream of consciousness*

MONORIME adj. – Se dit d'un poème construit entièrement sur une rime.

ÉTYM. : de « mono » et « rime ».

MORALE nom fém. – 1. Partie de la philosophie qui traite de la conduite des hommes et s'attache à définir ce que sont le bien et le devoir.

2. Règles qui, dans une société donnée, définissent le comportement qui devrait être celui des individus.

3. Leçon qui se tire d'une fable.

ÉTYM. : du latin *mores* = « mœurs ».

→ *Apologue* – *Fable*

MORALISTE nom masc. – Écrivain qui, dans ses œuvres, traite des mœurs, de la conduite des hommes et de leur nature.

Le terme a été tout particulièrement utilisé pour désigner quelques-uns des plus grands auteurs du XVIIᵉ siècle comme Pascal, La Bruyère, La Rochefoucauld et La Fontaine.

Les différences entre eux étaient considérables dans la mesure où ces moralistes défendaient des morales largement incompatibles : souci de la mesure et de l'adaptation au monde, austère idéal religieux, lucidité critique à l'égard de tout. Cependant, ces auteurs se retrouvaient dans la conviction que la littérature doit permettre à l'homme de s'analyser et d'analyser la société dans laquelle il vit afin de déterminer la ligne de sa propre conduite.

MORALITÉ nom fém. – 1. Forme dramatique propre à la littérature médiévale qui développe de manière allégorique un enseignement moral.

2. Enseignement moral qui se dégage d'un texte ou d'un événement.

ÉTYM. : voir **MORALE**.

La *moralité* – au premier sens – visait à mettre en scène le combat que se livrent dans l'âme de chacun le Bien et le Mal. Les personnages, de manière claire, représentaient de façon allégorique les vices ou les vertus qui se disputent le cœur de l'homme. Ils se nommaient Raison, Foi, Péché, Désespoir. La plus exemplaire des moralités est peut-être à cet égard *Bien-Avisé et Mal-Avisé* qui raconte l'aventure parallèle de deux individus dont l'un progresse vers le salut et l'autre vers la damnation.

→ *Apologue – Fable*

MOT-VALISE nom masc. – Mot formé de la combinaison d'éléments empruntés à d'autres mots.

ÉTYM. : de « mot » et « valise », peut-être par allusion à l'entassement des choses dans une valise.

Pour définir l'exotisme du roman de Flaubert *Salambô* qui se déroule à Carthage, le critique Sainte-Beuve avait, par exemple, eu recours au mot-valise « carthaginoiserie » formé à partir d'éléments empruntés au mot « carthaginois » et au mot « chinoiserie ».

Le procédé appartient à la langue courante (exemple : motel), mais il a été utilisé essentiellement par des auteurs de langue anglaise : Lewis Carroll et surtout James Joyce qui, dans *Finnegans Wake*, a eu recours à cette technique tout au long de son roman. Chaque mot, ou presque, est de ce fait à lire comme l'emboîtement de plusieurs mots empruntés à deux langues très diverses. On donnera ici deux exemples simples et connus empruntés au texte de Joyce :

« Sansglorians » est un mot-valise qui peut se lire comme la combinaison de « sans » et de « gloire », mais aussi de « sang » et de « gloire » ou encore de « sanglot » et de « riant ». De même « Forsin » peut signifier aussi bien « pour le péché » (For/sin) que prévu » (« foreseen »).

On voit que le mot-valise, par la condensation à laquelle il se livre, oblige le lecteur à un décryptage qui révèle des significations quelquefois multiples. Le mot-valise s'apparente de ce fait au jeu de mots et au lapsus.

MUSE nom fém. – 1. Figure de la mythologie grecque incarnant un art.
2. Figure mythologique de l'inspiration poétique.

ÉTYM. : du grec *mousa* à travers le latin *musa*.

Dans la mythologie grecque, les *Muses* – au nombre de neuf – étaient les filles de Zeus et de Mnémosyne, la Mémoire. Elles représentaient chacune un des arts libéraux : Clio l'histoire, Calliope l'éloquence et la poésie héroïque, Melpomène la tragédie, Thalie la comédie, Euterpe la musique, Terpsichore la danse, Érato l'élégie, Polymnie le lyrisme et Uranie l'astronomie.

De manière traditionnelle, les grands poèmes de l'Antiquité commençaient par une invocation à la Muse que le poète implorait de lui accorder le souffle et l'inspiration nécessaires à son œuvre. De ce fait, la Muse est souvent associée à la seule poésie : elle figure la force quasi surnaturelle de l'inspiration qui se donne ou se refuse au poète.

MYSTÈRE nom masc. – Forme dramatique propre à la littérature médiévale empruntant en général ses sujets à la Bible et mettant en scène le plus souvent la création de l'homme, sa chute et sa rédemption.

ÉTYM. : du grec *mustêrion* de *mustês* = « initié ». Dans le sens étudié ici de « représentation dramatique », une autre étymologie fait remonter le mot au latin *ministerium* = « office ».

Se déroulant sur plusieurs jours, nécessitant des moyens considérables – acteurs, décors, costumes –, véritables fêtes populaires dans lesquelles se marquait la cohésion de la société médiévale, les mystères constituaient les plus ambitieux des spectacles du Moyen Âge. Toujours d'inspiration religieuse, leurs sujets étaient divers, mais tournaient dans la plupart des cas autour de la vie du Christ dont la naissance, la résurrection et surtout la Passion constituaient les temps forts du spectacle.

Parmi les grands mystères dont nous avons conservé les textes, il faut citer *Le Mystère de la Passion* d'Arnoul Gréban et la *Passion d'Arras* d'Eustache Marcadé.

Le genre se développa au XIVᵉ siècle et surtout au XVᵉ siècle, mais connut à la Renaissance un déclin rapide et important. Sa nature religieuse fut altérée et l'idée même de mettre en scène le texte biblique fut considérée soit comme impie soit comme incompatible avec le nouvel esprit du temps. Les mystères furent interdits en 1548 par le Parlement de Paris.

→ *Miracle*

MYSTICISME nom masc. – Doctrine, attitude ou pratique qui vise à l'union totale et directe de l'homme et de la divinité.

ÉTYM. : du latin *mysticus*.

En principe, le *mysticisme* est toujours religieux. Il est cette aventure qu'ont rapportée des saints comme Thérèse d'Avila ou Jean de la Croix, qui consiste, par la prière, la méditation, voire la souffrance, à ouvrir totalement son âme à Dieu pour se perdre en lui et jouir de manière extatique de cette fusion.

Le mysticisme est loin cependant d'être le monopole du christianisme. L'islam, mais surtout les religions orientales comme l'hindouisme ou le boudhisme ont développé depuis longtemps et sans doute de manière plus vertigineuse cette exploration intérieure qui aboutit à une forme parfaite de plénitude.

Outre le mysticisme laïc qui consiste de manière peu convaincante à substituer à Dieu une valeur comme la révolution ou l'histoire et qui n'a pas grand-chose à voir avec les exemples précédents, on peut imaginer un mysticisme athée qui est par exemple celui de Georges Bataille. Dans *L'Expérience intérieure* ou *Le Coupable*, celui-ci décrit toute une série d'états limites de la conscience qui s'apparentent à ceux que connaissent les mystiques, mais qui diffèrent radicalement de ceux-ci dans la mesure où ils ne débouchent que sur le vide absolu, sans aucune des certitudes que confère la religion.

MYTHE nom masc. – 1. Récit fabuleux qui, dans une société donnée, traduit une certaine vision du monde et de la réalité commune aux individus.
2. Récit poétique traduisant sous forme imagée une doctrine ou une idée philosophique.
3. Représentation collective déformée d'une idée ou d'une réalité.

ÉTYM. : du grec *muthos* = « récit », « fable ».

Au premier sens, on parle du mythe d'Œdipe, du mythe d'Orphée mais aussi de celui de Tristan et Yseut ou de Faust. Le mythe est un récit légendaire qui peut appartenir de manière anonyme à la culture d'une société ou avoir été forgé par un écrivain ou un artiste, mais qui a toujours pris une dimension collective en laquelle les individus se reconnaissent. Sous forme de récit, le mythe porte avec lui une certaine conception du monde, des lois que l'individu doit accepter, du fonctionnement de la société.

Considéré autrefois comme une chimère, une fable que la science et la raison se devaient de dissiper, le mythe est aujourd'hui l'objet d'une grande attention de la part des ethnologues, des anthropologues et des philosophes (Eliade, Lévi-Strauss, Girard) qui cherchent soit à en étudier la structure soit à en comprendre la fonction sociale.

La littérature moderne a également trouvé dans le mythe une source essentielle d'inspiration. Romanciers, poètes et dramaturges contemporains se sont approprié certains des mythes les plus célèbres de l'humanité pour en donner comme de nouvelles versions littéraires. C'est le cas, par exemple, de Joyce (*Ulysse*), d'Anouilh (*Antigone*), de Cocteau (*Orphée*), de Pierre Emmanuel (*Tombeau d'Orphée*) ou, plus près de nous, de Michel Tournier (*Le Roi des Aulnes, Les Météores*).

Au deuxième sens, le terme sert à désigner un récit comme celui auquel Platon a recours dans le livre VII de *La République* et qui lui permet d'expliquer ce qu'est le monde des Idées : on parle du mythe de la caverne.

Au troisième sens, le terme est plus difficile à cerner. On parlera de mythe chaque fois qu'une image cohérente et importante s'est constituée dans l'imaginaire collectif d'une société qui vise à donner une grandeur presque fabuleuse et surnaturelle à une réalité. On dira par exemple que, de Napoléon à de Gaulle en passant par Pétain, l'imaginaire politique français semble dominé par le mythe du sauveur ou de l'homme providentiel.

C'est un peu dans cette perspective que Barthes, dans son ouvrage *Mythologies*, a défini le mythe. Celui-ci est pour lui une parole mystificatrice qui vise à présenter comme naturelle et donc nécessaire une réalité qui est en fait le produit historique de l'idéologie petite-bourgeoise qui domine la France des années 50. Barthes analyse ainsi le langage de la publicité et de la presse en montrant que derrière les images qui nous sont présentées se dissimule en fait tout un discours qui est celui de la « doxa », de l'opinion commune, de l'idéologie.

N

NARCISSISME nom masc. – Tendance à ne porter attention qu'à soi-même, par amour de sa propre personne.

Narcisse (en grec *Narkissos*) est un personnage de la mythologie gréco-latine. Dans *Les Métamorphoses*, Ovide rapporte comment, fasciné par son reflet dans l'eau, il ne put se soustraire à la contemplation de sa propre image et mourut.

Symbole de l'amour ou de la contemplation de soi-même, le mythe de Narcisse a inspiré les écrivains français. Ainsi André Gide dans *Le Traité du Narcisse* (1891) ou Paul Valéry dans « Fragments du *Narcisse* » (1926).

Avec Freud, la psychanalyse a fait du narcissisme une perversion, décisive, notamment, dans la genèse de l'homosexualité : l'individu se choisit lui-même comme objet de désir.

→ *Égoïsme – Psychanalyse*

NARRATAIRE nom masc. – Personnage à qui, dans un roman, s'adresse le récit du narrateur.

Dans certains romans anciens comme Jacques le Fataliste de Diderot ou dans d'autres plus modernes comme *Si par une nuit d'hiver* d'Italo Calvino, le narrateur s'adresse directement au destinataire du récit, pour tenter de l'intégrer à celui-ci ou pour souligner, à son intention, la part d'arbitraire ou de vérité que recèle la fiction.

Citons, à titre d'exemple, ce passage de *Jacques le Fataliste* :

« *Vous voyez, lecteur, que je suis en beau chemin, et qu'il ne tiendrait qu'à moi de vous faire attendre un an, deux ans, trois ans, le récit des amours de Jacques, en le séparant de son maître et en leur faisant courir à chacun tous les hasards qu'il me plairait. Qu'est-ce*

*qui m'empêcherait de marier le maître et de le faire cocu ? d'embar-
quer Jacques pour les îles ? d'y conduire son maître ? de les ramener
tous les deux en France sur le même vaisseau ? Qu'il est facile de
faire des contes !* »

Encore que cette distinction soit subtile, il convient de ne pas
confondre « narrataire » et « lecteur ». De même que le narrateur
n'est pas l'auteur, le narrataire n'est pas le lecteur : il n'en est
que l'image construite et disposée à l'intérieur du récit.

→ *Lecteur – Narrateur*

NARRATEUR nom masc – Personnage qui raconte un récit.
ÉTYM. : du latin *narrator*.

La narratologie – étude des récits – s'est abondamment
penchée sur cette question. Il existe donc plusieurs systèmes de
description de la fonction du narrateur dans le récit.

L'essentiel est ici de ne pas confondre auteur et narrateur, car
comme l'écrit Roland Barthes dans *L'analyse structurale du récit* :
« qui parle (dans le récit) n'est pas qui écrit (dans la vie) et qui
écrit n'est pas qui est. »

Prenons l'exemple de *À la recherche du temps perdu* de Marcel
Proust. Le personnage qui, dès la première ligne du roman, dit
« je » n'est en aucun cas Proust lui-même. Certes, les ressem-
blances entre l'auteur et le narrateur sont ici nombreuses qui
expliquent la confusion que l'on fait souvent : en quelques rares
endroits de son texte, Proust donne à son personnage le même
prénom que le sien : il emprunte largement au récit de sa propre
vie pour construire celle de son héros. Cependant, Proust insiste
bien sur ce point : le « Marcel » de la fiction n'est pas lui-
même. De même, et ainsi que Proust le souligne dans son
Contre Sainte-Beuve, il convient de ne pas confondre « moi créateur » et « moi social » : il faut distinguer l'individu tel qu'il
existe dans le quotidien et tel qu'il se construit lui-même dans
l'acte de la création. On ne saurait expliquer le premier par le
second. Si bien qu'entre l'« homme » Proust et le personnage
qui, dans l'œuvre, dit « je », s'intercale toute une série de filtres

et de prismes qui interdisent qu'on assimile l'un à l'autre. Le narrateur n'est, pour reprendre une expression de Barthes, qu'un « être de papier ».

Sans rentrer dans les classifications complexes qu'établit la narratologie, on peut présenter deux cas de figures simples. Souvent, le narrateur est interne à la fiction : c'est le cas, par exemple, des récits à la première personne où l'un des personnages assume cette fonction. Dans cette hypothèse, tout nous est présenté à travers un regard particulier : nous ne connaissons de l'histoire que ce qu'il nous en dit. Mais, tout aussi souvent, le romancier a recours à un narrateur externe à la fiction : ainsi dans le récit à la troisième personne ou dans le roman balzacien qui nous fait découvrir récit et personnage « de l'extérieur », comme si nous étions omniscients à la manière de Dieu lui-même.

Cette question, parce qu'elle engage toute une conception de la littérature, a été au centre de nombreux débats théoriques et expérimentations romanesques.

→ *Focalisation – Narrataire – Personnage*

NATION nom fém. – Ensemble d'individus composant, sur un territoire donné, une unité politique autonome et souveraine.

ÉTYM. : du latin *natio*.

Dans *Qu'est-ce que le tiers état ?*, Sieyès définit une nation comme « un corps d'associés vivant sous une loi commune et représentés par la même législature ». L'idée de nation, en ce sens, est révolutionnaire, car elle s'oppose au système de l'Ancien Régime sous lequel les individus, du fait de leur naissance, ne jouissent ni des mêmes droits civils ni des mêmes droits politiques. En substituant le principe de la souveraineté nationale à celui de la monarchie de droit divin, la Révolution française invente donc l'idée moderne de nation.

Celle-ci trouvera sa plus juste et sa plus rigoureuse formulation à la fin du XIXe siècle dans la bouche du philosophe Ernest Renan. Celui-ci, dans *Qu'est-ce qu'une Nation ?* (1882), prend le contre-pied des théories allemandes qui faisaient la part belle aux critères raciaux ou linguistiques, comme éléments sur lesquels se fonderait une nation. Il affirme qu'une nation est à la fois un héritage et un projet communs, la volonté des peuples de vivre ensemble étant ici l'élément essentiel. Renan déclare : « *Une nation est donc une grande solidarité, constituée par le sentiment des sacrifices qu'on a faits et de ceux qu'on est disposé à faire encore. Elle suppose un passé ; elle se résume pourtant dans le présent par un fait tangible : le consentement, le désir clairement exprimé de continuer la vie commune.* »

→ *Nationalisme*

NATIONALISME nom masc. – 1. Sentiment d'attachement à sa propre nation, et exaltation de celle-ci pouvant aller jusqu'au chauvinisme et à la xénophobie.
2. Doctrine visant à faire de la grandeur nationale l'objectif essentiel de toute politique.

Historiquement, il est souvent difficile de distinguer les différents sens du mot nationalisme. Le sentiment précède sans doute l'élaboration de la doctrine, mais celle-ci, en le justifiant, le renforce et le relance.

Le nationalisme a présenté des visages très différents de lui-même. En France comme dans le reste de l'Europe, il a d'abord correspondu aux aspirations révolutionnaires des peuples désireux de renverser l'ordre de l'Ancien Régime et du congrès de Vienne : la théorie de la souveraineté nationale visait à se substituer au principe monarchique. À la fin du XIXᵉ siècle, cependant, le nationalisme change de nature : à la suite de la défaite de la France devant la Prusse en 1870 et à la faveur de l'affaire Dreyfus, il passe à droite, se fait conservateur, xénophobe et antisémite ; il devient exaltation intolérante de la grandeur française et rejet violent de tout ce qui la menace.

L'amour de la nation, de la terre où l'on est né, est un thème qui a été largement exploité par les écrivains français. De Du Bellay à Péguy en passant par Hugo, les poètes ont chanté la patrie française. À la fin du siècle dernier s'est développée une véritable littérature nationaliste dont Barrès fut sans doute le plus brillant représentant : l'individu, pour lui, n'existait qu'en fonction de la terre et des morts dont il se découvrait l'héritier ; la mission de la littérature devait être de ranimer et d'entretenir l'énergie nationale. Les deux grands conflits du XXᵉ siècle ont amené les écrivains à prendre position sur la question du nationalisme et de ses effets historiques : Proust (*Le Temps retrouvé*) et Céline (*Voyage au bout de la nuit*) dénoncent le « bourrage de crâne » patriotique de la Première Guerre mondiale tandis qu'Aragon redonne sens au mot « patriotisme » dans ses poèmes de la Résistance (*La Diane française*).

NATURALISME nom masc. – Doctrine esthétique propre à la littérature française de la fin du XIXᵉ siècle et qui charge le roman de rendre compte de manière quasi scientifique de la réalité.

ÉTYM. : de naturel.

Le terme de *naturalisme* peut être employé de manière vague et large : il devient alors synonyme de « réalisme » et cela dans un sens quelquefois péjoratif. On parlera ainsi du « naturalisme » d'un écrivain pour désigner son choix de décrire de la manière la plus directe et la plus crue les dimensions sordides et matérielles de la réalité.

D'ordinaire, on réserve cependant ce terme à une doctrine et à un mouvement littéraires propres au roman réaliste français de la fin du XIXᵉ siècle. C'est en ce sens qu'on présente comme des écrivains naturalistes les frères Goncourt, Maupassant ou Huysmans.

L'indiscutable théoricien et chef de file du mouvement fut cependant Zola. Dans *Le Roman expérimental* (1879), fortement imprégné des thèses de Claude Bernard, il présente le romancier comme un véritable savant qui, plaçant ses personnages dans un milieu donné, les exposant à des forces ou des circonstances particulières, réalise dans le cadre du texte une forme d'expérience scientifique qui permet d'étudier, en laboratoire, le mécanisme de la vie. Ces thèses sont discutables, et tout particulièrement l'analogie entre roman et expérience. Il est vrai que c'est sans doute en dépit de ses théories plutôt qu'en raison de celles-ci que Zola a produit l'une des plus importantes œuvres romanesques du XIXe siècle. Sa grande fresque – *Les Rougon-Macquart* – se veut une « histoire naturelle et sociale d'une famille sous le second Empire » : l'étude des milieux et de la réalité sociale, de discutables théories sur l'hérédité et sur la psychologie humaines contribuent à une saisissante construction romanesque.

Le naturalisme de Zola a été l'objet de nombreuses critiques. Les lecteurs et les journalistes lui reprochaient souvent de peindre seulement les aspects les plus sordides de l'existence et d'être ainsi contraire à la morale. Dans *Le Roman expérimental,* Zola se défendait ainsi :

« *On nous accuse de manquer de morale, nous autres écrivains naturalistes, et certes oui, nous manquons de cette morale de pure rhétorique. Notre morale est celle que Claude Bernard a si nettement définie : "La morale moderne recherche les causes, veut les expliquer et agir sur elles ; elle veut, en un mot, dominer le bien et le mal, faire naître l'un et le développer, lutter avec l'autre pour l'extirper et le détruire." Toute la haute et sévère philosophie de nos œuvres naturalistes se trouve admirablement résumée dans ces quelques lignes. Nous cherchons les causes du mal social ; nous faisons l'anatomie des classes et des individus pour expliquer les détraquements qui se produisent dans la société et dans l'homme.* »

Le naturalisme fut dénoncé comme une impasse par la plupart des romanciers de la nouvelle génération. Ainsi Joris-Karl Huysmans qui, après avoir été l'un des plus talentueux disciples de Zola, dressa le procès du naturalisme dans les premières pages de son roman *Là-bas*. Il y concède que « Zola est un grand paysagiste et un prodigieux manieur de masses et truchement de peuple », mais il fait dire à l'un de ses personnages :

« *... ce que je reproche au naturalisme, ce n'est pas le lourd badigeon de son gros style, c'est l'immondice de ses idées ; ce que je lui reproche, c'est d'avoir incarné le matérialisme dans la littérature, d'avoir glorifié la démocratie de l'art !* ».

→ *Populisme – Réalisme – Vérisme*

NATURE nom fém. − 1. L'ensemble des propriétés qui défi-nissent fondamentalement un être ou une réalité et auxquelles cet être ou cette réalité se doivent d'être conformes.
2. L'ensemble de tout ce qui est et, particulièrement, ce qui, dans l'univers, se distingue de l'homme.

ÉTYM. : du latin *natura.*

Au premier sens, la *nature* est ce que l'homme doit connaître afin de savoir ce qu'il doit être. Par l'observation de soi-même ou celle des autres, le philosophe doit parvenir à l'intelligence de notre nature humaine. La tâche est particulièrement difficile dans la mesure où l'existence et la vie en société ont pu altérer ce que nous sommes. C'est cependant sur cette nature que nous devons fonder notre conduite. Lorsque Montaigne se demande qui il est ou se penche sur la condition des sauvages, lorsque Rousseau s'attache à définir l'état de nature ou lorsque les révolutionnaires de 1789 proclament la Déclaration des droits de l'homme et du citoyen, ils postulent tous que la nature est le guide que l'homme se doit de suivre.

La question se pose cependant de savoir si une telle nature humaine existe. L'homme peut-il se définir par un ensemble de propriétés fondamentales qui soient identiques quelle que soit l'époque ou la culture dans laquelle il s'inscrit ? Multipliant les questions de cet ordre, la pensée moderne a tendance à se détourner de la notion de nature humaine.

Au second sens, la nature est tout ce qui se distingue de l'homme. Elle peut constituer un environnement hostile dont l'individu doit triompher par son héroïsme ou qu'il doit domestiquer par sa raison. En une formule devenue célèbre de son *Discours de la méthode*, Descartes invite les hommes à se rendre « maîtres et possesseurs de la nature » par l'usage de la technique. Telle est la voie dans laquelle le monde moderne s'est engagé et qui conduit souvent à une destruction pure et simple de l'univers qui nous entoure.

À partir de la fin du XVIIIᵉ siècle se développe cependant une manière nouvelle de percevoir la nature qui s'épanouira au temps du romantisme. Invisible semble-t-il aux yeux des écrivains antérieurs, la nature se constitue alors en un véritable spectacle qui suscite la rêverie de l'écrivain et reflète aussi bien ses angoisses que ses désirs ou ses plaisirs. En rupture avec une société qu'il méprise et condamne, le héros romantique – tel le René de Chateaubriand – trouve dans la nature sauvage un refuge épargné par la corruption des hommes et harmonieusement accordé à la vigueur ou à la mélancolie des passions qui l'habite. La description de la nature fait du coup son entrée dans le roman comme dans la poésie.

NATURE (état de) – État où l'homme existait – ou aurait existé – en dehors de toute société.

Le concept d'état de nature a joué un rôle capital dans la philosophie politique des XVIIᵉ et XVIIIᵉ siècles. Il a servi à réfléchir à la situation qu'avait pu connaître l'humanité avant que la société ne se constituât et à déterminer, à partir de là, la nature du système politique le mieux adapté à la nature humaine : on imaginait ce qui avait pu être pour déterminer ce qui devait être.

Dans *Le Léviathan*, le philosophe anglais Hobbes décrit ainsi un monde dans lequel règne la violence absolue : en l'absence de toute autorité pour régler les différends, les hommes se livrent les uns aux autres une guerre perpétuelle. Pour mettre un terme à celle-ci, ils n'ont d'autre solution que de s'engager par une convention aux termes de laquelle ils confient tout pouvoir au souverain.

Dans son *Discours sur l'origine de l'inégalité parmi les hommes*, Rousseau présente une image toute différente de l'état de nature de manière à dépeindre la corruption qui caractérise la société moderne. *Du contrat social* s'attachera à décrire le passage de l'état de nature à la société.

Il faut prendre garde à un contresens qu'expliquent certaines ambiguïtés. Ni Hobbes ni même Rousseau n'ont pensé que la situation qu'ils décrivaient avaient connu une existence véritable dans le passé. L'état de nature est moins pour eux une réalité historique qu'une hypothèse au sens presque scientifique du terme.

→ *Culture*

NATURE MORTE – Tableau représentant des objets ou des êtres inanimés.

On connaît, en particulier, les *Natures mortes* de Chardin ou de Cézanne.

NÉGRITUDE nom fém. – Ensemble des caractères propres à la culture des peuples de race noire.

ÉTYM. : de nègre.

Pour réagir contre le mépris dans lequel les Occidentaux tenaient souvent la race noire et sa culture, le terme de *négritude* fut forgé : à travers lui, dans les années 30, des poètes comme Léon-Gontran Damas, Aimé Césaire ou Léopold Sédar Senghor cherchaient à revendiquer et à proclamer la dignité, la spécificité et la grandeur du peuple noir.

Par extension, le terme de négritude peut désigner le mouvement intellectuel et poétique qui naquit de cette prise de conscience et qui contribua de manière décisive aussi bien à la lutte des Noirs contre l'inégalité et l'injustice nées du racisme qu'au développement d'une poésie et d'une littérature francophone de haute qualité. Il faut citer ici tout particulièrement le superbe *Cahier d'un retour au pays natal* de Césaire.

NÉGRO SPIRITUAL nom masc. Chant religieux des Noirs américains.

ÉTYM. : de l'américain *negro* = « nègre » et spiritual = « chant spirituel ».

NÉOCLASSICISME nom masc. – 1. Art. Tendance à restaurer l'esthétique classique de l'Antiquité ou du XVIIᵉ siècle
2. Littérature. Mouvement poétique mené à la fin du XIXᵉ siècle par Jean Moréas et qui visait à réagir aux excès du symbolisme et

du décadentisme par le retour à une conception plus classique de la littérature.

ÉTYM. : du grec *neos* = « nouveau » et « classicisme ».

NÉOLOGISME nom masc. – Mot nouveau ou sens nouveau attribué à un mot.

ÉTYM. : se rattache au grec *neos* = « nouveau » et *logos* = « parole », « discours ».

En jouant avec les mots, les écrivains produisent souvent des *néologismes* qui restent propres à leur œuvre et dans lesquels se marquent leur verve et leur invention. Ainsi Céline, dans le premier chapitre de *Voyage au bout de la nuit*, forge-t-il le mot « rouspignolles » à partir des mots « roustons », « roubignoles » et « roupettes » qui, en argot, désignent les testicules.

La langue courante ne cesse elle-même de donner naissance à des néologismes rendus nécessaires par la création et la diffusion d'objets nouveaux. Ainsi les termes « informatique », « logiciel » ont-ils été d'abord des néologismes.

NE VARIETUR (édition) – Édition définitive.

ÉTYM. : *Ne varietur* signifie en latin « pour qu'il ne soit pas changé ».

NIHILISME nom masc. – Philosophie qui se donne pour unique principe la négation de toute valeur.

ÉTYM. : du latin *nihil* = « rien ».

Le mot est susceptible de nombreuses utilisations et d'interprétations plus nombreuses encore. Au XIXe siècle, il sert souvent à désigner toute pensée radicale dont la dimension critique remet en cause les fondements de la foi, de la société et de la culture : l'athéisme est ainsi dénoncé comme menant inéluctablement au nihilisme.

Dans *Pères et fils* (1861), Tourgueniev trace ainsi le portrait d'un nihiliste : « *Un homme qui ne s'incline devant aucune autorité, qui ne fait d'aucun principe un article de foi, quel que soit le respect dont ce principe est auréolé.* » En Russie, à la fin du

XIXe siècle, on qualifiera de « nihilistes » les anarchistes qui tente-ront, par le biais du terrorisme, de ne rien laisser intact des fondements d'une société qu'ils exècrent.

Avec la philosophie allemande, le terme prendra une significa-tion plus large. Nietzsche décrit la modernité comme « l'avène-ment du nihilisme » : après la mort de Dieu, la civilisation occidentale vit le temps de la disparition des valeurs. Dans le même esprit, Heidegger déclarera : « *Le nihilisme est le mouve-ment universel des peuples de la terre engloutis dans la sphère de puissance des temps modernes.* »

→ *Absurde*

NIVEAU (de langue) – Registre, populaire, courant ou soutenu, dans lequel un individu s'exprime.

Le choix du *niveau de langue* dépend bien entendu de l'indi-vidu qui s'exprime, mais plus encore de la situation dans laquelle il s'exprime et de l'effet qu'il entend produire. Alors même qu'il maîtrise l'ensemble des registres à sa disposition, un locuteur sera donc amené à passer d'un niveau à l'autre : lors d'un discours de réception à l'Académie française, par exemple, un écrivain devra sans doute utiliser un langage soutenu, mais, dans une conversation ordinaire, ce même niveau de langue apparaîtra inutile, voire déplacé.

NÔ nom masc. – Forme théâtrale traditionnelle propre à la littérature japonaise.

ÉTYM. : le mot vient du japonais.

On peut définir le *nô* comme une forme de drame lyrique. Le genre est né sans doute au XIVe siècle et a trouvé sa forme défini-tive au XVIIe siècle. Il met en scène un nombre limité d'acteurs qui se livrent notamment à des danses stylisées au cours d'une représentation qui, au total, dure environ sept heures. Le nô a exercé une certaine fascination sur de grands écrivains occiden-taux du XXe siècle comme Ezra Pound ou Paul Claudel.

NOMINALISME nom masc. – Doctrine philosophique qui refuse toute forme d'existence aux idées générales.

ÉTYM. : du latin *nomen* = « nom ».

Dans l'Antiquité, puis au Moyen Âge, les nominalistes nient l'existence des Idées platoniciennes ou des « Universaux ». Pour eux, la catégorie « Homme », par exemple, n'existe pas, seuls existent des individus concrets.

→ *Idéalisme*

NOUVEAU NOUVEAU ROMAN – Terme introduit par la critique pour distinguer la seconde phase du nouveau roman de la première.

Le terme de *nouveau nouveau roman* avait été utilisé par Robbe-Grillet dans son recueil d'essais intitulé *Pour un nouveau roman*. Il a été repris par la critique pour rendre compte de l'évolution considérable dont le nouveau roman avait été l'objet et qui permet d'opposer de manière assez claire un premier « nouveau roman » – celui des années 1950 – à un « nouveau nouveau roman » – celui des années 1960 et 1970.

Alors que le nouveau roman se proposait encore de représenter une réalité extérieure tout en déformant celle-ci et en remettant en cause les conventions habituelles de la narration, le « nouveau nouveau roman » se présente comme n'ayant plus d'autre objet que la genèse du roman. Pour reprendre la célèbre formule de Jean Ricardou, il cesse d'être l'écriture d'une aventure pour devenir l'aventure d'une écriture.

Les œuvres les plus caractéristiques du « nouveau nouveau roman » sont *La Maison de rendez-vous* de Robbe-Grillet, *Degrés* de Butor, *La Leçon de choses* de Claude Simon et *La Prise de Constantinople* de Ricardou.

→ *Nouveau Roman – Roman*

NOUVEAU ROMAN – Mouvement littéraire français qui, dans les années 50 et 60, remit en cause les fondements de l'esthétique romanesque héritée du XIXᵉ siècle.

Le *nouveau roman* ne constitue pas une école littéraire au sens strict, mais plutôt un ensemble d'écrivains qu'a réuni historiquement un même souci de renouveler la pratique de leur art. On compte parmi ceux-ci Alain Robbe-Grillet, Michel Butor, Claude Ollier, Robert Pinget, Jean Ricardou, Nathalie Sarraute et Claude Simon.

Aux yeux des premiers lecteurs, les nouveaux romans des années 1950 sont apparus comme d'étranges textes qui, en l'absence d'intrigue véritable, mettaient en scène des personnages délibérément insignifiants perdus dans un monde d'objets à la singulière présence. Le nouveau roman se voulait un anti-roman dans lequel tous les éléments traditionnels du récit balzacien se trouvaient mis en question, voire détruits : intrigue, personnage, psychologie, etc.

Telle fut du moins l'image du nouveau roman que réussit à imposer Alain Robbe-Grillet, le chef de file et théoricien du mouvement, dans ses essais de *Pour un nouveau roman*. Avec le recul apparaît aujourd'hui beaucoup plus clairement ce qui distingue les nouveaux romanciers que ce qui les réunit, et les grandes œuvres qu'ils ont produites (*Dans le labyrinthe* de Robbe-Grillet, *La Route des Flandres* de Claude Simon ou *La Modification* de Butor) nous apparaissent grandes, plus en vertu de leurs qualités propres qu'en raison de la rupture avec la tradition qu'elles réaliseraient.

Si ces écrivains ont révolutionné le roman, c'est avant tout en radicalisant et en systématisant un certain nombre des expériences qui avaient été menées, en France comme à l'étranger, par les grands romanciers de la génération précédente : Proust, Joyce, Kafka, Woolf, Faulkner, voire Sartre et Camus. Le recours fréquent au monologue intérieur, la volonté de ne faire voir du monde que ce que peut en saisir une conscience éclatée, le refus d'imposer à la réalité la cohérence un peu facile d'une intrigue et d'une vision du monde, le souci de mettre en scène le processus de l'écriture à l'intérieur même du roman : tout cela contribue à de singulières fictions qui ont considérablement enrichi la littérature française la plus contemporaine.

À partir des années 60, désireux de radicaliser sa recherche, sous l'influence de la critique (Roland Barthes) et d'une nouvelle génération d'écrivains (*Tel Quel*), le nouveau roman se transforme et tend de plus en plus à faire du roman le miroir de sa propre écriture.

→ *Nouveau nouveau roman – Roman*

NOUVEAUX PHILOSOPHES – Mouvement intellectuel qui, au milieu des années 1970, consista en la dénonciation par de jeunes philosophes français du marxisme et du totalitarisme.

Les principaux des nouveaux philosophes se nomment Jean-Marie Benoist, André Glucksman et Bernard-Henri Lévy. Après la fièvre révolutionnaire qui, avec Mai 68 et le maoïsme, a touché les jeunes intellectuels français, ils dénoncent l'illusion révolutionnaire et, fortement marqués par les réflexions de Maurice Clavel et le témoignage de Soljenitsyne, démasquent le totalitarisme communiste. Pour eux, Marx est mort. À partir de ce constat, leur réflexion porte sur la possibilité de fonder une nouvelle morale qui permette à l'individu de faire face à ce que B.-H. Lévy a nommé « la barbarie à visage humain ».

NOUVELLE nom fém. – Genre littéraire narratif qui se distingue du roman par sa brièveté, et du conte par sa volonté de vraisemblance psychologique.

ÉTYM. : de l'italien *novella*.

Dans *Technique de la nouvelle chez Buzzati* (Pierre Bordas et fils), Véronique Anglard définit ainsi la nouvelle. Il s'agit d'un « genre de tradition orale » qui met souvent en scène les choses du point de vue d'un narrateur qui peut être soit le témoin soit l'acteur des aventures qui nous sont relatées. De plus, la nouvelle « part de faits vraisemblables pour maintenir le lecteur en haleine soit en se teintant de fantastique soit en demeurant réaliste ». Enfin, « elle est courte » : « centrée sur une seule action, même si plusieurs péripéties se succèdent », « elle tend à illustrer une seule idée ».

Définie ainsi, on voit que la nouvelle est proche tout à la fois du roman, du poème en prose et du conte. La frontière est souvent particulièrement difficile à dessiner. Cependant, la nouvelle réussie se reconnaît à sa densité qui lui permet, sans basculer dans la poésie et le merveilleux ni renoncer au vraisemblable et au psychologique, de frapper fortement le lecteur. Ainsi que le déclarait Baudelaire : « *La nouvelle a sur le roman à vastes proportions cet immense avantage que sa brièveté ajoute à l'intensité de l'effet.* »

La littérature française du Moyen Âge connaissait des formes narratives brèves telles que le lai ou le fabliau. Cependant, c'est avec la traduction de recueils italiens comme *Le Décaméron* de Boccace que la nouvelle naît véritablement en France au XVᵉ siècle. Le livre de Boccace présentait au lecteur cent nouvelles qui, racontées sur dix jours, traitent toutes de la passion amoureuse. Marguerite de Navarre écrira, quant à elle, *L'Heptaméron* (1558-1559).

On affirme souvent que la nouvelle est un genre qui réussit peu aux écrivains français. C'est oublier cependant ces réussites magistrales que sont, par exemple, *Les Diaboliques* de Barbey d'Aurevilly ou certains des textes de Maupassant (*Contes et nouvelles*) voire d'Alphonse Daudet (*Les Lettres de mon moulin, Les Contes du lundi*). L'auteur de nouvelles est un nouvelliste.

→ *Conte*

NOUVELLE CRITIQUE – Terme par lequel on désigna dans les années 60 un certain nombre d'écrivains que rassemblait le refus de la critique universitaire traditionnelle.

On range d'ordinaire parmi les représentants de la nouvelle critique Roland Barthes, Jean-Pierre Richard, Charles Mauron, Jean-Paul Weber et Jean Starobinski. Ceux-ci avaient peu de chose en commun sinon la volonté d'ouvrir l'étude de la littérature à de nouveaux langages et à de nouveaux instruments d'investigation tels que la linguistique, l'existentialisme, la psychanalyse ou le marxisme. Ils repoussaient ainsi les méthodes d'une critique universitaire qui, à leurs yeux, s'en tenait trop souvent à la biographie de l'auteur et à la paraphrase de son texte.

La nouvelle critique dut une large part de sa célébrité à la violente querelle qui opposa en 1965 Raymond Picard à Roland Barthes au sujet de la publication par ce dernier d'un ouvrage intitulé *Sur Racine*. Professeur en Sorbonne, Picard reprochait à Barthes le caractère systématique et le délire théorique de la nouvelle critique. Barthes affirmait de son côté la nécessité pour chaque époque de réinterroger avec son langage propre les grandes œuvres littéraires du passé.

→ *Critique – Psychocritique*

O

OBJECTIF adj. – Qui est doté d'une existence indépendante de celle de notre esprit.

ÉTYM. : du latin scolastique *objectivus*.

En philosophie, l'adjectif *objectif* a vu sa signification se transformer totalement. Pour Descartes et d'autres penseurs du XVIIᵉ siècle, est objective non pas une réalité extérieure à nous-mêmes, mais l'image que nous nous en faisons dans notre esprit : une réalité objective (par opposition à une réalité formelle) est en quelque sorte une représentation mentale. À partir de Kant, le terme prend son acception moderne : il désigne une réalité indépendante de notre esprit et des jugements particuliers que celui-ci est susceptible de formuler. On est proche ici de la langue courante qui fait souvent d'« objectif » un synonyme de « neutre » ou d'« impartial ». En ce sens, « objectif » s'oppose à « subjectif ».

Si l'on applique maintenant ce mot au champ de la littérature, on dira, par exemple, d'une description qu'elle est objective si le texte nous présente le monde qu'il décrit d'une manière neutre sans intercaler entre lui et nous le filtre d'une subjectivité, que celle-ci appartienne à l'auteur, au narrateur ou à l'un des personnages. On opposera ainsi une littérature qui fait une large part à la subjectivité (lyrisme, romantisme, récit à la première personne) à une littérature soucieuse d'objectivité (roman réaliste par exemple).

Dans un essai célèbre, Roland Barthes avait utilisé l'expression de « littérature objective » pour décrire les premiers romans de Robbe-Grillet dans la mesure où ceux-ci mettaient en scène le monde matériel (« les objets ») sans attribuer à celui-ci aucune

forme de signification par laquelle se marquerait une quelconque subjectivité. « Objectif » voulait dire alors : « tourné vers
l'objet ». L'exemple du nouveau roman montre, cependant, à
quel point la notion d'« objectivité » est, en littérature, difficile
à cerner. Tous les objets qui sont décrits, dans les textes de
Robbe-Grillet, le sont en effet toujours par un narrateur qui ne
s'astreint à une fausse objectivité que pour mieux masquer au
lecteur les désordres de sa conscience, les tourments de sa subjectivité. En ce sens, et ainsi que le déclarait Robbe-Grillet : « *Le
Nouveau Roman ne vise qu'à une subjectivité totale.* »

ODE nom fém. – Poème lyrique.

ÉTYM. : du bas latin *oda* qui vient du grec *ôidê* = « chant ».

L'*ode* est à l'origine une forme propre à la poésie grecque :
elle est destinée à être chantée dans de grandes occasions. Dans
ses odes, Pindare célèbre, par exemple, les vainqueurs des Jeux
olympiques. L'autre grande référence antique est Horace qui
traite dans ses odes aussi bien de thèmes politiques que d'événements et de sentiments tirés de sa propre vie.

Des poètes français, italiens ou anglais vont introduire l'ode
dans leurs œuvres respectives. Dans son *Art poétique*, Boileau
– qui écrivit une « Ode sur la prise de Namur » – définit l'ode
par les thèmes que celle-ci aborde :

« L'Ode avec plus d'éclat, et non moins d'énergie

Élevant jusqu'au ciel son vol ambitieux,

Entretient dans ses vers commerce avec les Dieux. »

Il souligne également la vigueur et la liberté de son style :

« Son style impétueux souvent marche au hasard.

Chez elle un beau désordre est un effet de l'art. »

Même s'il est vrai que l'ode traite souvent, sur un mode
lyrique, de sujets élevés, il est extrêmement difficile de proposer
une définition globale rendant compte de tous les textes
poétiques qui, dans la littérature française, furent présentés
comme des odes par leur auteur : de Ronsard (*Ode à Michel de
l'Hospital*) à Claudel (*Les Cinq Grandes Odes*) ; en effet, l'ode ne

reste fidèle ni à une forme prosodique ni à un thème d'inspiration uniques.

→ *Odelette*

ODELETTE nom fém. − Petite ode.

On doit notamment à Gérard de Nerval un recueil d'« odelettes ».

ODYSSÉE nom fém. − Voyage qui rappelle par son caractère aventureux le périple d'Ulysse tel que le relate Homère dans *L'Odyssée.*

ÉTYM. : du grec *Odusseia.* Le nom grec d'Ulysse était *Odusseus.*

Dans *L'Odyssée*, Homère relate les aventures du prince grec Ulysse qui, après la prise et la destruction de la cité de Troie, est condamné par les dieux à errer pendant dix ans sur les mers avant de pouvoir regagner son royaume d'Ithaque.

Le poème grec compte parmi les textes fondateurs de la littérature occidentale. Le voyage d'Ulysse est légendaire, et on lui compare tout périple mouvementé. De *L'Énéide* de Virgile à *Ulysse* de Joyce, nombreuses sont les œuvres capitales qui sont nées de la volonté de récrire et de transposer dans un autre temps ou un autre monde les aventures du héros homérique.

ŒDIPE (complexe d') − Complexe central mis au jour par la psychanalyse et qui éclaire la nature ambivalente des relations qui, au sein de la structure familiale, s'établissent entre l'enfant et ses parents.

Œdipe est un personnage de la mythologie grecque dont l'histoire nous est contée par Sophocle. Il est puni par les dieux pour s'être rendu coupable de la double transgression de l'inceste et du parricide : il tue son père et épouse sa mère. Sigmund Freud, l'inventeur de la psychanalyse, a vu dans cette légende l'expression la plus juste des désirs qu'éprouve tout enfant à l'égard de ses parents.

Freud présente ainsi les éléments essentiels à la compréhension du complexe d'Œdipe dans *Cinq leçons sur la psychanalyse* :

« *L'enfant prend ses deux parents, et surtout l'un d'eux, comme objets de désirs[…]. L'enfant réagit de la manière suivante : le fils désire se mettre à la place du père, la fille, à celle de la mère. Les sentiments qui s'éveillent dans ces rapports de parents à enfants et dans ceux qui en dérivent entre frères et sœurs ne sont pas seulement positifs, c'est-à-dire tendres : ils sont aussi négatifs, c'est-à-dire hostiles. Le complexe ainsi formé est condamné à un refoulement rapide ; mais, du fond de l'inconscient, il exerce encore une action importante et durable. Nous pouvons supposer qu'il constitue, avec ses dérivés, le complexe central de chaque névrose, et nous nous attendons à le trouver non moins actif dans les autres domaines de la vie psychique.* »

La critique psychanalytique s'attache à mettre en évidence la présence du complexe d'Œdipe dans les œuvres littéraires sur lesquelles elle se penche. C'est ainsi notamment qu'on pourra expliquer les relations qui, dans le *Hamlet* de Shakespeare, s'établissent entre le personnage principal, sa mère et le nouveau mari de celle-ci.

→ *Psychanalyse*

ONIRIQUE adj. – Qui appartient ou semble appartenir à un rêve.

ÉTYM. : du grec *oneiros* = « rêve ». L'« oniromancie » est la technique de celui qui prétend prédire l'avenir en interprétant les rêves.

→ *Surréalisme*

ONOMASTIQUE – 1. nom fém. Étude des noms propres. 2. adj. Relatif aux noms propres.

ÉTYM. : du grec *onomastikos* = « relatif au nom ».

L'*onomastique* peut jouer un rôle considérable dans l'imaginaire d'un écrivain et, à ce titre, elle peut participer de l'étude d'une œuvre. Ainsi, chez Proust, le narrateur ne cesse de rêver sur la signification des noms des personnages qu'il rencontre ou

des lieux qu'il découvre : les noms, par leur forme et leur sonorité, lui révèlent un peu de la vérité des réalités qu'ils désignent.

→ *Lexicologie – Sémantique*

ONOMATOPÉE nom fém. – Mot formé de telle sorte que sa
sonorité imite la réalité qu'il désigne.

ÉTYM. : du grec *onomato* = « mots » et *poiia* de *poiein* =
« faire ».

Ainsi « tic-tac », « vroum », « boum », « frou-frou » ou « flon-
flon » sont des onomatopées.

Le procédé s'apparente, au niveau du mot, à celui de
l'harmonie imitative.

→ *Harmonie imitative – Signe*

OPÉRA nom masc. – Œuvre dramatique chantée et mise en
musique dans laquelle alternent récitatifs, airs et chœurs.

ÉTYM. : de l'italien *opera*.

L'*opéra* naît en Italie au tout début du XVIIᵉ siècle avec Jacopo
Peri et surtout Claudio Monteverdi dont l'*Orfeo* est présenté en
1607. Tout en restant fidèle à ses origines italiennes, il conquiert
rapidement l'Europe. Il connaît de spectaculaires métamorphoses
et s'affirme comme un mode majeur d'expression artistique.

Les liens entre littérature et opéra ont toujours été nombreux.
Les librettistes (ceux qui écrivent le livret donc le texte) ont
souvent emprunté leur sujet à la littérature – ainsi Da Ponte qui
écrivit pour Mozart le texte de *Don Giovanni* (d'après la figure
inventée par Tirso de Molina) et celui des *Noces de Figaro*
(d'après Beaumarchais). Plus près de nous, le compositeur
britannique Benjamin Britten alla chercher son inspiration chez
Henry James *(Le Tour d'écrou)* et Herman Melville *(Billy Budd)*.
L'union entre texte littéraire et opéra peut être quelquefois plus
étroite encore. Ainsi, lorsque le livret, par ses qualités propres,
devient œuvre ou lorsqu'il consiste pour l'essentiel en la retranscription d'une œuvre antérieure : ainsi le *Pelléas et Mélisande* de
Debussy sur une tragédie de Maeterlinck. Il peut arriver enfin

qu'un écrivain collabore directement avec un compositeur comme ce fut le cas de Bertold Brecht avec Kurt Weill dans *L'Opéra de quat'sous.*

L'*oratorio* est aussi un drame musical, souvent religieux, mais pas obligatoirement. Il se caractérise par une plus grande importance accordée à la partie instrumentale et par l'absence de costumes, de décors et de mouvements scéniques.

→ *Livret*

OPUSCULE nom masc. – Petit livre.

ÉTYM. : du latin *opusculum,* diminutif de *opus* = « ouvrage ».

Dans le même sens, on parle plutôt aujourd'hui d'une « brochure ».

ORAISON nom fém. 1. Prière.

2. Discours faisant l'éloge d'un personnage célèbre, prononcé lors des funérailles de celui-ci (oraison funèbre).

Les plus célèbres des oraisons funèbres sont sans doute celles de Bossuet. Celui-ci avait critiqué ce genre mondain dans lequel les orateurs cherchaient trop à briller et à mettre en valeur les qualités les plus profanes du disparu. En réaction, Bossuet s'employa à tracer des portraits édifiants qui devaient faire prendre conscience aux pécheurs de l'inéluctabilité de leur disparition et de la nécessité de réformer leur conduite.

OSSIANISME nom masc. – Mouvement littéraire né de la fascination exercée sur les écrivains romantiques par les poèmes attribués au légendaire guerrier écossais Ossian.

En 1760, James Macpherson organisa la supercherie suivante : il publia un recueil de poèmes présentés comme la traduction du gaélique de l'œuvre – datant du IIIe siècle – du poète et guerrier écossais Ossian. Il s'agissait en réalité de vieilles ballades écossaises arrangées par Macpherson et mêlées à ses propres textes.

Les poèmes en question eurent cependant une influence considérable sur la littérature du XIXe siècle et notamment sur

Goethe qui en fut un grand admirateur. Évoquant un monde mythique et lointain, ils participèrent dans une certaine mesure à l'avènement de la sensibilité romantique.

→ *Romantisme*

OULIPO – Mouvement littéraire créé en 1960 et qui se donne comme objectif l'invention de nouvelles formes littéraires.

L'**Ou**vroir de **litt**érature **po**tentielle – Oulipo – a été créé en 1960 par Raymond Queneau et François Le Lionnais. D'importants écrivains comme Georges Perec ou Italo Calvino en ont été membres. Le travail de l'Oulipo porte essentiellement sur les formes littéraires qu'il vise à renouveler à travers des exercices tels le lipogramme ou d'autres contraintes du même ordre qui, malgré leur rigueur et leur gratuité apparentes, permettent la production de textes d'une très grande invention et d'une très grande fantaisie.

OXYMORE (ou OXYMORON) nom masc. – Alliance de deux mots de significations opposées. Ce rapprochement de deux mots de sens opposés est aussi appelé « alliance de mots ».

ÉTYM. : du grec *oxus* = « pointu » et *môros* = « émoussé ».

L'*oxymore* est un procédé utilisé dans la langue courante (un « illustre inconnu ») ou dans la langue littéraire (cette « obscure clarté » qui tombe des étoiles, *Le Cid*, « Horreur sympathique » chez Baudelaire).

→ *Alliance de mots*

P

PALIMPSESTE nom masc. – Parchemin dont le texte a été gratté pour laisser place à un nouveau texte.

ÉTYM. : du grec *palimpsêstos*.

PALINDROME nom masc. ou adj. (se dit d'un) – Ensemble de mots arrangés symétriquement de manière que les lettres qui le composent produisent le même sens qu'elles soient lues de droite à gauche ou de gauche à droite.

ÉTYM. : du grec *palin* = « de nouveau » et *dromos* = « course ».

On cite souvent cet exemple de Charles Cros : « Léon, émir cornu d'un roc, rime Noël »

La langue anglaise compte également de célèbres *palindromes*, par définition intraduisibles. Ainsi ce dialogue :

« – Madam, I'm Adam.

– Sir, I'm Iris. »

Les amateurs de curiosité pourront aussi, s'ils sont germanistes, apprécier ces exemples empruntés à la langue allemande :

« Ein Neger mit Gazelle zagt im Regen nie. » (Un nègre avec sa gazelle ne tremble jamais sous la pluie.)

ou

« Ein Siamese lese Mais nie. »

(Un Siamois ne récolte jamais de maïs.)

L'exercice du palindrome demande une fabuleuse virtuosité. Il est rare qu'on puisse pousser l'exploit au-delà d'une phrase. C'est pourquoi il convient de citer le poète Ambrose Pampéris qui, en 1802, raconta les exploits de la Grande Catherine en une série de 416 vers palindromes.

PALINODIE nom fém. – 1. Poème d'origine grecque dans lequel l'auteur rétractait ses opinions antérieurement exprimées.

2. Revirement d'opinion brusque et fréquent.

ÉTYM. : du grec *palin* = « de nouveau » et *odê* = « chant ».

La première *palinodie* est censée être l'œuvre du poète grec Stésichore (VIIᵉ-VIᵉ siècle av. J.-C.). Selon la légende, celui-ci aurait été frappé de cécité pour avoir médit d'Hélène dans l'un de ses textes. Ce n'est qu'après avoir rétabli la vérité dans sa « Palinodie » que sa vue fut restaurée.

On parlera des « palinodies » d'un individu qui, au gré des occasions et de ses intérêts, a fréquemment changé de camp et d'opinion.

PAMPHLET nom masc. – Bref ouvrage traitant avec violence et sur le mode de la satire d'un problème d'actualité.

ÉTYM. : de l'anglais *pamphlet* venu lui-même du français « palme – feuillet » = feuillet qui peut se tenir (et se cacher) dans la paume (palme) de la main.

Il se publia, par exemple, de nombreux *pamphlets* durant les guerres de Religion. Les *Provinciales* de Pascal peuvent être considérées comme un pamphlet.

Un pamphlétaire célèbre, Paul-Louis Courier, écrivit le *Pamphlet des pamphlets* (1824) dans lequel il met en évidence l'intérêt de ce mode d'expression.

→ *Diatribe – Libelle*

PANÉGYRIQUE nom masc. – 1. Discours vantant les mérites d'un grand homme ou d'une collectivité.

2. Toute forme d'éloge.

ÉTYM. : du grec *panêguris* = « assemblée de l'ensemble du peuple ».

La tradition du *panégyrique* remonte à l'Antiquité. L'orateur grec Isocrate (436–338 av. J.-C.) qui plaida pour l'union de Sparte et Athènes contre les Perses et le Romain Pline le Jeune

– avec son panégyrique de Trajan – s'y illustrèrent tout particulièrement. À Rome, le panégyrique devint un exercice rhétorique
de peu de valeur littéraire.

Lorsque le terme est utilisé aujourd'hui, il l'est souvent de
manière péjorative ou ironique pour souligner le caractère outré,
artificiel ou emphatique des éloges adressés.

→ *Apologie*

PANTALONNADE nom fém. – Farce burlesque semblable
à celles qui, dans la comédie italienne, mettaient en scène le
personnage de Pantalon.

ÉTYM. : de Pantalon, personnage de la commedia dell'arte.

Dans la commedia dell'arte, Pantalon était le personnage du
vieillard avare, soupçonneux et ridicule, objet des plaisanteries les
plus grosses.

Le terme de *pantalonnade* est quelquefois utilisé aujourd'hui
pour désigner tout événement ou aventure grotesque dont les
acteurs sombrent dans le ridicule.

→ *Commedia dell'arte*

PANTHÉISME nom masc. – Conception du monde selon
laquelle Dieu n'est pas séparé de sa création, mais partout
présent en elle.

ÉTYM. : du grec *pan* = « tout » et *theos* = « dieu » ; donc littéralement « dieu présent dans le tout ».

Victor Hugo a, par exemple, une conception panthéiste du
monde, et pour lui, dans tout ce qui nous entoure – l'homme,
l'oiseau, la fleur, l'arbre, mais aussi l'astre, la molécule,
l'embryon ou le grain de sable –, il est possible de sentir *« la
palpitation formidable d'un dieu »* !

PANTOMIME nom fém. – 1. Art du mime consistant dans
l'utilisation de moyens d'expression tels que le geste à l'exclusion
de tout recours au langage.

2. Forme théâtrale dans laquelle la pantomime joue le rôle essentiel.

3. Gestes et expressions dont on accompagne ses paroles.

ÉTYM. : du latin *pantomimus*.

À l'origine, la pantomime était une forme de spectacle pratiquée à Rome dans l'Antiquité : sur des thèmes mythologiques, un acteur interprétait tous les rôles en s'affublant de différents masques. Lorsque l'on utilise aujourd'hui le terme de pantomime, c'est pour désigner un spectacle de mime. Le mot existe aussi en anglais où il s'applique à une forme très populaire de théâtre pour enfants consistant dans l'adaptation pour la scène de célèbres contes de fées.

Diderot attachait une très grande importance à ce qu'il nommait la pantomime, c'est-à-dire à l'ensemble des gestes, des attitudes et des expressions qui, dans une pièce ou dans un roman, accompagnent les dialogues ou les discours des personnages.

Ainsi, dans *Le Neveu de Rameau*, Diderot accompagne-t-il son dialogue de notations de cet ordre :

« *Ce qu'il y a de plaisant, c'est que, tandis que je lui tenais ce discours, il en exécutait la pantomime. Il s'était prosterné ; il avait collé son visage contre terre, il paraissait tenir entre ses deux mains le bout d'une pantoufle ; il pleurait, il sanglotait...* »

Dans son *Discours de la poésie dramatique* (1758), Diderot déclare :

« *Il faut écrire la pantomime toutes les fois qu'elle fait tableau ; qu'elle donne de l'énergie ou de la clarté au discours ; qu'elle lie le dialogue ; qu'elle caractérise ; qu'elle consiste dans un jeu délicat qui ne se devine pas ; qu'elle tient lieu de réponse, et presque toujours au commencement des scènes.* »

→ *Mime*

PANTOUM nom masc. – Forme poétique empruntée à la littérature malaise et qui se présente comme une série de quatrains à rimes croisées dans laquelle le deuxième et le quatrième vers d'une strophe deviennent le premier et le troisième vers de la strophe suivante.

ÉTYM. : du malais.

La forme du *pantoum* a séduit de nombreux poètes français du XIXᵉ siècle parmi lesquels Théodore de Banville et Charles Baudelaire (« Harmonie du soir »).

PARABASE nom fém. – Moment où dans une comédie grecque, le coryphée (chef de chœur) ou le chœur s'adressait directement aux spectateurs pour leur faire part des intentions ct des opinions de l'auteur.

ÉTYM. : du grec *parabasis* = « action de s'avancer » parce qu'à ce moment, au milieu de la pièce, les acteurs se retiraient alors que les « choreutes » s'avançaient vers les spectateurs.

PARABOLE nom fém. – Petit récit proposant sous forme simple et allégorique un enseignement d'ordre religieux.

ÉTYM. : du grec *parabolê* = « comparaison ».

La *parabole* est l'une des formes essentielles de la prédication dans le Nouveau Testament. Jésus y a souvent recours car elle permet, par son côté imagé, de retenir l'attention et de frapper l'imagination de l'auditoire. Facile à interpréter, le récit délivre un message moral ou religieux. Ainsi, avec la parabole des talents, le Christ enseigne-t-il que l'homme se doit de faire fructifier les dons de Dieu et de ne pas les laisser en sommeil.

→ *Apologie – Fable*

PARADOXE nom masc. – Affirmation ou raisonnement qui vont délibérément à l'encontre de l'opinion courante, mais qui, souvent, contiennent une vérité inaperçue de la plupart.

ÉTYM. : du grec *paradoxos* = « contraire à l'opinion commune ».

Un *paradoxe* peut n'être rien d'autre qu'une absurdité. Cependant, il s'agit le plus souvent d'une vérité qui choisit de se présenter sous une forme délibérément surprenante, voire choquante au regard du bon sens. Une pensée peut sembler paradoxale parce qu'elle énonce une vérité nouvelle ou cachée à laquelle nous ne sommes pas encore habitués. C'est en ce sens que Proust affirme en une formule célèbre que les paradoxes d'aujourd'hui sont les préjugés de demain. Dans la bouche de certains hommes d'esprit, le paradoxe peut également tourner au procédé et devenir un moyen facile et systématique de briller en société. Au lieu d'être surprenant, il devient alors une figure hautement prévisible chez le faiseur de paradoxes comme Valéry ou Wilde.

PARALITTÉRATURE nom fém. – L'ensemble des œuvres de fiction telles que roman populaire, bande dessinée, roman-photo, etc., auxquelles, par l'emploi de ce terme, on ne reconnaît pas de valeur authentiquement artistique et qui se voient refoulées de ce fait en marge de la vraie littérature.

ÉTYM. : de *para* qui, en grec, signifie « à côté », d'où l'idée d'être en marge, et « littérature ».

→ *Infralittérature*

PARALLÈLE nom masc. – Développement méthodique d'une comparaison entre deux objets ou deux individus dans l'intention de mettre en évidence ce qui les différencie et ce qui les apparente.

ÉTYM. : du grec *parallêlos*.

Plutarque (v. 50-v. 25), par exemple, est l'auteur de célèbres *Vies parallèles* dans lesquelles il compare d'illustres personnages de l'histoire grecque et de l'histoire romaine.

La Bruyère écrit un *parallèle* entre Giton (le riche) et Phédon (le pauvre). Jacques Laurent a écrit un parallèle entre *Paul* (Bourget) et *Jean-Paul* (Sartre).

PARALLÉLISME nom masc. – Procédé poétique qui consiste à faire se succéder des phrases ou des vers de construction similaire.

Le procédé est fréquent et se rencontre même dans la prose. Cependant, c'est dans la poésie orientale – et notamment chinoise – qu'il se rencontre le plus souvent.

Dans « Le "langage poétique" chinois », François Cheng donne l'exemple suivant :

« *Lune claire parmi les pins luire*
Source fraîche sur les rochers couler »

qu'il commente ainsi :

« *Le parallélisme (qui n'est pas un simple fait de répétition) se révèle comme une tentative d'organisation spatiale des signes au sein même de la linéarité. Dans un distique, il n'y a pas de progression suivie (ou logique) d'un vers à l'autre ; les deux vers expriment, sans qu'il y ait de transition entre eux, des idées opposées ou complémentaires. Le premier vers s'arrête, suspendu dans le temps ; le second vient, non pas pour le continuer, mais pour confirmer, comme par l'autre bout, l'affirmation contenue dans le premier, et finalement pour en justifier l'existence même. Ces deux vers, qui se répondent ainsi, forment un ensemble autonome : un univers stable, obéissant à la loi de l'espace et comme soustrait à l'emprise du temps.* »

PARALOGISME nom masc. – Faux raisonnement fait involontairement et donc sans intention d'induire autrui en erreur.

ÉTYM. : du grec *paralogismos* ; le radical *para* = « à côté ».

Le *paralogisme* se distingue du « sophisme » qui traduit la malveillance de son auteur : dans le cas du sophisme, on cherche à tromper autrui en lui présentant comme juste un raisonnement, alors qu'on sait qu'il ne l'est pas.

→ *Sophisme*

PARANOÏA nom fém. – Affection d'ordre psychique et qui se caractérise chez l'individu par le délire de la persécution et la fausseté systématique de jugement.

ÉTYM. : de grec *paranoia* = « folie ».

PARAPHRASE nom fém. – Texte par lequel on en développe un autre dans l'intention d'en rendre la compréhension plus facile.

ÉTYM. : du grec *paraphrasis* = « phrase à côté ».

Le terme peut être utilisé de manière péjorative pour désigner tout développement inutile par lequel on ne fait que répéter en le délayant plus ou moins ce qui a déjà été dit.

PARATAXE nom fém. – Procédé qui consiste à juxtaposer des phrases sans recours à aucun mot de liaison.

ÉTYM. : formé sur le modèle de syntaxe ; du verbe grec *taxis=* « mise en ordre » et *para* = « à côté ».

Il y a donc simple *juxtaposition* et non établissement de rapports grâce à la syntaxe. Exemple (emprunté au *Précis de stylistique française* de J. Marouzeau) :

« *L'orage éclatait. La pluie tombait en rayons blancs. Les carreaux pleuraient comme des yeux. De petites gouttes jaillissaient par les fentes des croisées. Dehors le cheval courbait la tête* » (Jules Renard).

Ici, comme dans les premières lignes de *L'Étranger* de Camus, la parataxe correspond à la volonté de produire un effet précis. Dans la dissertation d'un débutant, elle traduit simplement la maladresse.

→ *Syntaxe*

PARNASSE nom masc. – Mouvement poétique français de la seconde moitié du XIXᵉ siècle qui, en réaction contre les excès du romantisme, prôna le culte de la forme poétique et de l'impersonnalité de l'œuvre.

Le *Parnasse* était, selon la mythologie grecque, la montagne sur laquelle résidaient Apollon et les Muses : elle était de ce fait le séjour de l'Art et de la Poésie. S'inspirant de ce mythe, des poètes firent paraître en 1866, 1871 et 1876 trois recueils sous le titre *Le Parnasse contemporain*. Figurent au sommaire de ces ouvrages Théophile Gautier, Théodore de Banville, Leconte de Lisle, José-Maria de Heredia, mais aussi Charles Baudelaire, Paul Verlaine et Stéphane Mallarmé.

Si tous ces poètes publièrent dans *Le Parnasse contemporain*, tous, cependant, ne peuvent être définis comme des parnassiens. Lorsqu'on parle du Parnasse, on évoque en effet un mouvement poétique qui se développa en réaction contre le romantisme et ses excès.

Dès 1835, Gautier, dans sa préface à *Mademoiselle de Maupin*, formulait sa théorie de l'art pour l'art, affirmant notamment qu'« *il n'y a de vraiment beau que ce qui ne peut servir à rien ; tout ce qui est utile est laid* ». En 1857, dans un poème qui servira de conclusion à *Emaux et Camées*, il déclare que c'est le travail formel qui donne toute sa valeur à l'œuvre poétique :

« *Oui, l'œuvre sort plus belle*
D'une forme au travail Rebelle,
Vers, marbre, onyx, érail.
Point de contraintes fausses !
Mais que pour marcher droit
Tu chausses,
Muse, un cothurne étroit. »

Plus que Gautier, cependant, Leconte de Lisle sera le grand poète du Parnasse. Fidèle au souci de rigueur formelle énoncé dans *Emaux et Camées*, il prône l'impersonnalité de l'artiste, l'exactitude du poème et va chercher son inspiration dans l'histoire, les mythes et les religions. Chacun à sa manière, Banville, Heredia, Sully Prudhomme ou François Coppée illustreront la poésie parnassienne. À rebours des romantiques qui vont chercher l'inspiration dans le plus profond de leur moi, les parnassiens feront l'éloge du travail poétique et de l'objectivité.

C'est ce qui leur sera notamment reproché par le symbolisme. En 1891, Mallarmé critiquera les parnassiens pour avoir supprimé le mystère en poésie par goût de l'exactitude et de l'objectivité.

→ *Art pour l'art (l')*

PARODIE nom fém. – Imitation d'une œuvre célèbre dont on exagère à dessein tous les traits pour produire un effet burlesque.

ÉTYM. : du grec *para* = « à côté » et *ôidê* = « chant », donc littéralement « chant à côté ».

À la différence du pastiche, la *parodie* ne vise pas à l'imitation parfaite d'un texte de manière qu'on ne puisse plus distinguer l'original de sa copie. La parodie est en fait une caricature. On exagère les tics stylistiques d'un auteur, on systématise jusqu'à l'absurde les procédés littéraires auxquels il a d'ordinaire recours, on exagère les opinions émises, on attire ainsi l'attention sur les faiblesses de l'œuvre. C'est pourquoi la parodie est souvent autant un hommage qu'une critique : par la réécriture satirique d'un texte célèbre, on souligne l'importance de celui-ci tout en le tournant en ridicule pour ses travers.

L'histoire de la parodie est presque aussi ancienne que celle de la littérature elle-même. Dès qu'une œuvre importante s'affirme, elle ne tarde pas à susciter la verve iconoclaste. Dans *Les Grenouilles*, Aristophane parodie Eschyle et Euripide. Au Moyen Âge puis à la Renaissance, des œuvres comme *Aucassin et Nicolette*, *Le Roman de Renart* et, dans un autre registre, *Don Quichotte* constituent des parodies du roman courtois ou de l'épopée. Plus une œuvre est célèbre, grandiose et héroïque, plus elle peut se prêter à la caricature. *L'Énéide* sera ainsi parodiée par Scarron dans *Le Virgile travesti*, et *Le Cid* par Boileau *(Le Chapelain décoiffé)* et Fourest *(La Négresse blonde)*. Plus près de nous, le romancier d'avant-garde Philippe Sollers, dans *Lois* (1972), reprend sur le mode de la parodie le texte de la *Théogonie* d'Hésiode.

→ *Pastiche*

PASSION nom fém. − 1. Jusqu'au XVIIᵉ siècle. Toute forme de sentiment ou d'émotion subie par un individu.

2. Depuis le XVIIᵉ siècle. Désir violent, souvent de nature amoureuse, qui domine entièrement l'individu.

ÉTYM. : du latin *passio* = « souffrance ».

À l'origine, ce mot qui nous vient du grec par l'intermédiaire du latin désigne ce que l'individu subit, et notamment la souffrance. Il s'oppose ainsi, et notamment chez Descartes, à l'action. C'est en ce sens également que l'on parle de la Passion du

Christ, c'est-à-dire non pas de l'amour qui l'animait, mais de la souffrance qu'il a dû faire sienne pour permettre la rédemption de l'humanité.

Ce n'est que progressivement que le mot a acquis sa signification moderne dans le domaine de la psychologie. La passion reste cependant cette fièvre amoureuse que l'on subit et qui nous assujettit à l'objet de notre désir. C'est pourquoi la littérature, tout particulièrement à l'âge classique, mais encore chez Proust, s'attache à décrire les ravages de la passion pour en détourner l'individu. Dès le XVIIᵉ siècle et plus encore avec le romantisme, on va voir se développer une attitude radicalement opposée : il faut exalter la passion, car c'est elle qui, même malheureuse, donne son prix à l'existence.

→ *Raison*

PASTICHE nom masc. – Texte dans lequel un écrivain imite le style d'un autre.

ÉTYM. : de l'italien *pasticcio* = « pâté ».

Le *pastiche* peut répondre simplement au désir d'un écrivain de manifester sa virtuosité dans le maniement du style d'un autre. Il peut également être chargé d'une intention satirique et, dans ce cas, il devient parodie.

Marcel Proust a écrit, au début de sa carrière, un certain nombre de textes de cet ordre qui ont été publiés dans *Pastiches et mélanges*. Le pastiche peut être une étape dans la constitution par un écrivain de son propre style.

→ *Parodie*

PASTORALE nom fém. – Œuvre littéraire qui, mettant en scène des bergers, renvoie une image artificielle et idyllique de la vie rurale.

ÉTYM. : du latin *pastor* = « berger ».

Le genre naît avec l'œuvre de Théocrite (v. 310-v. 250 av. J.-C.) qui se consacre à l'évocation de la vie pastorale et traite tout particulièrement du mythe de Daphnis et Chloé. La pastorale, avec par la suite Virgile, dépeint une sorte d'âge d'or : le monde rural où évoluent bergers et bergères est un univers de pureté, d'innocence et de félicité.

Le genre ne disparaît pas avec l'Antiquité et se développe tout particulièrement dans la littérature française du XVIᵉ et du XVIIᵉ siècle sous la forme du poème, du drame ou même du roman. Dans son volumineux ouvrage *L'Astrée*, Honoré d'Urfé propose sans doute le chef-d'œuvre de cette forme particulière de littérature qui connut une vogue extraordinaire avant de passer de mode.

La pastorale traduit en général une nostalgie pour un monde disparu et l'aspiration à un univers de paix, d'amour et de simplicité qui est comme l'antithèse de l'univers corrompu de la ville, de la société ou de la cour. De Rousseau jusqu'à Giono, cet imaginaire de la vie rurale peut persister, mais il ne s'exprime plus exactement sous la forme de la pastorale.

→ *Pastourelle*

PASTOURELLE nom fém. – Chanson médiévale mettant en scène la rencontre d'un chevalier et d'une bergère.

→ *Pastorale*

PATAPHYSIQUE nom fém. – Système pseudo-philosophique inventé par Alfred Jarry.

ÉTYM. : néologisme inventé par Jarry.

Dans *Gestes et opinions du docteur Faustroll* (1898), Jarry définit la pataphysique comme « *la science de ce qui se surajoute à la métaphysique, soit en elle-même, soit hors d'elle-même, s'étendant aussi loin au-delà de celle-ci que celle-ci au-delà de la physique* ». La pataphysique peut encore être présentée comme une science des exceptions dont la dimension canularesque fait l'essentiel de la valeur.

En 1948 fut fondé le Collège de Pataphysique qui compta notamment parmi ses membres Queneau, Vian, Duchamp, Ionesco.

PATAQUÈS nom masc. – 1. Faute de liaison.

2. Toute grosse faute de langage.

ÉTYM. : formé à partir du pataquès suivant : « *Je ne sais pas-t-à qui est-ce.* »

→ *Barbarisme*

PATHÉTIQUE adj. ou nom masc. – Qui provoque une profonde émotion soit par la représentation du malheur (pathétique direct), soit par le récit (pathétique indirect).

ÉTYM. : voir Pathos.

On distingue parfois le tragique pour lequel la source du malheur est un principe transcendant (en général Dieu ou les dieux) et le pathétique pour lequel le malheur provient seulement du contexte social ou psychologique.

→ *Pathos – Tragédie*

PATHOS nom masc. – Pathétique poussé jusqu'à l'exagération.

ÉTYM. : mot grec signifiant « souffrance », « passion ».

PÉDAGOGIE nom fém. – 1. Art d'enseigner.

2. Domaine de la connaissance centré sur tout ce qui concerne la transmission du savoir.

ÉTYM. : du grec *paidagôgia*. En grec, *pais* (génitif *paidos*) signifie « enfant » et plus spécialement « garçon ». Le « *pédagogue* » *(paidagôgos)* était, à l'origine, l'esclave qui conduisait l'enfant à l'école et qui le faisait travailler à la maison.

Les grands pédagogues de la Renaissance sont Erasme, Montaigne, Rabelais et, un peu plus tard, Comenius.

PÉDANT nom masc. ou adj. – Personne qui, de manière prétentieuse, affiche en toute occasion une grande érudition.

ÉTYM. : de l'italien *pedante*.

Dans un célèbre chapitre de ses *Essais*, Montaigne s'en prend aux pédants qui ne sont riches que d'un savoir inutile car coupé de toute réalité. La critique de la culture livresque et celle de la fausse science seront parmi les thèmes principaux de la littérature aux XVIᵉ et XVIIᵉ siècles. Rabelais tournait en dérision l'enseignement de son temps. Molière se moquera des précieuses, des médecins : en somme, de tous les faux poètes et de tous les faux savants. Quant à Pascal, il affirmera la supériorité d'une véritable culture générale sur la vaine érudition des savants qui ignorent tout de ce qui existe hors du champ étroit de leur spécialité. Pour une époque qui fait de l'honnête homme le modèle culturel et social, le pédant ne peut qu'être l'objet de tous les ridicules.

→ *Honnête homme*

PENSÉE nom fém. – Sens littéraire. Idée exprimée de manière brève et frappante.

ÉTYM. : du latin *pendere* = « peser », « réfléchir ».

Blaise Pascal est l'auteur d'un célèbre ouvrage intitulé *Pensées* dans lequel il expose ses réflexions sur la culture, la politique, la morale ou la religion sous forme de remarques qui vont de la très brève notation à des développements de plusieurs pages. Le caractère fragmenté et éclaté de l'ouvrage n'est dû, cependant, qu'à son inachèvement. Pascal n'entendait pas publier un recueil de « pensées », mais une apologie du christianisme : ses remarques auraient dû, à terme, s'intégrer dans un ouvrage structuré.

À la différence de Pascal, mais en prenant paradoxalement modèle sur lui, un écrivain peut choisir de s'exprimer sous forme de « pensées ».

→ *Aphorisme – Fragment – Sentence*

PÉRIODE nom fém. – Phrase longue à la construction complexe et harmonieuse.

ÉTYM. : du grec *periodos* = « circuit ».

PÉRIPÉTIE nom fém. – Événement imprévu qui entraîne un brusque changement de situation.

ÉTYM. : du grec *peripeteia* = événement imprévu.

Le terme fut introduit par Aristote dans sa *Poétique* pour désigner le moment où, dans la tragédie grecque, le cours de l'intrigue se renverse.

Au début de *Mithridate* de Racine est annoncée la mort de Mithridate d'où va découler une crise. Par la suite est annoncé le retour de Mithridate. Ce retour correspond à une *péripétie* dans le déroulement de l'action. Quand il s'agit, comme c'est le cas ici, d'une péripétie importante, on parlera de « coup de théâtre ». Mais le mot péripétie correspond, d'une manière plus générale, à tout événement qui modifie le cours de l'action.

→ *Action – Diégèse*

PÉRIPHRASE nom fém. – Procédé consistant à remplacer un terme par un ensemble de mots qui possède un sens équivalent.

ÉTYM. : du grec *peri* = « autour » et *phrasis* = « expression ».

La définition du dictionnaire est, à sa façon, une périphrase. Le recours à la périphrase peut correspondre à différents types d'effet (euphémisme, humour, emphase, etc.). L'emploi de « les gouffres amers » pour « la mer » correspond, par exemple, au souci d'accentuer l'impression d'ampleur.

PÉRORAISON nom fém. – Partie finale d'un discours dans laquelle, selon les règles de la rhétorique, on résume l'essentiel de ce qui a été dit.

ÉTYM. : du latin *peroratio* se rattachant à *perorare* = « conclure un discours ».

PERSONNAGE nom masc. – Être de fiction que met en scène une œuvre littéraire.

ÉTYM. : du latin *persona*.

On a longtemps vu dans la description des *personnages*, dans la peinture des caractères l'un des principaux intérêts de la littérature, et tout particulièrement du roman. Un livre ou une pièce n'avaient de valeur que s'ils donnaient naissance à un « être de fiction » qui serait construit avec tellement d'art qu'il nous permettrait de mieux comprendre la nature humaine. Dans cette perspective, un grand personnage était un type (Tartuffe, Harpagon, Goriot, etc.), et la littérature avait pour mission de constituer à l'intention du lecteur cultivé une galerie de portraits éternels.

L'œuvre de Balzac est particulièrement représentative de cette conception de la littérature. Dans son « Avant-propos » à *La Comédie humaine*, le romancier déclare son intention de « *faire concurrence à l'état civil* ». C'est là, selon lui, une entreprise plus difficile que « *de mettre en ordre les faits à peu près les mêmes chez toutes les nations, de rechercher l'esprit des lois tombées en désuétude, de rédiger des théories qui égarent les peuples, ou comme certains métaphysiciens, d'expliquer ce qui est* ». Inventeur d'êtres de fiction, le romancier se pose en rival de Dieu, créateur d'êtres de chair et de sang. L'œuvre de Balzac nous propose ainsi une série de figures qui dominent de toute leur stature les titres de *La Comédie humaine*. En général, le romancier nous présente chacun de ses personnages, ne nous laissant rien ignorer de leur apparence physique, du milieu dans lequel ils évoluent, de la classe sociale à laquelle ils appartiennent, des traits principaux de leur caractère. Le roman gravite autour du personnage.

C'est largement à rebours de cette conception du personnage que le roman contemporain s'est constitué : au héros se substitue lentement l'antihéros ; de l'être doué de traits caractéristiques qui font de lui le représentant d'une forme significative de l'humanité, on passe à l'individu sans nom et sans visage. La littérature contemporaine est pleine ainsi de personnages médiocres, de héros sans noms ou d'hommes sans qualités. Dans un passage célèbre de son *Pour un nouveau roman*, Alain Robbe-Grillet analyse de la manière suivante la métamorphose du personnage romanesque :

« *Le roman de personnages appartient bel et bien au passé, il caractérise une époque : celle qui marqua l'apogée de l'individu.*

Peut-être n'est-ce pas un progrès, mais il est certain que l'époque actuelle est plutôt celle du numéro matricule. »

→ *Narrateur – Nouveau Roman*

PERSONNALISME nom masc. – Doctrine philosophique qui fait de la personne humaine la valeur essentielle.

Le terme de *personnalisme* a pu être utilisé par des philosophes nombreux et divers, mais c'est Emmanuel Mounier qui constitua véritablement le personnalisme en système au sortir de la Seconde Guerre mondiale. La revue *Esprit*, qui fut la tribune essentielle du personnalisme, proposait de celui-ci la définition suivante :

« *Le personnalisme, en face du règne de l'argent et des régimes totalitaires, affirme le primat des valeurs personnelles dans le monde humain. Mais le personnalisme lutte contre l'individualisme, qui ferme sur soi un individu réduit à la possession ou à la revendication et qui le coupe du destin commun des hommes.* »

Au temps de l'existentialisme – et non sans rapport avec ce mouvement –, le personnalisme se propose de mener à bien une révolution qui soit à la fois une *« révolution de la volonté »* et *« une révolution spirituelle »*.

PERSONNIFICATION nom fém. – Procédé qui consiste à présenter comme un être animé une idée, un sentiment, une abstraction ou toute forme de réalité inanimée.

Le procédé est particulièrement fréquent, et notamment en poésie. Ainsi dans ce texte de Verlaine qui évoque les allégories médiévales :

« *Alors le chevalier Malheur s'est rapproché, il a mis pied à terre et sa main m'a touché.* »

→ *Allégorie*

PÉTRARQUISME nom masc. – Ce qui, dans une œuvre littéraire, évoque un raffinement du sentiment amoureux.

ÉTYM. : le mot fait allusion à l'œuvre de Pétrarque, poète italien du XIV⁰ siècle, dont l'influence s'exerça sur les écrivains français, notamment ceux qui constituaient la Pléiade.

PHÉNOMÉNOLOGIE nom fém. – Doctrine philosophique dont le principal représentant fut Husserl et qui se donne pour objet essentiel l'étude de la manière dont la conscience saisit le monde.

ÉTYM. : de *phainomenos*, participe passé du verbe *phainestai* = « apparaître » et de *logos* = « discours ».

Avec Husserl, la *phénoménologie* affirme que « *toute conscience est conscience de quelque chose* » : penser, c'est toujours penser à quelque chose. Elle se veut un retour aux choses mêmes et s'attache à nous faire comprendre les modalités de notre présence dans le monde, à nous faire prendre conscience de la manière dont les phénomènes nous apparaissent.

La phénoménologie de Husserl a exercé une influence considérable sur la philosophie moderne, notamment à travers les œuvres de Heidegger et de Sartre.

PHILIPPIQUE nom fém. – Discours dans lequel l'auteur s'en prend avec violence à une personne.

Le terme vient du titre des trois discours politiques que Démosthène prononça contre Philippe de Macédoine, discours dont le titre était *Philippiques*, par allusion au nom de ce roi. Il fut repris par Cicéron lorsque ce dernier attaqua Antoine. Il sert aujourd'hui à désigner tout discours ou tout texte polémique qui, par sa violence, rappelle ces diatribes antiques.

→ *Diatribe*

PHILISTIN nom masc. – Personne qui, concernée uniquement par la dimension matérielle et prosaïque de l'existence, ne porte aucun intérêt à l'art et à la culture.

ÉTYM. : dans la Bible, les *Philistins* étaient une tribu agressive et étrangère. Le terme fut repris par les étudiants allemands pour désigner toute personne extérieure à l'Université et à son monde.

PHILOLOGIE nom fém. – Étude de la langue.

ÉTYM. : du grec *philo* = « amour », « amitié », « goût pour » et *logos* = « discours ». Donc littéralement « amour du discours » d'où « étude des textes ».

À l'origine et en accord avec l'étymologie, le terme désignait l'amour des belles-lettres et des textes. L'emploi le plus courant – mais non le seul – fait aujourd'hui de la philologie l'étude érudite d'une langue.

PHILOSOPHIE nom fém. – Discipline de l'esprit visant à la recherche de la sagesse sous la forme d'une connaissance rationnelle de la réalité et d'une conduite personnelle juste et morale.

ÉTYM. : du grec *philo* = « amour », « amitié », « goût pour » et *sophia* = « sagesse ».

Dans l'Antiquité, la philosophie recouvre ensemble du domaine de la connaissance rationnelle. Avec Platon et Aristote, elle pose la question du bien-vivre, de la nature du savoir, mais elle aborde également des questions qui relèveraient aujourd'hui de la science : en ce sens, la philosophie est à la fois éthique, logique et physique.

La philosophie, au sens que nous donnons aujourd'hui à ce mot, se développera en s'opposant successivement à d'autres formes de discours systématiques. Face à la religion, elle affirme la possibilité d'un savoir fondé non pas sur la révélation divine, mais sur l'usage humain de la raison : d'où les complexes débats de la culture médiévale sur les rapports entre philosophie et religion et sur la nature de la théologie. Face à la science, la philosophie affirme quelquefois la spécificité d'un savoir qui porte sur l'esprit lui-même et sur la raison d'être de ce qui est plutôt que sur la simple connaissance concrète du monde qui nous entoure.

L'*Encyclopédie* de Diderot définit ainsi la philosophie :

« Philosopher, c'est donner la raison des choses, ou du moins la chercher ; car tant qu'on se borne à voir et à rapporter ce qu'on voit, on n'est qu'historien. Quand on calcule et mesure les

proportions des choses, leurs grandeurs, leurs valeurs, on est mathé-maticien ; mais celui qui s'arrête à découvrir la raison qui fait que les choses sont, et qu'elles sont plutôt ainsi que d'une autre manière, c'est le philosophe proprement dit. »

Tout particulièrement au siècle des Lumières, cette entreprise rationnelle est présentée comme essentielle au progrès de l'humanité. Diderot définit le philosophe comme *« un honnête homme qui agit en tout par la raison »*. Refusant de se soumettre à toute autre autorité que celle de la raison, le philosophe libère l'esprit et apprend à autrui à être libre.

→ *Métaphysique*

PICARESQUE (roman) – Roman qui, sur le mode de certains récits espagnols, relate les aventures d'un serviteur ou d'un individu de modeste extraction qui vit toute une série de péripéties au gré de ses voyages et de ses rencontres.

ÉTYM. : de l'espagnol *picaro* = « aventurier ».

Le *roman picaresque* naît en Espagne au XVIᵉ siècle avec un chef-d'œuvre dont l'auteur est resté inconnu : *Lazarillo de Tormes* (1553). Il connaît son apogée au siècle suivant, et la mode s'en diffusera à travers toute l'Europe. *Moll Flanders* (1722) de Defoe ou *Gil Blas* (1715) de Lesage peuvent être considérés comme des romans picaresques.

L'adjectif « picaresque » est quelquefois utilisé de manière assez vague et générale pour désigner tout récit haut en couleur dans lequel le ressort de l'intrigue consiste dans les pérégrinations d'un personnage amené à traverser des milieux sociaux ou des pays différents. C'est en ce sens qu'on entend quelquefois parler de la dimension picaresque du *Candide* de Voltaire ou du *Voyage au bout de la nuit* de Céline.

PITTORESQUE adj. – 1. Qui est doté d'un charme original et mérite à ce titre d'être peint.

2. Qui décrit ou dépeint de manière vive et colorée.

ÉTYM. : de l'italien *pittore* = « peintre ».

On pourra donc dire aussi bien d'un paysage que de la description de celui-ci qu'ils sont pittoresques.

→ *Couleur locale*

PLAGIAT nom masc. – Imitation très proche ou simple reproduction d'une œuvre d'art ou d'un texte qu'on présente indûment comme une création originale.

ÉTYM. : du latin *plagiarius* = « qui vole les esclaves d'autrui ». Vient du grec *plagios* = « fourbe ».

En principe, le *plagiat* se distingue de l'imitation par son caractère malhonnête (le plagiaire est conscient de voler l'œuvre d'autrui) et par la non-reconnaissance du modèle que l'on a choisi (le plagiaire ne peut reconnaître la source de son œuvre sans se trahir du même coup). Grâce aux lois sur la propriété artistique, le plagiat est puni par la loi.

Dans la réalité, il est souvent difficile de dire ce qui relève purement et simplement du plagiat. Personne n'utiliserait ce terme pour qualifier l'*Ulysse* de Joyce qui consiste pourtant dans la réécriture de *L'Odyssée* d'Homère dans le décor moderne de Dublin. À l'inverse, lorsque Régine Desforges transpose *Autant en emporte le vent* à l'époque de la Seconde Guerre mondiale, sans avoir eu la prudence d'attendre que l'œuvre tombe dans le domaine public, elle est traînée devant les tribunaux par les ayants droit de Margaret Mitchell.

Les plus grands auteurs n'ont pas hésité à prendre à ceux qui les avaient précédés phrases, thèmes, procédés ou idées. Certaines des plus grandes œuvres étaient à la base de purs et simples plagiats. Mais le propre de la grande littérature est de faire oublier les modèles dont elle est née. Comme l'écrit Rivarol : « *En littérature, le vol ne se justifie que par l'assassinat.* »

Il existe un recensement de nombreux plagiaires dans *Dictionnaire des plagiaires* de Roland de Chaudenay, chez Perrin.

PLATONISME nom masc. – Doctrine inspirée des écrits du philosophe grec Platon.

Le platonisme est incontestablement à la source de toute la philosophie occidentale. Dans ses ouvrages, Platon entend rendre compte de l'enseignement de son maître Socrate. Plus que d'un véritable enseignement, il s'agit d'un dialogue dans lequel le philosophe, par son art de la maïeutique, amène ses interlocuteurs à se défaire de leurs erreurs et de leurs préjugés pour s'approcher de la vérité.

Le platonisme affirme l'existence d'un monde des Idées dont le monde réel n'est que l'imitation. L'objectif de la philosophie doit être de nous arracher au monde dans lequel nous vivons pour nous faire parvenir à la contemplation du monde des Idées dans lequel resplendissent le Vrai, le Beau et le Bien. En ce qui concerne la question de l'organisation de la cité, Platon affirme que, dans la république idéale dont il dessine le plan, le pouvoir doit appartenir au philosophe ; il prône une organisation rigide de la collectivité en classes et une forme de communisme.

Par la bouche de Socrate, Platon exprime un certain nombre de critiques à l'égard de la littérature : les poètes doivent être bannis de la cité, car leurs œuvres s'adressent, en général, à la sensibilité des individus au lieu d'œuvrer pour le bien de la collectivité en se contentant de faire l'éloge des lois de la cité, des dieux et des hommes vertueux. D'une manière moins spécifique, la littérature est également condamnée, car elle se veut l'imitation d'une réalité qui n'est elle-même que l'imitation imparfaite du monde des Idées auquel l'individu doit se consacrer.

Malgré cela, le platonisme a exercé une influence considérable sur la littérature et la poésie occidentale. Nombreux sont les écrivains – romantiques et symbolistes, notamment – qui se sont retrouvés dans cet idéalisme qui affirme que l'homme n'a pas de plus haute aspiration que la contemplation du Beau, du Bien et du Vrai.

→ *Idéalisme – Maïeutique*

PLÉIADE nom fém. – Mouvement littéraire qui, au XVIᵉ siècle, contribua de manière décisive au renouvellement de la poésie française.

ÉTYM. : du grec *Pleias* = constellation des Pléiades.

Cette expression fut introduite par Ronsard en 1556 pour désigner les sept personnes (lui et six amis) qui composaient la constellation des meilleurs poètes du temps. Ces amis se nommaient : Du Bellay, Baïf, Jodelle, Tyard, Peletier et Belleau. Cette liste sera plusieurs fois modifiée par la suite.

La *Pléiade* ne fut jamais une véritable école poétique. De plus, la poésie du XVIᵉ siècle est loin de se limiter à l'œuvre des sept écrivains que Ronsard retient. Cependant, entre 1550 et 1560, quelque chose de décisif changea dans la poésie française, qui est indissociable de l'entreprise de la Pléiade.

La Pléiade se proposait de travailler à une véritable révolution poétique qui romprait avec les formes caractéristiques du genre telles que les avait connues la littérature médiévale – rondeaux, ballades, chansons, etc. –, qui parviendrait à donner sa véritable grandeur à la langue française. Paradoxalement, cette révolution se voulut imitation de modèles anciens ou étrangers, ceux que proposaient la littérature antique et la poésie italienne. En ce sens, la Pléiade fut une entreprise savante de poètes érudits. L'imitation, cependant, n'allait pas sans l'inspiration qui seule faisait le poète véritable. La Pléiade fait en effet de la gloire du poète, de la dimension surhumaine de son entreprise et de l'immortalité qui lui est promise l'un de ses sujets de prédilection. Deux œuvres au moins – celle de Ronsard et celle de Du Bellay – ont indubitablement été à la hauteur des très hautes ambitions que ce mouvement affichait.

→ *Renaissance*

PLÉONASME nom masc. – Expression fautive dans laquelle on combine de manière redondante deux termes de signification identique.

ÉTYM. : du grec *pleonasmos*.

Le *pléonasme* est une faute des plus courantes que l'on commet lorsqu'on dit par exemple : « sortir dehors », « monter en haut ». Le pléonasme peut avoir cependant pour but de renforcer l'expression (« applaudir des deux mains »).

POCHADE nom fém. – 1. Tableau figuratif sans prétention exécuté en quelques coups de pinceau.

2. Œuvre littéraire sans prétention et souvent comique écrite très rapidement.

ÉTYM. : de « pocher » = « peindre rapidement ».

POÉSIE nom fém. – Genre littéraire se caractérisant par un travail spécifique portant sur la matérialité même du langage (rythme, sonorité, etc.) et qui vise à l'expression ou à la suggestion plus qu'à la simple énonciation d'un sens.

ÉTYM. : du grec *poiêsis* = « création ».

On ne saurait se contenter d'une définition purement formelle qui présenterait la *poésie* comme de la littérature en vers. Certes, traditionnellement, on reconnaît un poème à l'observation d'un certain nombre de règles et de conventions qui, malgré de notables variations, restent relativement stables dans une langue donnée : disposition particulière du texte dans l'espace de la page, mètre constant, recours à la rime, effets de rythme. Ainsi, la poésie se présente-t-elle d'abord au lecteur comme un code défini à l'intérieur de la langue par une série de règles contraignantes, ces règles engendrant des formes poétiques telles que, par exemple, le sonnet. Même dans la poésie la plus contemporaine (Denis Roche par exemple), il arrive que ces formes restent présentes pour que leur caractère arbitraire soit mis en évidence et dénoncé.

On ne peut cependant confondre le poète et le versificateur. La raison en est d'abord que, depuis un siècle, la poésie moderne s'est définie par le refus et l'abandon de la plupart des règles traditionnelles. Avec le vers libre, à la fin du XIXᵉ siècle, le mètre constant et la rime sont progressivement abandonnés. Dans le calligramme, la disposition ordinaire du poème disparaît. Enfin, le poème en prose, né avec Aloysius Bertrand et Baudelaire, s'impose comme l'une des formes essentielles de l'expression poétique du XXᵉ siècle.

La poésie n'en cesse pas pour autant de se définir comme un travail sur la matérialité même du langage. Les modalités seules de ce travail ont changé. Ainsi, dans les *Illuminations*, Rimbaud n'a recours à aucun des procédés habituels de la poésie, mais par le calcul rigoureux de la syntaxe, l'anaphore et les jeux sur les sonorités, il confère à ses textes un caractère authentiquement poétique.

Ce travail sur la matérialité de la langue n'est pas gratuit. Il donne à la langue une dimension musicale qui lui permet d'exprimer avec plus de force, de suggérer avec plus de mystère. À la différence de la prose, du langage courant, la poésie ne se limite donc pas à l'expression d'un sens transparent. C'est par elle que l'individu peut se faire « voyant » (Rimbaud), qu'il peut accéder à une vision plus haute et plus complète de la réalité que celles qu'assurent la science ou la philosophie. Selon le mot célèbre de Valéry, elle est « *l'ambition d'un discours qui soit chargé de plus de sens et mêlé de plus de musique que le langage ordinaire n'en porte et n'en peut porter* ».

→ *Poétique – Versification*

POÉTIQUE nom fém. – 1. Traité consacré à la poésie.

2. Conception de la poésie ou de la littérature propre à un écrivain.

3. Discipline cherchant à établir les règles qui définissent dans son ensemble le discours littéraire et dont chaque œuvre ne constitue qu'une application particulière.

ÉTYM. : du grec *poiêtikê*, se rattachant à *poiein* = « faire », « créer ».

Au premier sens, on connaît par exemple *La Poétique* d'Aristote.

Au deuxième sens, on peut parler de la poétique de Baudelaire pour dire par exemple qu'elle a bouleversé notre conception de la littérature.

Au troisième sens, Tsvetan Todorov définit ainsi la poétique :
« *Ce n'est pas l'œuvre littéraire elle-même qui est l'objet de la poétique : ce que celle-ci interroge, ce sont les propriétés de ce discours particulier qu'est le discours littéraire. Toute œuvre n'est alors considérée que comme la manifestation d'une structure abstraite et générale dont elle n'est qu'une des réalisations possibles.* »
→ *Esthétique – Poésie*

POINT DE VUE – Perspective à partir de laquelle, dans une fiction, la réalité est présentée au lecteur.

Tout récit suppose un *point de vue* à partir duquel le monde de la fiction est saisi et présenté. On distingue classiquement deux types de point de vue. Dans le cas de la vision externe, la réalité est « vue » de l'extérieur, comme par un personnage omniscient dont le champ d'investigation et d'analyse peut ne connaître aucune limite dans le cas du narrateur omniscient. À l'inverse, dans le cas de la vision interne, nous ne voyons et nous ne savons que ce que voit et sait l'un des personnages mis en scène par le récit et que nous suivons pas à pas. Ces deux perspectives changent du tout au tout la nature d'une histoire que nous percevons soit de manière objective, soit de manière subjective.

L'opposition entre ces deux cas de figures est souvent moins tranchée dans la réalité des textes. Les auteurs jouent de la multiplicité des points de vue pour nous faire saisir le récit sous des angles différents et complémentaires. Ainsi dans l'*Ulysse* de Joyce où les points de vue changent de chapitre en chapitre. De manière moins systématique, la plupart des fictions procèdent de même.

POINTE nom fém. – 1. Trait d'esprit.
2. Paroles ironiques ou blessantes (« il n'a cessé de me lancer des pointes »).

3. Littérature. Façon spirituelle et comportant un élément de surprise dont on termine une épigramme, un madrigal ou un texte quelconque.

ÉTYM. : du latin *pungere* = « piquer », « poindre ».

Dans sa célèbre pièce, Rostand fait dire à Cyrano de Bergerac :

« Oui, la pointe, le mot !
Et je voudrais mourir, un soir, sous un ciel rose,
En faisant un bon mot, pour une belle cause !
Oh ! frappé par la seule arme noble qui soit,
Et par un ennemi qu'on sait digne de soi,
Sur un gazon de gloire et loin d'un lit de fièvres,
Tomber la pointe au cœur en même temps qu'aux lèvres ! »

Dans ce texte, il s'agit évidemment du troisième sens avec un jeu de mots évoquant la « pointe » de l'épée (celle qui va « au cœur ».

→ *Chute*

POLÉMIQUE nom fém. – Controverse de caractère violent.

ÉTYM. : du grec *polemikos* = « relatif à la guerre ».

→ *Diatribe – Libelle – Pamphlet*

POLICIER (roman) – Roman dont le ressort est constitué par la résolution d'une enquête de nature criminelle.

Le *roman policier* a ses règles et ses conventions : il met souvent en scène un héros à la prodigieuse intelligence logique qui, par ses seules capacités de déduction et d'observation, résout le mystère d'un crime resté totalement inexplicable. Tel est le modèle qui fut fixé par Edgar Allan Poe dans celles de ses nouvelles qui, tel *Meurtres dans la rue Morgue*, mettent en scène Dupin et qu'on retrouvera aussi bien chez Conan Doyle avec Sherlock Holmes que chez Agatha Christie avec Hercule Poirot.

Le genre a évolué, et le roman policier moderne repose moins au XXᵉ siècle sur le récit de crimes sophistiqués déjoués ou punis par la surhumaine logique d'un détective. Il s'agit souvent, à travers une enquête, de décrire un milieu, de peindre un personnage, voire de se livrer à une satire sociale et politique.

Du fait de la piètre qualité de la majeure partie de la production, on a longtemps considéré que le roman policier relevait de l'infralittérature. Il a cependant tenté de grands écrivains qui, comme l'Argentin Borges, ont joué avec ses règles et ses conventions, et a donné naissance à quelques grandes œuvres romanesques comme celle de Simenon.

→ *Infralittérature – Paralittérature*

POLYSÉMIE nom fém. – Caractère de ce qui possède plusieurs significations.

ÉTYM. : du grec *polus* = « plusieurs », « beaucoup » et *sêma* = « signes ».

On pourra parler de la *polysémie* d'un mot (« culture » se rapporte au travail de la terre et à l'activité intellectuelle) ou de celle d'un texte.

POMPIER adj. – Toute forme d'art – et particulièrement la peinture – qui se caractérise par le traitement académique de sujets conventionnels.

ÉTYM. : le mot est parti du milieu des Beaux-Arts où on l'a employé pour parler des peintres et des sculpteurs qui traitaient des grands sujets classiques où les personnages sont coiffés de casques empanachés que l'on a comparés par dérision aux casques de pompiers de l'époque qui étaient ornés d'un plumet. Il a pu s'y ajouter une paronymie avec *pompeux*, terme ayant souvent un sens péjoratif en matière esthétique.

→ *Cliché – Lieu commun*

PONCIF nom masc. – Cliché. Banalité.

ÉTYM. : le mot se réfère à un procédé destiné à reproduire un dessin. On passait une poudre colorante (craie ou charbon) appelée « ponce » sur une feuille perforée (le *poncif*). Cela permettait de reproduire le dessin sur la feuille placée en dessous.

Baudelaire, sans que son propos soit vraiment ironique, disait que le propre du génie était de créer un poncif.

→ *Cliché – Lieu commun*

PONCTUATION nom fém. – Système de signes qui permet de marquer dans un texte les divisions de celui-ci de manière à en préciser le sens et à en faciliter la lecture.

ÉTYM. : du latin *punctum* = « point ».

Certains styles littéraires se caractérisent notamment par l'usage particulier que l'auteur fait des ressources de la *ponctuation* soit en en multipliant les signes, soit au contraire en s'en dispensant.

Du côté de la multiplication des signes de ponctuation, il faut citer le cas de Céline qui, notamment dans ses dernières œuvres, recourt de manière systématique aux points de suspension.

L'exemple le plus célèbre de texte non ponctué est celui du monologue de Molly Bloom qui conclut l'*Ulysse* (1922) de James Joyce. Pour rendre le flux des images et des pensées qui traversent l'esprit de son héroïne, Joyce, dans le cadre de la technique du monologue intérieur, supprime sur une trentaine de pages toute ponctuation, le rythme de sa phrase venant ainsi comme se modeler sur le rythme intérieur de son personnage.

D'autres écrivains ont eu recours à ce même procédé. Ainsi Faulkner dans certains passages de son roman *Le Bruit et la Fureur* (1929). Le cas limite est sans doute celui de *Paradis* (1981) de Philippe Sollers, roman qui sur plusieurs centaines de pages ne comporte aucun signe de ponctuation ni aucun changement de paragraphe. Le texte se présente au lecteur comme une seule coulée ininterrompue de mots.

Notons, cependant, que d'une manière ou d'une autre tout texte est ponctué quand bien même la ponctuation n'en est pas apparente. Ainsi dans le cas de *Paradis*, un système très élaboré de rimes et de sonorités impose en fait à la lecture un rythme unique.

À noter que certaines langues comme le latin ne connaissent pas la ponctuation.

POPULISME nom masc. – Doctrine littéraire assignant comme sujet au roman la vie du peuple.

ÉTYM. : du latin *populus* = « peuple ».

Le populisme fut fondé en 1929 par Léon Lemonnier et André Thérive. Il est en un sens l'héritier du naturalisme et son esprit le rapproche par certains aspects du cinéma réaliste français des années 30.

→ *Naturalisme – Vérisme*

PORNOGRAPHIE nom fém. – Toute forme de représentation de nature obscène.

ÉTYM. : du grec *pornê* = « prostituée » et *graphe* se rattachant à un dérivé de *graphein* = « tracer », « écrire ».

Pour la question de la pornographie en littérature, voir *Érotisme*.

PORT-ROYAL nom propre – Mouvement religieux qui, au XVIIᵉ siècle, diffusa la doctrine janséniste.

→ *Jansénisme*

PORTRAIT nom masc. – Toute forme de représentation d'un personnage, réel ou fictif.

ÉTYM. : de « portraire » = dessiner. On a d'abord dit *pourtraire* (de « pour » et de « traire » qui avait le sens de « tirer »).

Le portrait vise à présenter au lecteur un personnage en faisant de celui-ci une description aussi précise et complète que possible : on détaillera par exemple aussi bien la place qu'il occupe dans la société, que son occupation, son apparence physique, ses vêtements, son caractère. Approchant progressivement le personnage, le portrait tend le plus souvent à en faire saisir la vérité psychologique.

Les grandes œuvres du siècle de Louis XIV – ainsi les

Mémoires du cardinal de Retz ou ceux du duc de Saint-Simon – valent notamment par la série des portraits de figures célèbres que les deux écrivains y tracent, de manière souvent cruelle et pénétrante. Le portrait – d'un personnage cette fois-ci fictif – appartient également à l'art du romancier au XIXᵉ siècle. Ainsi, chez Balzac, où, conformément aux principes de la phrénologie ou de la physiognomonie, la description physique d'un individu doit révéler au lecteur sa nature psychologique et morale.

POSITIVISME nom masc. – 1. Doctrine d'Auguste Comte. 2. Toute doctrine ne se fondant que sur la connaissance scientifique.

ÉTYM. : formé sur l'adjectif « positif ».

La doctrine d'Auguste Comte se veut le dépassement des systèmes théologique ou métaphysique qui ont prévalu dans le passé de l'humanité. Se refusant à toute autre forme de connaissance que celle qui procède de l'examen des faits, de l'observation et de la déduction, elle tente d'appliquer à l'analyse de la société les règles de la méthode scientifique. En ce sens, Comte apparaît à la fois comme l'héritier du comte de Saint-Simon et le précurseur de Renan et de Taine. Par son ambition et ses ambiguïtés, son positivisme est caractéristique d'un XIXᵉ siècle qui tenta de substituer le règne du savoir à celui de la foi, dans l'espoir d'assurer de manière rationnelle le bonheur de l'humanité et sa perfection morale.

PRÉCIOSITÉ nom fém. – 1. Mouvement littéraire qui, au XVIIᵉ siècle, se caractérisa par un goût délibéré de l'artifice et un raffinement extrême du style et de la pensée. 2. Le plus souvent de manière péjorative, toute forme d'affectation dans l'expression.

ÉTYM. : formé sur l'adjectif « précieux ».

Le mouvement précieux connut son apogée au milieu du XVIIᵉ siècle. Les critiques célèbres dont il fut l'objet – tout particulièrement dans *Les Précieuses ridicules* de Molière – ne doivent faire oublier ni son importance littéraire ni le véritable fait de civilisation qu'il constitua.

Se développant dans les salons, la *préciosité* renoue avec la littérature courtoise : elle veut voir dans l'amour une expérience périlleuse qui donne tout son prix à l'existence ; elle s'attache à décrire, comme dans la célèbre « carte du Tendre », les différentes étapes d'une passion toujours vécue sur le mode de l'idéal et de la pureté. Bannissant toute forme de trivialité, réduisant souvent la littérature à n'être qu'un divertissement de salon, se perdant quelquefois dans un raffinement extrême, la préciosité n'a donné naissance à aucune grande œuvre littéraire. Elle a cependant marqué, par sa conception de l'amour, quelques textes notables et a exercé une influence indirecte sur l'ensemble de la culture du XVIIᵉ siècle. Par le rôle considérable qu'y ont joué les femmes, la préciosité peut être également considérée comme l'une des principales étapes dans la constitution d'une littérature féministe.

→ *Gongorisme – Hermétisme*

PRÉFACE nom fém. – Tout texte placé en tête d'un ouvrage en vue de présenter celui-ci au lecteur.

ÉTYM. : se rattache au latin *praefari* = « dire d'avance ».

Certaines préfaces – signées d'un auteur célèbre – servent à apporter une caution à l'ouvrage d'un écrivain moins connu. Ainsi nombre de préfaces de Sartre qui sont des formes de parrainage littéraire.

Lorsque l'auteur préface lui-même son propre ouvrage, il cherche souvent à présenter les principes esthétiques qu'il a voulu suivre. La préface peut alors devenir manifeste (comme dans *Mademoiselle de Maupin* de Gautier), bilan et autobiographie (*L'Envers et l'Endroit* de Camus). Il arrive même que par son retentissement elle éclipse le texte auquel elle devrait introduire (*Cromwell* de Hugo).

PRÉFIXE Voir Affixe.

PRÉMISSE nom fém. – Proposition placée au début d'un raisonnement et dont celui-ci découle logiquement.

ÉTYM. : du latin *praemissa sententia* = « proposition mise en avant ». Voir à Syllogisme.

Il faut éviter la confusion avec « prémices » qui a désigné les premières productions de la terre, d'où le sens de « début ».

PRÉRAPHAÉLITES – Confrérie d'artistes anglais qui, au milieu du XIXᵉ siècle, cherchèrent leur inspiration dans les œuvres antérieures à celles de Raphaël.

Le plus célèbre des *préraphaélites* fut sans doute le peintre, poète et traducteur de Dante, Dante Gabriel Rossetti. Le mouvement fut essentiellement pictural, mais il exerça également une influence considérable dans le domaine de la littérature. Il se caractérisait par une volonté de revenir à l'art médiéval et une certaine forme d'archaïsme délibéré, de symbolisme sensuel.

Parmi les écrivains sur lesquels s'exerça l'influence du préraphaélisme, il faut citer William Morris et surtout Swinburne. En France, on trouve dans certains des premiers poèmes de Mallarmé comme un écho de l'esthétique des préraphaélites.

PRÉROMANTISME nom masc. – Sensibilité littéraire propre à certains auteurs de la fin du XVIIIᵉ siècle et qui prépare l'émergence du mouvement romantique.

Le *préromantisme* ne constitue en rien un mouvement littéraire véritable. Il s'agit d'une création rétrospective des historiens littéraires qui cherchent ainsi à montrer comment l'affirmation des valeurs romantiques a été rendue possible par l'œuvre de quelques précurseurs. On parlera ainsi du préromantisme de Rousseau pour souligner que le thème – typiquement romantique – de l'artiste solitaire rejeté par la société et qui cherche refuge dans la nature est déjà présent dans les *Rêveries du promeneur solitaire*.

PRÉTÉRITION nom fém. – Figure de rhétorique qui consiste à prétendre ne pas évoquer une chose dont justement l'on va parler.

ÉTYM. : du latin *praeteritio* = « omission ».

EXEMPLE : « Je ne vous dirai pas que... » « Il est inutile de vous rappeler que... »

PRIÈRE nom fém. – Texte, fixé par l'Église ou librement inventé par le croyant, dans lequel celui-ci s'adresse à Dieu ou à toute autre forme de réalité supérieure pour entrer en contact et communiquer avec celle-ci.

ÉTYM. : du latin médiéval *precaria* dérivant du latin classique *preces*. *Precaria* était le féminin substantivé de *precarius*, adjectif qui signifie « chose obtenue par des prières », d'où est venu l'adjectif « précaire ».

Certaines *prières* sont fixées par l'Église tels le « Je vous salue Marie » ou le « Notre-Père » dont le texte figure dans le Nouveau Testament. Mais la prière ne se limite pas à la pure répétition de formules apprises. Elle doit être mouvement de l'âme vers le Créateur et peut déboucher sur une expérience d'ordre mystique.

On a souvent rapproché la poésie de la prière. Dans les deux cas, l'âme s'élèverait et, par le langage, atteindrait à un état de pureté ineffable. Telle était par exemple la célèbre théorie exposée par l'abbé Brémond dans *La Poésie pure* (1924). Quoi qu'il en soit, il est certain que de nombreux textes poétiques jouent à imiter le langage de la prière soit pour manifester la foi de leur auteur et sa volonté de chanter celle-ci (Claudel ou *Sagesse* de Verlaine), soit de manière plus complexe pour détourner celui-ci de sa fonction originelle et le doter d'un sens nouveau. Ainsi chez Baudelaire où, dans *Bénédiction* par exemple, le texte débute par le retournement parodique du « Je vous salue Marie » et s'achève par une prière adressée par le poète à Dieu.

Ce lien entre prière et poésie apparaît bien dans certains mots latins. *Carmen* correspond à « formule magique »,

« incantation », mais aussi à « poème ». Le *vates* est à la fois le « devin » et le « poète ».

→ *Incantation*

PRIMITIF nom masc. – Art et littérature.

1. Artiste dont l'œuvre appartient à une période antérieure à celle où la civilisation à laquelle il appartient atteint sa maturité.

2. Tout artiste dont l'œuvre, par sa simplicité, rappelle l'œuvre des primitifs.

ÉTYM. : du latin *primitivus* = « qui naît le premier ».

PROLÉGOMÈNES nom masc. pluriel – Texte précédant un ouvrage et présentant les éléments nécessaires à la compréhension de celui-ci.

ÉTYM. : du grec *prolegomena* = « les choses qui sont dites d'abord ».

PROLEPSE nom fém. – Procédé rhétorique qui consiste à anticiper les objections pour mieux les réfuter.

ÉTYM. : du latin *prolepsis* = « anticipation », mot d'origine grecque.

EXEMPLE : « À l'objection qui consisterait à soutenir que…, je répondrai… »

PROLOGUE nom masc. – 1. Théâtre. Partie de la pièce située au début de celle-ci et dans laquelle, souvent, un personnage vient présenter l'action.

2. D'une manière plus générale, texte situé au début d'une œuvre et visant à présenter celle-ci ou à introduire certains éléments nécessaires à la compréhension de l'intrigue.

ÉTYM. : du grec *pro* = « devant », « avant » et *logos* = « discours », donc littéralement « avant le discours ».

→ *Préface*

PROPAGANDE nom fém. – Action consistant à diffuser de manière militante des idées de nature religieuse ou surtout politique.

ÉTYM. : de *congregatio de propaganda fide* = « congrégation pour propager la foi ». Cette institution fondée par l'Église catholique en 1622 avait pour mission de diffuser la foi dans le monde.

Toute littérature engagée, dans la mesure où elle se propose d'agir sur les convictions politiques du lecteur, relève en un sens de la *propagande*. Le terme ayant cependant une nette connotation péjorative, on le réservera aux œuvres littéraires ou artistiques dont le didactisme est tel qu'elles perdent toute authentique valeur esthétique.

→ *Engagement – Jdanovisme – Réalisme socialiste*

PROSAÏQUE adj. – Qui manque de poésie et donc, par extension, d'élévation et de distinction.

ÉTYM. : voir Prose

PROSE nom fém. – Tout discours qui ne se soumet pas aux règles de la versification.

ÉTYM. : du latin *prosa oratio* = « discours qui va en ligne droite ». Se rattache à *prorsus* = « qui va vers l'avant », « conduit en ligne droite », d'où « discours sans inversion ».

Selon la célèbre formule d'un personnage de Molière : « *Tout ce qui n'est point prose est vers ; et tout ce qui n'est point vers est prose.* » Comme le bourgeois gentilhomme, nous faisons donc tous de la prose sans même le savoir.

La distinction entre prose et poésie est cependant plus complexe que ne pouvait le laisser entendre le maître de monsieur Jourdain. La littérature moderne a vu l'invention du poème en prose, et l'on peut gaiement parler de prose poétique lorsque l'écrivain travaille dans une intention clairement poétique la langue d'un roman ou d'un essai.

→ *Poème en prose – Poésie*

PROSE (poème en) – Texte poétique dans lequel la prose est utilisée à l'exclusion du vers.

On fait d'ordinaire remonter l'histoire du poème en prose au *Gaspard de la Nuit* (1842) d'Aloysius Bertrand. En une série de textes à la langue très travaillée, l'auteur y fait revivre un Moyen Âge réinventé dans l'esprit des romantiques.

C'est Baudelaire, cependant, qui impose cette nouvelle forme littéraire avec ses *Petits poèmes en prose* (1869) qui, à bien des égards, sont le digne pendant des *Fleurs du mal*. Dans la seconde moitié du XIXᵉ siècle, Mallarmé, Rimbaud (les *Illuminations*), Huysmans (*Le Drageoir aux épices*) emprunteront la même voie. Avec la quasi-disparition de la versification traditionnelle et en concurrence avec les différentes formes du vers libre, le poème en prose s'imposera au XXᵉ siècle comme l'une des formes essentielles de la poésie. Tel est le langage que privilégieront par exemple Ponge, Michaux, Char ou Saint-John Perse.

Le poème en prose se distingue à la fois de la prose et du vers. Par définition, il se refuse à toute forme de vers, traditionnel ou libre. Mais obligatoirement de très faible dimension, il se différencie tout autant de la nouvelle par le travail strictement poétique qui s'exerce sur la langue et qui passe par des effets de rythme, de sonorité, comme par une densité métaphorique qui serait déplacée dans une fiction. Pour cette raison, le poème en prose se trouve toujours en équilibre entre le poétique et le prosaïque, comme entre le lyrique et le narratif. Chaque écrivain, dans ce contexte, choisit la forme propre d'équilibre qu'entre ces deux pôles il veut atteindre.

PROSODIE nom fém. – Règles relatives, en poésie, à la durée et à l'intensité de la prononciation des syllabes.

ÉTYM. : du grec *prosôidia* = « accent dans la prononciation ».

→ *Accent – Scansion – Versification*

PROSOPOPÉE nom fém. – Procédé par lequel on met en scène et fait parler un être ou une réalité privée de la parole ou de toute forme de pensée véritable (mort, objet animal, etc.).

ÉTYM. : du grec *prosôpon* = « visage » puis « personne ».

EXEMPLE : dans *L'Enfant et les Sortilèges*, Ravel présente les objets d'une chambre d'enfant (horloge, mobilier, etc.) qui se mettent à se plaindre du traitement qui leur est infligé.

On cite souvent la « prosopopée de Fabricius » de Jean-Jacques Rousseau. Dans le *Discours sur les sciences et les arts*, Rousseau imagine un Romain des premiers âges de Rome qui revient dans la Rome « civilisée » et s'adresse, sur un ton de reproche, à ceux qui ont cédé aux charmes du progrès.

→ *Apostrophe*

PROTAGONISTE nom masc. – Dans un roman ou dans toute histoire, l'un des personnages principaux.

ÉTYM. : du grec *prôtos* = « premier » et *agônizesthai* = « combattre dans les jeux publics », c'est-à-dire « concourir ». Le terme vient du théâtre grec et désignait le principal acteur de la pièce.

→ *Personnage*

PROTASE Voir Apodose

PROVERBE nom masc. – Formule frappante exprimant une vérité de bon sens appartenant à la sagesse populaire.

ÉTYM. : du latin *proverbium*.

On peut citer parmi des centaines d'exemples : « L'habit ne fait pas le moine » ou « Pierre qui roule n'amasse pas mousse ». Ou encore, pour introduire une note d'exotisme, « Qui grimpe au mât doit avoir le cul propre » (Italie), « Toute la force du crocodile se trouve dans l'eau » (Afrique).

Les surréalistes, et d'autres après eux, se sont amusés à déformer des proverbes connus pour obtenir un effet de surprise : ainsi « Il faut battre sa mère pendant qu'elle est jeune » par allusion à « Il faut battre le fer quand il est chaud ».

→ *Aphorismes – Maximes – Proverbe dramatique – Sentences*

PROVERBE DRAMATIQUE – Petite pièce de théâtre dont l'intrigue consiste en l'illustration d'un proverbe.

Le genre remonte aux jeux pratiqués dans les salons du XVIIe siècle : on s'y amusait à découvrir des proverbes mis en scène. Il se développa et prit de l'importance dans la seconde moitié du XVIIIe siècle. Parmi les proverbes les plus célèbres, il faut citer ceux – tardifs – d'Alfred de Musset au XIXe siècle : *On ne badine pas avec l'amour, Il ne faut jurer de rien, Il faut qu'une porte soit ouverte ou fermée.*

PSAUME nom masc. – Chant ou poème sacré figurant dans l'un des livres de la Bible.

ÉTYM. : du grec *psalmos* = « air joué avec accompagnement d'un instrument à cordes ».

Certains poètes de la Renaissance ont puisé une partie de leur inspiration dans le texte des Psaumes qu'ils ont traduit et paraphrasé. Marot, aidé de l'un de ses amis hébraïstes, publia en 1539 sa propre version d'une trentaine de psaumes. Au XVIIe siècle, Racan et Malherbe s'exercèrent dans le même genre.

PSEUDONYME nom masc. – Nom d'emprunt choisi par un écrivain ou un artiste soit pour des raisons esthétiques, soit pour dissimuler son identité.

ÉTYM. : du grec *pseudônumos* formé sur *pseudês* = « faux » et *onoma* = « nom ».

De nombreux écrivains célèbres ont choisi d'avoir recours à un pseudonyme. Ainsi le véritable nom de Molière était Jean-Baptiste Poquelin ; celui de Voltaire, François-Marie Arouet ; celui de Céline, Louis Ferdinand Destouches.

Les raisons de ce changement d'identité peuvent être multiples. Romain Gary (déjà un pseudonyme), par exemple, est devenu secrètement Émile Ajar pour recommencer une nouvelle carrière littéraire qui lui a permis d'obtenir une seconde fois le prix Goncourt. Philippe Joyaux, encore mineur lors de ses débuts, a dû publier son premier texte sous le pseudonyme de Sollers qu'il a conservé pour ses romans ultérieurs.

L'adoption d'un pseudonyme peut, pour l'écrivain, avoir une importance symbolique considérable qui influe sur son œuvre.

Prendre un nom nouveau – et qui plus est un nom que l'on a choisi –, c'est comme naître à nouveau du seul fait de sa volonté. L'exemple d'Isidore Ducasse, empruntant le nom de Latréaumont à un roman d'Eugène Sue pour en faire Lautréamont, est ici exemplaire.

PSITTACISME nom masc. – Attitude consistant à répéter des propos comme le ferait un perroquet.

ÉTYM. : du grec *psittakos* = « perroquet ».

PSYCHANALYSE nom fém. – Théorie du fonctionnement psychique fondée par Sigmund Freud et qui rend compte de celui-ci à partir de l'hypothèse de l'inconscient.

ÉTYM. : de « psycho » et « analyse ».

La *psychanalyse* freudienne vise à éclairer un certain nombre de phénomènes psychiques jusqu'alors inexpliqués tels que le rêve, le lapsus ou des désordres de nature mentale ou sexuelle. Elle démontre que du fait de la censure qu'il exerce l'esprit rejette hors de sa partie consciente un certain nombre de désirs qui, bien qu'inconscients, continuent à exercer leur influence sur le sujet et se traduisent par toute une série de symptômes. L'ambition de la psychanalyse est de décrypter ces symptômes pour remonter, par le biais de l'analyse, jusqu'à leur source et permettre ainsi au patient de surmonter les désordres dont il est l'objet. La psychanalyse se présente donc à la fois comme une forme de thérapie et comme un discours théorique qui vise à nous donner une vision neuve et globale de l'individu et même de la société.

Avec Freud, déjà, la psychanalyse s'était penchée sur l'activité littéraire. Elle propose une théorie de l'art qui fait de celui-ci une forme de sublimation : le peintre ou l'écrivain « sublime », par la création, les pulsions qui sont en lui et transforme ainsi en œuvres les forces qui le menacent. La psychanalyse, faisant d'Œdipe le modèle même de toute existence, s'est également inspirée de certains grands textes de la littérature. Elle a voulu lire dans ceux-ci la traduction chiffrée des grands mécanismes qui régissent à notre insu notre vie psychique. Dans cette perspective, l'œuvre littéraire devient un champ d'investigation dans lequel peuvent et doivent s'appliquer les outils de la théorie freudienne. De là naît la critique psychanalytique que Freud a indiscutablement fondée et qui, de Marie Bonaparte à Jacques Lacan et Julia Kristeva, a souvent modifié notre compréhension de certains grands textes et de la nature même du fait littéraire.

Certains grands écrivains du XXᵉ siècle se sont opposés avec violence à la prétention de la psychanalyse de dire la vérité de la littérature (Nabokov) ou ont tenté de rendre la théorie freudienne compatible avec leur propre système (Sartre). De manière irréversible, cependant, la psychanalyse a modifié le rapport de l'écrivain à son œuvre. Alors que nombre de romans préfreudiens ou a-freudiens qui paraissent encore aujourd'hui apparaissent souvent d'une invraisemblable naïveté, d'autres écrivains ont choisi d'intégrer le savoir ou même la méthode psychanalytique à leur travail littéraire pour ouvrir à celui-ci de nouvelles perspectives. Ainsi les surréalistes qui, avec Breton, ont largement contribué à la diffusion du freudisme dans la culture française et dont la théorie du psychisme et de l'écriture est, dans une grande mesure, redevable aux vues de la psychanalyse.

→ *Psychocritique*

PSYCHOCRITIQUE nom fém. – Méthode critique fondée par Charles Mauron (1899-1966) et procédant de la psychanalyse des textes littéraires.

ÉTYM. : de « psycho » et « critique ».

Avec des livres comme *Des métaphores obsédantes au mythe personnel* et *Psychocritique du genre comique*, l'œuvre de Charles Mauron relève de la critique psychanalytique. Elle s'en distingue cependant sur un point essentiel : alors que certains psychanalystes se penchent surtout sur l'inconscient de l'auteur tel qu'il serait possible de le restituer à partir de l'étude de la biographie de celui-ci, Mauron se consacre d'abord à l'œuvre et, par sa méthode de superposition des textes, cherche à dégager les métaphores obsédantes qui habitent une écriture et dans lesquelles se traduit l'inconscient. La démarche de Mauron, dans les années 50, s'est faite dans la proximité de tous ces travaux qui, sous le nom de « nouvelle critique », ont renouvelé notre approche de la littérature.

PSYCHOSE nom fém. – Maladie mentale prenant souvent la forme de l'obsession ou de l'idée fixe.

La *psychose* est un trouble plus profond que la névrose et donc moins facile à traiter par la psychanalyse.

→ *Psychanalyse*

PURISME nom masc. – Volonté de conserver à tout prix la pureté d'une langue en s'opposant à toute forme d'évolution dont celle-ci pourrait être l'objet.

ÉTYM. : formé sur l'adjectif « pure ».

Le *purisme* peut consister en un effort louable pour conserver à une langue sa rigueur, son élégance et sa cohérence. Telle est l'une des missions assignées à l'Académie française.

Le terme de « purisme », cependant, est souvent utilisé de manière péjorative pour désigner une forme d'intolérance qui, en prétendant protéger la langue, ne réussit qu'à couper celle-ci de la pratique réelle et à lui faire perdre toute forme de vitalité.

PYRRHONISME nom masc. – Scepticisme philosophique absolu semblable à celui que professait le grec Pyrrhon.

ÉTYM. : de Pyrrhon.

Montaigne a recours à ce terme aujourd'hui sorti de l'usage. Il pousse le *pyrrhonisme* dans ses limites avec sa fameuse formule « Que sais-je ? » ; car dire « je ne sais rien » est déjà affirmer une chose comme vraie.

→ *Scepticisme*

Q

QUADRIVIUM nom masc. – Groupe de quatre disciplines dans le système d'études du Moyen Âge.

ÉTYM. : formé sur *quattuor* = « quatre » et *via* = « chemin ».

L'expression « arts libéraux » désignait l'ensemble des disciplines considérées comme fondamentales de l'Antiquité jusqu'au Moyen Âge.

Ces arts libéraux comprenaient le « trivium » (grammaire, rhétorique et dialectique) et le *quadrivium* (arithmétique, géométrie, astronomie et musique).

QUATRAIN nom masc. – Strophe de quatre vers.

→ *Strophe*

QUESTION nom fém. – Phrase par laquelle on demande à la personne à laquelle on s'adresse une information dont l'on est en principe soi-même privé.

ÉTYM. : du latin *quaestio* = « recherche » se rattachant au verbe *quaerere* = « quérir », « chercher ».

Si la *question* sous sa forme la plus simple n'appelle aucune remarque particulière, il convient de souligner un certain nombre d'emplois rhétoriques de celle-ci. Ainsi l'interrogation oratoire qui n'exige aucune réponse, mais vise à constater un fait tout en prenant autrui à témoin de celui-ci. La question est donc souvent une forme particulière de l'affirmation à laquelle, pour des raisons stylistiques, les textes littéraires ont souvent recours. On signalera notamment l'un des derniers chapitres de l'*Ulysse* de Joyce qui, parodiant les catéchismes, n'est constitué que d'un enchaînement mécanique de questions et de réponses.

Exemple emprunté aux *Pensées* de Pascal : « *D'où vient qu'un boiteux ne nous irrite pas, et qu'un esprit boiteux nous irrite ?* »

La réponse suit immédiatement : « *À cause qu'un boiteux reconnaît que nous allons droit, et qu'un esprit boiteux dit que c'est nous qui boitons ; sans cela nous en aurions pitié et non colère.* »

Le mot « question » a longtemps désigné la torture, d'où le titre du livre de Henri Alleg, *La Question* (1958), qui dénonçait la torture en Algérie.

QUIÉTISME nom masc. – Doctrine religieuse qui, au XVIIᵉ siècle, faisait de l'union mystique à Dieu le but exclusif de l'existence.

ÉTYM. : du latin *quies* = « repos ».

Fondé par un mystique espagnol, Molinos, le *quiétisme* se répandit en France à la fin du XVIIᵉ siècle par l'intermédiaire d'une mystique – Mme Guyon – et de l'écrivain Fénelon, lequel était aussi archevêque de Cambrai. Cette doctrine affirmait que l'individu devait rechercher la paix absolue par l'union avec Dieu. Les sacrements, la pratique religieuse et même dans une certaine mesure la vie morale passaient au second plan dans cette vision mystique de la foi. Ce que l'on nomme la « *querelle du quiétisme* » vit s'opposer Bossuet et Fénelon et se conclut par la condamnation de la doctrine en question.

→ *Fidéisme*

QUIPROQUO nom masc. – Méprise ou malentendu consistant à prendre une chose pour une autre ou une personne pour une autre.

ÉTYM. : du latin médiéval *quid pro quo* = « quoi pour dire quoi ? »

À titre d'exemple, le dialogue entre une personne croyant être entrée chez un tailleur afin qu'on prenne ses mesures pour un costume et le boutiquier qui en fait fabrique des cercueils. Le *quiproquo* peut être comique ou tragique.

R

RAISON nom fém. – Faculté qui permet à l'homme de comprendre le monde.

ÉTYM. : du latin *rationem*, accusatif de *ratio* = « calcul », « compte ».

La tradition philosophique fait de la *raison* la faculté essentielle qui distingue l'homme et qui doit le guider en tout. Dans le champ de la science, elle lui permet de comprendre l'univers et de se comprendre lui-même. Elle lui sert également à distinguer le bien du mal, le beau du laid, et, en ce sens, l'homme doit s'en remettre à elle aussi bien dans le champ de la morale que dans celui de l'esthétique pour parvenir à la sagesse et au bien-vivre. Telle est la conception classique qui triomphe notamment au XVIIᵉ siècle et qui tend à juger toute chose à l'aune d'une raison qui n'est quelquefois synonyme que de sens commun ou de sens de la mesure.

La littérature et la philosophie s'attachent cependant quelquefois à montrer les limites d'une telle conception. En soulignant tout d'abord – avec Montaigne, par exemple – à quel point il est faux de croire que l'homme soit entièrement un être de raison : le préjugé, l'imagination peuvent nous égarer. En affirmant d'autre part qu'il est d'autres formes de la connaissance et certains domaines dans lesquels la raison est impuissante à pénétrer : ainsi celui de la foi pour les écrivains religieux comme Pascal. Avec le romantisme et plus encore le surréalisme s'affirme enfin l'idée que la littérature et plus spécialement la poésie se doivent de rompre avec la raison pour laisser libre cours à l'imagination et pénétrer dans le domaine de l'irrationnel.

→ *Cartésianisme – Passion – Rationalisme*

RAPPEL nom masc. – Procédé propre à la langue parlée et qui consiste, pour la clarté de l'énoncé, à reprendre dans une phrase un mot déjà énoncé.

Lorsqu'il est utilisé en littérature, le *rappel* donne au lecteur l'impression de la langue parlée. Le procédé est utilisé de manière répétitive par Céline. Ainsi dans *Voyage au bout de la nuit* :
« Il y en avait des patriotes ! Et puis il s'est mis à y en avoir moins des patriotes... »

RATIOCINATION nom fém. – Raisonnement vide et péchant par un excès de subtilité.
ÉTYM. : du latin *ratiocinatio*, de *ratio* = « calcul ».

RATIONALISME nom masc. – Système ou attitude qui consiste à s'en remettre entièrement à la raison pour l'intelligence de ce qui est.

Il existe plusieurs formes de *rationalisme*, le terme pouvant servir aussi bien à désigner un système particulier dans le langage technique de la philosophie ou de la théologie qu'une attitude ou une tournure de pensée. Tout rationalisme, cependant, se caractérise par sa confiance dans la raison comme clé unique de la connaissance. En ce sens, le rationalisme s'oppose aussi bien à l'empirisme – qui fait une large part à l'expérience – qu'à toute forme de mysticisme ou de fidéisme.

→ *Positivisme – Raison*

RÉALISME nom masc. – 1. Philo. Toute doctrine qui affirme l'existence d'une réalité indépendante de la connaissance que nous en avons.
2. Art et littérature. Toute forme d'art qui entend représenter de la manière la plus exacte qui soit la réalité.
ÉTYM. : du latin médiéval *realis* venu du latin classique *res* = « chose ».

Au premier sens, le *réalisme* – tout du moins, au sens moderne que la philosophie attribue à ce terme – s'oppose à l'idéalisme ou au solipsisme (il n'y a pour le sujet pensant pas d'autre réalité que le système de ses représentations).

Au second sens, le mot s'applique à des esthétiques et à des œuvres d'une très grande diversité. Il peut désigner tout d'abord toute forme d'art ou de littérature qui entend proposer une image complète du monde et de la condition humaine, sans reculer devant certaines des réalités que, par pudeur ou par manque de courage, les écrivains taisent d'ordinaire : c'est ainsi qu'on peut parler aussi bien du réalisme de Rabelais, que de celui de Joyce ou de Céline. Le réalisme consiste alors dans un refus d'idéaliser ce qui est, en prenant en compte même les dimensions les plus triviales, les plus banales ou les plus quotidiennes de l'existence.

Cependant, on utilise d'ordinaire le terme de réalisme pour l'appliquer à certaines des grandes œuvres romanesques du XIXe siècle français. En réaction contre un romantisme qui ne se serait penché que sur les tourments intérieurs de ses héros et ne se serait tourné que vers les terres exotiques, le réalisme assignerait au roman la fonction essentielle de dire le monde tel qu'il est, avec ses dimensions politiques, sociales et matérielles. Au lieu d'être seulement le reflet de son auteur, le texte se ferait témoignage sur la société dans laquelle celui-ci vit.

En ce sens, le réalisme naît sans doute avec l'œuvre de Balzac et celle de Stendhal. Cependant, c'est dans la seconde moitié du XIXe siècle qu'il s'impose véritablement. Si la plupart des écrivains refusent l'idée que le réalisme serait une école à laquelle ils appartiendraient, leurs œuvres manifestent bien un souci commun de se consacrer à la description romanesque de la réalité. C'est indiscutablement l'œuvre de Flaubert qui constitue le monument le plus achevé de ce que l'on nomme le réalisme. Délaissant la veine romantique de ses premiers textes, l'auteur de *Madame Bovary* et de *L'Éducation sentimentale* construit une œuvre vouée délibérément à l'évocation de la réalité quotidienne, des destins les plus humbles ou les plus médiocres, dans laquelle le travail sur le style s'accompagne d'un souci du vrai et d'une obsession du document.

Parmi les romanciers réalistes de la seconde moitié du XIXe siècle, il convient de citer, outre Flaubert, les Goncourt et bien entendu toute la génération naturaliste avec Zola, Maupassant et, pour ses premiers romans, Huysmans.

Si l'on aborde maintenant la question du réalisme non plus dans une perspective historique, mais théorique, il importe de bien comprendre qu'en ce sens toute littérature est réaliste. On saisit mal, en effet, de quoi pourrait parler la littérature si ce n'est du réel, car celui-ci est tout ce que nous connaissons. Alors même que certains textes nous entraînent dans des univers inventés ou inexistants, ils ne peuvent nous faire pénétrer dans ceux-ci qu'à condition de les décrire dans le langage obligé de l'expérience qui est la nôtre : il leur faut donc les présenter comme étant réels, et, à ce titre, le monde de la science-fiction peut n'être pas moins réel que celui de *La Comédie humaine*.

Comme il ne saurait y avoir de texte abstrait, la littérature réaliste ne se définit donc pas par le fait qu'elle représente la réalité, mais par les dimensions de la réalité qu'elle choisit de privilégier.

Notons pour conclure que si toute littérature est réaliste, on peut soutenir tout aussi bien qu'il n'est aucune littérature qui le soit véritablement. Aussi fidèle, précis, documenté et complet qu'il soit, le roman n'est pas la réalité : il en est la représentation, c'est-à-dire la reconstruction. Et cette reconstruction se fait obligatoirement par le biais de la subjectivité d'un écrivain qui choisit dans le réel les éléments qu'il veut présenter et la manière dont il les agencera. Le réalisme ne saurait donc être le reflet fidèle de ce qui est : il constitue l'un des modes de représentation du réel, aussi arbitraire, subjectif et artificiel que n'importe quel autre.

→ *Idéalisme*

RÉALISME SOCIALISTE – Doctrine esthétique propre aux pays communistes et qui assigne à l'art et à la littérature la mission de servir la cause socialiste.

→ *Naturalisme – Réalisme*

RÉCIT nom masc. – Toute forme de présentation – orale ou écrite – d'une histoire, véritable ou fictive.

ÉTYM. : du latin *recitare* = « lire à haute voix ».

On distingue, en linguistique, le *récit* du « discours ». Le « récit » correspond à un « énoncé rapporté ». Comme le fait l'historien, le locuteur rapporte des faits sans s'y impliquer. Dans ce cas, les événements semblent se raconter eux-mêmes : « Les Grecs accordaient une grande place au théâtre et organisaient... » ; « Elle se pencha et de son balcon vit... » Avec le « discours », nous sommes dans le domaine de l'énonciation directe. C'est par exemple le cas du dialogue.

Le romancier mélange le plus souvent ces deux types d'énonciation.

REDONDANCE nom fém. – Répétition sous différentes formes de la même idée dans un énoncé.

ÉTYM. : du latin *redundantia*, se rattachant à *redundare* = « regorger », « déborder », comme de l'eau (*unda*) qui déborde.

→ *Pléonasme – Répétition*

RÉFORME nom fém. – Mouvement religieux qui conduisit au XVIᵉ siècle à la naissance du protestantisme.

La Réforme, qui fut sans doute en Europe l'événement majeur du XVIᵉ siècle, exerça une très forte influence sur la littérature et la pensée. Même si l'humanisme est loin de se confondre avec le protestantisme, le même refus de s'en remettre à l'autorité dans les domaines de la connaissance et de la foi rapproche les deux mouvements. Les guerres de Religion constituent la toile de fond des *Essais* de Montaigne et donnèrent naissance, dans les deux camps, à une véritable mobilisation de la littérature dans le domaine de la prose (Théodore de Bèze, La Boétie), mais plus encore peut-être dans celui de la poésie (Guillaume Du Bartas, Jean de Sponde et Agrippa d'Aubigné).

→ *Contre-Réforme*

REFRAIN nom masc. – Série de mots régulièrement répétée à la fin des couplets d'une chanson ou d'un poème.

ÉTYM. : du latin populaire *refrangere* = « briser ». Le *refrain* serait l'élément dont le retour « brise la chanson ».

REGARD (école du) – Expression quelquefois utilisée pour désigner les écrivains du nouveau roman.

L'expression s'explique par la fréquence obsessive des descriptions d'objets qui habitent les premiers textes de Robbe-Grillet et dans une moindre mesure ceux des autres nouveaux romanciers.

→ *Nouveau roman – Réalisme*

RÈGLE nom fém. – Principe dont le respect, dans certaines esthétiques et notamment le classicisme, s'impose aux artistes et aux écrivains.

ÉTYM. : du latin *regula* = « règle ».

Le XVIIᵉ siècle français cherche dans l'art antique tel que celui-ci a été décrit par Aristote dans sa *Poétique* un corps de règles dont l'application permettrait à l'écrivain de produire une œuvre digne de ce nom. S'inspirant de commentateurs italiens d'Aristote, un certain nombre de théoriciens français – tels Scudéry, d'Aubignac ou Chapelain – au milieu du siècle construisent une esthétique stricte et rigoureuse qui fait de la beauté le résultat de la stricte obéissance à des principes que les Anciens ont respectés, mais qui découlent en vérité de la raison et de la nature. Cette conception va s'imposer et déterminer dans une très large mesure le classicisme. C'est tout particulièrement au théâtre que ces règles – comme celle des trois unités, de la bienséance ou de la vraisemblance – influeront sur les grandes œuvres du siècle. Si la nécessité du talent voire du génie n'est nullement niée, l'esthétique classique porte donc bien en elle une vision normative de l'art.

Les écrivains romantiques s'élèveront contre celle-ci et notamment dans le domaine du théâtre en s'en prenant à toutes les contraintes que la tragédie classique s'était imposées à elle-même et en prétendant libérer la scène. Depuis lors, la notion de règles a, en art et en littérature, mauvaise presse : on valorise une esthétique de la liberté absolue, de la rupture, qui fait du refus de toutes les conventions le signe même de l'authenticité créatrice. Ce qui n'empêche nullement que tout art, et même le plus audacieux et le plus révolutionnaire, ne peut exister que par le respect des règles qu'il se donne à lui-même.

→ *Canon – Unités*

REJET nom masc. – Ensemble de mots se situant au début d'un vers, mais se rattachant syntaxiquement au vers précédent.

EXEMPLE : (les éléments en italique)
« Il tournera pour éviter la capitale
Au matin pâle On le mettra sur une voie
De garage... »
   Aragon, *La guerre et ce qui s'ensuivit.*

→ *Enjambement*

RELATIVISME nom masc. – Doctrine affirmant que les valeurs et les principes varient selon les époques et les cultures.

Le *relativisme* s'oppose à tout système qui affirme l'universalité et la permanence des valeurs. Il naît de la conscience que les différentes cultures se définissent en posant des normes qui leur sont propres et qu'entre celles-ci il est souvent impossible de découvrir un dénominateur commun ; ce qui est juste dans une société sera injuste dans une autre, ce qui sera loué à une époque sera condamné à une autre. Il faut donc reconnaître la dignité égale de toutes les cultures et la relativité de tout jugement de valeur. Contre l'ethnocentrisme qui pose naïvement en norme les principes de sa propre culture, le relativisme se veut donc d'abord une leçon de tolérance. Ainsi chez Montaigne.

On peut cependant objecter au relativisme qu'il repose sur

une contradiction : en affirmant que « tout est relatif », il affirme déjà une règle d'un caractère absolu. De plus, le relativisme risque de mener à la paralysie du jugement moral, voire au nihilisme en établissant l'égale dignité des valeurs et l'impossibilité de trancher de manière absolue parmi celles-ci.

→ *Acculturation – Culture*

RENAISSANCE nom fém. – Période historique qui, à la fin du Moyen Âge, vit en Europe un essor intellectuel caractérisé par le retour à la culture gréco-latine.

Quand bien même la rupture avec le Moyen Âge ne fut pas totale, la Renaissance constitua bien un tournant dans l'histoire culturelle de l'Europe. Débutant en Italie, elle touchera tous les pays du continent et bouleversera tous les domaines. Au plan intellectuel, la Renaissance consiste d'abord en un retour à la culture gréco-latine : tout un continent est redécouvert, que le Moyen Âge avait sinon ignoré, du moins pour une large part délaissé. L'humanisme prône un retour aux textes qui ne peut se faire sans un regard critique posé sur ceux-ci et un apprentissage des langues. L'art, la littérature et la philosophie antiques – tout particulièrement le platonisme – impriment leur marque à la conscience moderne. À la fascination pour l'Antiquité s'ajoute la séduction exercée par la culture italienne. La littérature française du XVIᵉ siècle naît pour une large part de cette double influence. Loin de constituer un obstacle à son développement propre, ce double modèle invite les écrivains français à rivaliser avec les œuvres qu'ils admirent. Paradoxe : une littérature nouvelle naît donc de la découverte d'un passé oublié.

RÉPÉTITION nom fém. – Procédé consistant à employer plusieurs fois un terme de manière à souligner celui-ci.

ÉTYM. : du latin *repetitio*.

EXEMPLE :
« Tes yeux ta lèvre ta narine
L'intérieur de ta poitrine

L'air même y viendra les ronger
Tu respireras le danger
Alerte alerte alerte aux gaz. »

   Aragon, *Le Roman inachevé*

Autre exemple emprunté à Hugo (*Religions et religion*) :
« Et dire que la terre est tout entière en proie
Aux affirmations de ces prêtres sans joie,
Sans pitié, sans bonté, sans flambeau, sans raison,
Dont l'ombre, l'ombre, l'ombre et l'ombre est l'horizon. »

RÉVÉLATION Voir Théisme.

RHAPSODE ou RAPSODE nom masc. – Dans l'Antiquité grecque, interprète itinérant de poèmes épiques.

ÉTYM. : du grec *rhapsôidos* = « qui ajuste des chants ».

RHÉTEUR nom masc. – Orateur dont le discours sent l'artifice et manque d'un véritable élan.

ÉTYM. : du grec *rhêtôr* = « orateur », « professeur d'éloquence ».

   L'évolution du mot confirme l'idée de Pascal selon laquelle la vraie éloquence se moque de l'éloquence (codifiée).

→ *Éloquence – Rhétorique*

RHÉTORIQUE nom fém. – Art du discours.

ÉTYM. : du grec *rhêtôr*= « orateur », « professeur d'éloquence ».

   Dans l'Antiquité, la rhétorique était une véritable technique qui enseignait l'éloquence, l'art d'être convaincant. Aristote et Cicéron en avaient exposé les grands principes et elle constitua longtemps l'une des principales disciplines qu'un homme cultivé se devait de maîtriser. Quintilien, écrivain du premier siècle de notre ère, a écrit un important ouvrage sur l'art oratoire (*De institutione oratoria = Institution oratoire*).

→ *Éloquence – Rhéteur*

RHÉTORIQUEURS – Poètes français de la fin du XVᵉ siècle et du début du XVIᵉ siècle dont la caractéristique commune est la virtuosité et la complexité formelle de leur œuvre.

ÉTYM. : de « rhétorique ». Ainsi nommés car ils pratiquaient la « seconde rhétorique », c'est-à-dire la poésie.

Présents à la cour de Bourgogne puis à celles de Bretagne et de France où ils se voulaient souvent les hérauts et les conseillers de leurs protecteurs, les *rhétoriqueurs* développèrent une poésie d'une très grande habileté langagière et d'une extraordinaire complexité formelle. Les plus célèbres d'entre eux se nomment Molinet, Crétin ou Jean Marot. Leur adresse dans le maniement de la rime et dans les constructions rythmiques est telle qu'on peut avancer qu'ils ont exploré la plupart des possibilités qu'offre la poétique française. Reprochant aux rhétoriqueurs leur formalisme et le manque d'originalité de leur inspiration, on leur accorde d'ordinaire une place limitée dans l'histoire de la littérature. Cependant, la poésie moderne a souvent renoué avec leur souci d'exploration des possibilités poétiques de la langue.

RIME nom fém. – Répétition en fin de vers de sons identiques.

ÉTYM. : de la langue francique *rim* = « série ».

On distingue les rimes suivantes, en fonction de leur qualité :
a) rime suffisante : avec identité de la dernière voyelle accentuée et des sons qui la suivent ;

> solitude/rude

b) rime riche : rime suffisante à laquelle s'ajoute l'identité de la consonne d'appui ;

> solitude/étude

c) rime léonine : avec identité de deux syllabes ;

> altitude/ platitude

On distingue les rimes suivantes en fonction de leur mode d'organisation :
a) rimes plates = sur le modèle « aabb »
b) rimes croisées = sur le modèle « abab »

c) rimes embrassées = sur le modèle « abba »

On distingue rimes masculines et rimes féminines, les secondes se terminant par un « e » muet.

La *rime* remplace l'assonance à partir du XIIIe siècle et devient l'un des éléments clés de la versification française. À la fin du XVe siècle, les rhétoriqueurs en expérimenteront les formes les plus complexes : rimes équivoquées dans lesquelles les vers se terminent par une série de syllabes identiques par leur sonorité ; rimes batelées qui riment par le milieu et la fin ; rimes enchaînées dans lesquelles un vers doit commencer sur la syllabe par laquelle le précédent s'est terminé. Certains mouvements littéraires comme le Parnasse ont fait de la rime riche l'un des éléments clés de la poétique.

Cependant, l'impératif de la rime condamne la poésie française à une certaine forme de répétition particulièrement sensible dans la tragédie du XVIIIe siècle ou dans la chanson aujourd'hui : les couples de mots rimant ensemble ne sont pas en nombre infini. Si bien que, chez Corneille, « cœur » rime souvent avec « honneur » et, chez les artistes de variété, « amour » avec « toujours ».

La poésie moderne sort de cette impasse en abandonnant purement et simplement la rime ainsi que le conseillait Verlaine dans son célèbre *Art poétique*. Ou bien, avec Aragon, elle s'attache à renouveler le répertoire des rimes. À cette fin, elle place par exemple à la rime des noms de lieu ou de personnes :
« Et lorsqu'on mourait à Vimy
Moi j'apprenais l'anatomie »
 Le Roman inachevé
« Nous sommes en progression
De l'homme sur le quadrumane
Du pithécanthrope à Truman »
 Le Roman inachevé

→ *Féminine – Masculine – Vers*

ROCAMBOLESQUE adj. – Se dit d'un récit qui abonde en péripéties spectaculaires et invraisemblables.

ÉTYM. : de Rocambole, nom d'un héros de roman-feuilleton de Ponson du Terrail.

→ *Action – Diégèse – Péripétie*

ROMAN nom masc. – Long récit en prose relatant une histoire de caractère fictif.

ÉTYM. : à l'origine, texte écrit en « roman » (première forme du français) et non en latin.

Le *roman* était la langue parlée autrefois en France, par opposition au latin qui était alors la langue savante. À partir du XIIᵉ siècle, le terme a désigné des œuvres littéraires traduites du latin en « roman », puis des textes de fiction ordinairement en vers qui relataient des aventures de chevalerie. C'est là ce qu'on nomme le roman courtois qui est l'ancêtre le plus lointain du roman tel que nous le connaissons aujourd'hui.

Le genre est tellement riche et protéiforme qu'il est impossible d'en proposer une définition plus précise que celle formulée plus haut. Il se distingue sans difficulté du théâtre – car il n'est pas destiné à la scène – et de la poésie, parce qu'il n'est plus écrit en vers et que le travail sur la langue même n'y occupe pas, en principe, le premier plan. Par sa longueur, il se différencie de la nouvelle, et par son caractère réaliste, du conte, quoiqu'il existe des romans surnaturels, fantastiques ou merveilleux. Parce qu'il présente des événements de nature fictive, il ne devrait pas être confondu avec l'essai, l'autobiographie ou l'histoire. Ordinairement, il met en scène l'aventure d'un ou plusieurs personnages vivant une histoire dans le cadre d'une société, d'une époque et d'un milieu donnés. Tel est, en gros, le schéma qui, de *La Princesse de Clèves* jusqu'à *L'Éducation sentimentale*, se trouve dans l'ensemble respecté.

Cela dit, il n'est pas une des frontières tracées plus haut, un des éléments de définition avancé, qu'au cours de son histoire, et tout particulièrement au XXᵉ siècle, le roman ne se soit essayé à franchir. Sous ses formes les plus modernes, l'œuvre des grands romanciers vise à annexer l'ensemble des langages littéraires.

Ainsi chez Joyce dont l'*Ulysse* joue de tous les styles littéraires, inclut une scène de théâtre de nature fantastique, des développements théoriques sur l'œuvre de Shakespeare, et dont *Finnegans Wake* propose un travail prodigieux sur la langue qui laisse loin derrière lui la plupart des textes poétiques du XXᵉ siècle et relève davantage de l'épopée que du roman au sens traditionnel du terme. Plus près de nous, le nouveau roman a défini ses fictions par le refus du modèle romanesque balzacien, et tout particulièrement du rôle central qui était traditionnellement attribué au personnage et à l'intrigue. Au terme de toutes ces mutations, le genre a perdu en définition ce qu'il a gagné en extension. Il s'affirme comme la principale forme littéraire de notre temps et s'avère aussi bien le lieu des expériences les plus audacieuses que le refuge des conformismes les plus navrants.

→ *Nouveau roman – Nouvelle*

ROMAN-FEUILLETON nom masc. – Roman paraissant par épisode dans la presse.

→ *Feuilleton*

ROMAN-FLEUVE nom masc. – Roman d'une très grande longueur et consacré à l'histoire d'un personnage ou d'une famille.

Parmi les classiques du *roman-fleuve*, on peut citer *Les Thibault* de Martin du Gard et *Les Hommes de bonne volonté* de Romains. On signalera également parmi les réussites plus récentes *Au plaisir de Dieu* de Jean d'Ormesson.

ROMANESQUE adj. – 1. Propre au genre romanesque.
2. Qui évoque les aventures que relatent d'ordinaire les romans.

ROMANTISME nom masc. – Mouvement littéraire et artistique qui, en France, s'est développé essentiellement dans la première moitié du XIXᵉ siècle et qui, en opposition à l'idéal des siècles précédents, se caractérise par l'exaltation du moi, du sentiment et par une nouvelle conception de l'art.

ÉTYM. : de l'anglais *romantic*, lui-même dérivé de *romance* = « roman ». Romantique signifie donc à l'origine romanesque, qui évoque par certains éléments l'atmosphère des romans.

Le terme de *romantisme* désigne aujourd'hui des réalités très diverses. Employé de manière péjorative, il est synonyme de sentimentalisme, voire de sensiblerie.

De manière plus stricte, le romantisme correspond cependant à l'une des phases les plus riches de l'histoire culturelle occidentale. Il se définit en opposition avec le classicisme et l'esprit des Lumières. Fils de la Révolution française – même lorsqu'il entend en combattre les effets –, il s'attache à construire une conception neuve de l'homme et de la littérature. Dès le début du siècle, avec madame de Staël, il se tourne vers les littératures étrangères pour y puiser des modèles qui rompent avec l'esthétique et le goût français : l'exemple de Goethe et surtout celui de Shakespeare démontrent qu'une autre esthétique est possible que celle à laquelle le lecteur était habitué en France. Il s'ensuivra une véritable révolution littéraire dans laquelle, à coups de manifestes et de scandales, s'affronteront les partisans de la tradition et les pionniers du romantisme. On retiendra, tout particulièrement, parmi les textes qui fondent le romantisme, le *Racine et Shakespeare* de Stendhal en 1823 et la préface de *Cromwell* de Hugo en 1827. La représentation d'*Hernani* en 1830 – l'année même où Charles X est renversé – marque en quelque sorte le triomphe de l'esprit romantique.

Tout en ayant conscience des profondes différences qui séparaient les écrivains du temps, on peut définir le romantisme d'abord comme une esthétique du « moi ». À rebours de toutes les doctrines qui prônent l'impersonnalité de l'œuvre d'art, il s'agit d'affirmer sa propre sensibilité, de cultiver sa propre singularité en se refusant aux mensonges et aux compromis de la société. En cela, le romantisme exalte le sentiment, même dans ses désordres et ses vertiges ; il fait de la passion et de la douleur les signes mêmes de l'élection et de l'exception ; il revendique la part d'irrationnel qui existe en l'homme ; il opte pour la

démesure contre la sagesse ; il dresse contre la société l'individu,
conscient de sa valeur et de sa spécificité.

D'où les deux tentations d'un héros romantique qui ne peut
se résoudre à la médiocrité d'un monde aveugle à ses valeurs :
la fuite et la révolte. Héritier de Rousseau et de René, le personnage romantique cherche dans la nature ou dans les terres lointaines un refuge à la mesure des passions qu'il porte en lui. C'est
donc au romantisme qu'on doit d'avoir véritablement introduit
ces deux grands thèmes littéraires que sont le sentiment de la
nature et l'exotisme. Mais, plutôt que de s'en aller, le héros
romantique peut également choisir de combattre un ordre qu'il
juge injuste et corrompu : c'est pourquoi il est toujours un être
en marge, souvent un rebelle et quelquefois un révolutionnaire.
À cet égard, le romantisme invente la figure de l'artiste maudit
tout comme il travaille pour la première fois à cette conjonction
de la révolution poétique et de la révolution politique à laquelle
se consacreront au siècle suivant les surréalistes.

Le romantisme est indissociable de toutes les grandes métamorphoses qui ont bouleversé la littérature du XIXᵉ siècle. Avec
Hugo (*Hernani, Ruy Blas*) et Musset (*Lorenzaccio*), il met à bas
l'esthétique tragique héritée des classiques et, se tournant vers
Shakespeare plus que vers Racine, donne naissance au « drame
romantique ». Il participe de la naissance du roman d'introspection (*Adolphe* de Constant) autant que de celle du roman réaliste
(Balzac et Stendhal). Il est enfin à la source de la véritable
renaissance poétique dont, avec Lamartine, Musset ou Hugo, la
littérature française du XIXᵉ siècle sera le lieu.

À partir du milieu du XIXᵉ siècle, le romantisme se voit
contesté de toutes parts. La nouveauté dont il était porteur
semble s'être épuisée. Dans le domaine du roman et plus encore
dans le domaine de la poésie, on tourne le dos aux effusions
lyriques. Cependant, les grandes œuvres de la fin du siècle sont
toutes le fait d'écrivains qui, d'une manière ou d'une autre, viennent du romantisme. Cela est indiscutable dans le cas de Baudelaire et Flaubert, mais vrai également pour Mallarmé, Zola ou

Barrès. Au XXe siècle, se refusant à toutes formes du réalisme, les surréalistes renoueront avec l'esthétique romantique dont il est donc juste de dire qu'aussi démodée qu'elle puisse paraître à certains égards, elle est au départ de la littérature moderne.

→ *Drame romantique – Gothique – Exotisme*

RONDEAU nom masc. Petit poème médiéval construit ordinairement sur deux rimes et un refrain.

ÉTYM. : de « rond ».

On en distingue deux formes : le rondeau simple qui compte treize ou quinze vers et dont les premiers mots constituent un refrain qui se répète en fin de strophe ; le rondeau redoublé qui compte vingt vers dont ceux qui constituent la première strophe vont, à tour de rôle, conclure chacune des strophes suivantes.

Musset et Banville comptent parmi les poètes modernes qui ont pratiqué le rondeau.

RONDEL nom masc. – Forme ancienne de rondeau construite sur quatorze vers, trois strophes et deux rimes avec un refrain.

RYTHME nom masc. – Mouvement de la phrase ou du vers qui résulte soit du mètre, de la place des césures et des accents (poésie), soit de la place des accents, du nombre et de la longueur relative des différents membres de la phrase.

ÉTYM. : du grec *rhuthmos*.

Au XVIe siècle, on écrivait indifféremment *rhythme* pour désigner la rime et le rythme, car les deux mots sont des doublets qui remontent au grec *rhuthmos* à travers le latin *rhythmus* (le francique *rim* n'est qu'une graphie accidentelle dans l'histoire du mot).

→ *Accent – Prosodie – Scansion*

S

SADISME nom masc. – Perversion consistant à jouir de la souffrance infligée à autrui.

ÉTYM. : de Sade.

Le terme a été forgé à des fins médicales à partir du nom d'un des grands écrivains de la fin du XVIIIᵉ siècle, le marquis de Sade. Celui-ci, qui, condamné sous tous les régimes, passa l'essentiel de sa vie en prison, fait l'éloge du libertinage le plus déréglé dans ses ouvrages comme, par exemple, *Juliette ou les Prospérités du vice*. Son œuvre, de ce fait, peut être lue comme le plus complet des catalogues de la perversion sexuelle. Il y a donc un certain contresens à identifier Sade à cette forme particulière de la jouissance qui naît de la souffrance d'autrui. Sade – ou en tout cas ses personnages – était sans doute autant masochiste que sadique. Comme cela est toujours le cas, la transformation du nom propre d'un écrivain en adjectif se fait au prix d'une méconnaissance ou en tout cas d'une déformation sensible de son œuvre.

→ *Masochisme*

SAGA nom fém. – 1. Récit héroïque propre à la littérature scandinave du Moyen Âge.
2. Long roman suivant de génération en génération l'histoire d'une famille.

ÉTYM. : d'un mot nordique ayant le sens de « conte ».

Relevant de la tradition orale, les sagas furent pour la plupart consignées par écrit au XIIᵉ siècle. Elles racontent les aventures légendaires de personnages héroïques ou de familles entières.

Le mot est passé en français comme dans d'autres langues

européennes pour désigner de longs romans qui suivent, au fil des générations, l'histoire d'une famille. L'exemple le plus célèbre est celui de *La Saga des Forsyte* de Galsworthy.

→ *Feuilleton*

SALON nom masc. – 1. Lieu où l'on s'assemble de manière régulière pour y discuter art, philosophie et littérature.
2. Exposition organisée de manière régulière d'œuvres artistiques dues à des auteurs vivants.
3. Compte rendu d'un salon au deuxième sens.

ÉTYM. : de l'italien *sala* = « salle ».

Au premier sens, les salons ont joué un rôle décisif dans la vie culturelle des XVIIe et XVIIIe siècles. Ainsi celui de la marquise de Rambouillet (1588-1665) qui, à partir de 1606, réunit les lettrés dans la « chambre bleue » de son hôtel. On s'y divertit, on y cultive les genres littéraires mineurs et on y discute littérature. Jusqu'à la Révolution, les salons contribueront à la constitution du goût littéraire et seront l'un des lieux les plus actifs de la scène intellectuelle.

Diderot et Baudelaire ont écrit des salons au troisième sens.

SAMIZDAT nom masc. – Ouvrage clandestin, reproduit de manière artisanale et diffusé en Union soviétique à l'insu de la censure.

ÉTYM. : Mot d'origine russe.

→ *Censure – Index*

SATANISME nom masc. – 1. Culte rendu à Satan.
2. Caractère d'une œuvre qui témoigne d'une fascination pour le Mal et la figure du diable.

ÉTYM. : le Satan.

Le terme fut d'abord utilisé en Grande-Bretagne pour dénoncer l'immoralisme d'un certain nombre de poètes et tout particulièrement de Byron. En France, le *satanisme* connut son apogée dans la seconde moitié du XIXe siècle. Chez certains écrivains comme Barbey d'Aurevilly (*Les Diaboliques*), il consiste en une véritable fascination pour les formes les plus rares du Mal et du péché. Chez Huysmans (*Là-bas*), il est à l'origine d'une enquête romanesque sur les formes modernes de la sorcellerie dans le Paris du XIXᵉ siècle. Chez Baudelaire, il débouche sur un véritable culte poétique dans lequel Satan usurpe les hommages et les attributs ordinairement associés à Dieu.

SATIRE nom fém. – Poème – puis tout écrit – dans lequel un écrivain tourne en ridicule certains des traits de ses contemporains.

ÉTYM. : du latin *satura* devenu ensuite *satira* = « mélange ». Longtemps a régné une certaine confusion quant à l'étymologie. Le latin *satira* ayant été pris pour le grec *satyros* (du nom de certaines divinités de la mythologie grecque). D'où l'ancienne orthographe satyre. *Satura*, d'abord « macédoine de légumes », a ensuite désigné des mélanges de toutes sortes. À noter l'analogie avec l'évolution de « pot-pourri ».

À l'origine, le terme désignait une forme poétique propre à la littérature latine et qui se définissait par le traitement en hexamètres de thèmes variés. Dès l'Antiquité, et tout particulièrement avec Horace et Juvénal, la *satire* a choisi comme sujet la dénonciation des travers de l'époque.

La satire peut allier l'imprécation à la raillerie, le sarcasme à la parodie. Elle se donne toujours une fonction morale, car elle entend dénoncer le vice, le mensonge et l'hypocrisie, combattre ceux-ci en se moquant d'eux. Elle vise ainsi à une prise de conscience du lecteur qui, éclairé par la satire, amendera sa conduite. D'abord réservé à la poésie, le terme de satire a fini par s'appliquer à n'importe quel texte d'intention satirique : une pièce de théâtre, un article de journal, un film peuvent donc légitimement être définis comme des satires.

De Juvénal à Marot, de Swift à Voltaire, la veine satirique a été d'une extrême importance dans la culture européenne. Elle est l'une des formes d'expression de la fonction critique de la littérature. Dans cette histoire en France, on réservera une place à Boileau dont la satire – consacrée à des sujets littéraires ou aux fameux « embarras de Paris » – fut l'un des genres de prédilection.

Pour l'orthographe, éviter la confusion avec *satyre*.

→ *Libelle – Pamphlet – Polémique*

SATYRIQUE (drame) – Farce propre au théâtre grec antique et destinée à être présentée après la trilogie tragique.

ÉTYM. : du grec *satyrus* = divinité grecque à corps humain et à pieds de bouc.

Après la représentation de trois tragédies, l'on devait dans le théâtre antique offrir une pièce *satyrique* qui, sur le mode burlesque et par contraste, tournait en dérision les héros de la mythologie grecque. La farce mettait en scène des satyres et recourait aux moyens les plus efficaces du comique.

SCANSION nom fém. – Le fait d'analyser ou de prononcer un vers en prenant en compte sa structure métrique.

ÉTYM. : du latin *scansio*.

SCÉNARIO nom masc. – Texte présentant de manière plus ou moins détaillée l'intrigue d'une pièce de théâtre, puis d'un film.

ÉTYM. : de l'italien *scenario* = « décor ».

Il faut considérer ce mot comme francisé, et écrire « des scénarios » plutôt que « des scenarii ».

SCÈNE nom fém. – 1. Emplacement – d'ordinaire surélevé par rapport à la salle – sur lequel, dans un théâtre, les acteurs évoluent et jouent la comédie.
2. Subdivision à l'intérieur d'un acte, pour une pièce de théâtre.
3. Tout événement, doté d'un caractère propre, qui s'apparente à l'une des scènes – au second sens – présentées au théâtre.

ÉTYM. : du grec *skênê* = « tente », « cabane ».

Skênê a d'abord désigné une paroi de charpente qui séparait la scène (au sens actuel) de l'endroit où les acteurs pouvaient se changer (nos actuelles coulisses). Le mot servit ensuite pour la scène elle-même.

SCEPTICISME nom masc. – 1. Doctrine selon laquelle l'esprit humain ne peut atteindre aucune forme de certitude. 2. Attitude consistant en une méfiance systématique à l'égard de toutes les opinions courantes.

ÉTYM. : du grec *skeptikos* = « observateur ».

→ *Pyrrhonisme – Relativisme*

SCIENCE-FICTION nom fém. – Genre littéraire qui se consacre à l'évocation d'un monde futur ou imaginaire se distinguant du nôtre par un usage différent ou une maîtrise supérieure de la science et de la technique.

ÉTYM. : le mot vient de l'américain.

La *science-fiction* semble un genre propre à la littérature du XXᵉ siècle. Cependant si l'on considère que l'un de ses thèmes de prédilection est le voyage dans l'espace, rien n'interdit de considérer déjà comme des textes de science-fiction l'*Histoire comique des États et Empires de la Lune* (1656) de Cyrano de Bergerac, voire *La Divine Comédie* de Dante. Une définition plus rigoureuse nous amène cependant à distinguer la science-fiction du merveilleux et du fantastique en soulignant que l'impossible et l'imaginaire n'y sont jamais le produit d'un pouvoir surnaturel mais toujours le résultat rationnel d'un usage différent ou d'un état supérieur des sciences et des techniques. À la base de chaque récit de science-fiction, on trouve une hypothèse de cet ordre : « *Qu'adviendrait-il si la science nous permettait, dès aujourd'hui ou dans un futur lointain, de coloniser des planètes lointaines, voyager dans le temps, construire des robots, etc. ?* » L'hypothèse doit en principe être éclaircie par l'écrivain qui se doit de soumettre au lecteur une justification scientifique – aussi abracadabrante soit-elle – de l'hypothèse qu'il avance. Plus que le caractère vraisemblable ou non de l'hypothèse de départ, la qualité d'un bon texte de science-fiction dépend de l'ingéniosité et de la cohérence des conséquences qui sont tirées de celle-ci. D'où le caractère souvent passionnant de certains récits relatifs au voyage dans le temps et qui confrontent le lecteur avec de vertigineux paradoxes.

Définie ainsi, la science-fiction remonte moins à Dante et à Homère qu'à Jules Verne (*Vingt Mille Lieues sous les mers, Voyage au centre de la Terre*) et H.G. Wells (*La Machine à explorer le temps, La Guerre des mondes*). Elle s'est développée de manière considérable au XXᵉ siècle et a donné naissance à quelques œuvres majeures parmi lesquelles il faut distinguer notamment celle de Ray Bradbury (Les *Chroniques martiennes* et *Fahrenheit 451*), le *1984* de Orwell et *Le Meilleur des mondes* de Huxley qui n'utilisent le masque de la science-fiction que pour se livrer à une critique extrêmement sévère des travers de la civilisation technique. L'essentiel relève cependant de la littérature commerciale et constitue plus la matière d'une analyse sociologique que véritablement littéraire. La science-fiction constitue sans doute l'une des vraies mythologies de notre temps et l'un des rares discours populaires à avoir engendré de nouvelles légendes pour notre époque : extra-terrestres, robots, voyages intergalactiques, etc. La nature populaire de la science-fiction explique que celle-ci se soit développée ailleurs que dans la littérature : cinéma (du *Voyage dans la Lune* de Méliès à *La Guerre des étoiles*), bande dessinée (de *Superman à* Druillet), télévision (de *La Quatrième dimension* à *Star Trek*).

→ *Fantastique*

SCOLASTIQUE nom fém. – Philosophie et théologie telles qu'elles étaient enseignées au Moyen Âge par l'Université.

ÉTYM. : du grec *skholastikos*, de *skholê* = « école ». Venu du grec, mais à travers le latin.

La *scolastique* constitua l'une des grandes étapes de l'histoire de la philosophie occidentale. Elle posa de manière extrêmement complexe et savante la question des rapports entre foi et raison, entre théologie et philosophie et contribua ainsi au développement de la métaphysique. Saint Thomas d'Aquin et Duns Scot comptèrent, avec beaucoup d'autres, parmi les grands noms de la scolastique.

À partir de la Renaissance, cependant, comme en témoigne tout particulièrement l'œuvre de Rabelais, l'on dénigra la scolastique en lui reprochant notamment d'être devenue une pensée systématique, formaliste et impuissante à permettre le développement libre et véritable de la culture. L'œuvre de Descartes, au siècle suivant, s'oppose d'une façon radicale à la scolastique. C'est pourquoi, chez Voltaire par exemple, mais également dans la langue moderne, l'adjectif « scolastique » est péjoratif et désigne toute pensée qui, par esprit de système, se détourne de la réalité.

→ *Éducation – Pédagogie – Quadrivium*

SÉMANTIQUE nom fém. – Branche de la linguistique traitant de la question du sens des mots.

ÉTYM. : du grec *sêmantikê*, féminin de *sémantikos* = « qui indique », « qui signifie ». Formé sur *sêma* = « signe » que l'on retrouve dans « sémaphore ». Inusité dans son sens moderne avant 1883, le mot fut introduit en linguistique par Michel Bréal pour dire *« science des sens »* par opposition à la *« phonétique »* qui est la *« science des sons »*.

→ *Lexicologie*

SÈME linguistique – Unité minimale de signification.

ÉTYM. : du grec *sêma* = « signe ».

Le *sème* fait partie d'une configuration de sèmes qui constitue un « sémème ».

Exemple (emprunté au *Dictionnaire de linguistique* de J. Dubois et collaborateurs chez Larousse) : c'est le sème « avec des bras » qui permet de distinguer « chaise » et « fauteuil », lesquels ont plusieurs sèmes en commun (« pour s'asseoir », « avec dossier », « pour une seule personne », « sur pieds »).

→ *Sémantique – Sémiologie – Sémiotique*

SÉMIOLOGIE nom fém. – Science des systèmes de signes.

ÉTYM. : du grec *sêmeion* = « signe » et *logos* = « discours ».

La *sémiologie* a été définie par le linguiste Saussure comme la science générale des signes dont la linguistique n'est que l'une des branches. Elle traite non des langues au sens strict de ce mot, mais de tous les systèmes de signes (gestes, sons, images, etc.).

L'œuvre de Roland Barthes, telle que celle-ci s'est développée dans les années 60, est caractéristique de la démarche et des possibilités de la sémiologie. Retournant la définition avancée par Saussure, elle affirme que « *la linguistique n'est pas une partie, même privilégiée, de la science générale des signes, c'est la sémiologie qui est une partie de la linguistique : très précisément cette partie qui prendrait en charge les grandes unités signifiantes du discours* ». Avec Barthes, la sémiologie se penche sur ces systèmes de signes que sont le mythe, la mode ou la publicité pour en élucider le fonctionnement.

SÉMIOTIQUE nom fém. – Théorie des signes.

ÉTYM. : du grec *sêmeion* = « signe ».

Le terme est souvent synonyme de celui de « sémiologie ». Il arrive cependant que certains théoriciens lui donnent une signification distincte. Ainsi Julia Kristeva dans *La Révolution du langage poétique.* Par opposition au symbolique – qui est le lieu du sens –, la *sémiotique* désigne chez elle l'ensemble des opérations qui, liées aux pulsions pré-verbales, marquent par le rire, le jeu sur les sonorités ou le non-sens, la jouissance du sujet dans le fonctionnement du langage.

SENS nom masc. – 1. Faculté qu'ont les êtres d'éprouver des sensations.
2. Capacité de porter un jugement.
3. Valeur sémantique, signification, d'un mot ou d'un énoncé.

ÉTYM. : du latin *sensus* = « fait de sentir », « organe des sens », etc.

→ *Sémantique – Sensualisme – Signe*

SENSUALISME nom masc. – Doctrine philosophique qui affirme que toutes les connaissances viennent des sensations que nous éprouvons.

ÉTYM. : du latin ecclésiastique *sensualis* = « qui concerne les sens ».

C'est Locke (1632-1704), philosophe anglais, qui, le premier, affirma que les idées simples sont issues des sensations. Le Français Condillac (1714-1780) reprit cette thèse et l'enrichit. Son apologue de la statue a frappé les esprits. On présente à cette statue une rose qui n'est, dans un premier temps, qu'une odeur de rose. Mais de cette sensation initiale, par enrichissements successifs, se constitue l'ensemble d'un système de connaissances.

SENTENCE nom fém. – 1. Décision d'un tribunal ou décision d'une autorité quelconque qui s'y apparente.
2. Vérité dans le domaine moral ou intellectuel se présentant sous une forme à la fois condensée et dogmatique.

ÉTYM. : du latin *sententia.*

Les pièces de Corneille sont émaillées de nombreuses sentences (« *À vaincre sans péril on triomphe sans gloire* », « *Il est doux de périr après ses ennemis* »).

Dans la série des exercices scolaires que le grammairien faisait parcourir à ses élèves, la *sentence* (*sententia* en latin, ou *gnômê* en grec) consistait à développer une maxime du type « *La racine de l'éducation est amère, mais les fruits en sont doux* ». Il s'agissait donc d'une technique pédagogique. Aujourd'hui, l'expression sentence ne désigne que la maxime et non le commentaire.

→ *Aphorisme – Pensée – Proverbe*

SERMON nom masc. – Discours de caractère religieux et moral prononcé en chaire.

ÉTYM. : du latin *sermo* = « conversation », manière de s'exprimer », « style », « langage ». Le sermon au sens ecclésiastique est un discours familier.

Le *sermon* a d'abord une fonction religieuse, et c'est dans le cadre du christianisme qu'il s'est développé. Il vise à transmettre à l'assemblée des fidèles l'enseignement religieux et moral de l'Église. En ce sens, son histoire est liée à celle de la liturgie.

Dans la mesure où le sermon était soumis à de strictes règles de composition et où il visait à convaincre et à séduire, on peut également le définir comme un genre littéraire qui connut son apogée en Europe aux XVIᵉ et XVIIᵉ siècles. John Donne en Angleterre et Bossuet en France l'ont élevé au rang d'art véritable. De ce dernier, on citera tout particulièrement le sermon sur la parole de Dieu et celui sur la mort.

SIGNE nom masc. – Linguistique. Élément qui se compose d'un signifiant et d'un signifié.

ÉTYM. : du latin *signum* = « enseigne » d'une armée, « image peinte ou sculptée », « prénom distinctif ».

Le linguiste Ferdinand de Saussure a posé la définition du *signe* que nous avons proposée plus haut. Le *signifiant* constitue la partie sensible du signe, c'est-à-dire la suite des lettres ou des sonorités qui compose un mot et par laquelle nous appréhendons celui-ci. Le *signifié* peut être défini comme le concept auquel ce signifiant renvoie, sa signification. On introduit quelquefois le terme de « référent » pour désigner la réalité à laquelle renvoie à son tour le signifié. Pour Saussure, le « signifiant » et le « signifié » qui constituent le « signe » sont aussi indissociables que les deux faces d'une pièce de monnaie.

Revenant à un très ancien débat, la linguistique moderne a affirmé l'« *arbitraire du signe* » : le lien entre « signifiant » et « signifié », entre la matérialité du mot et la signification de celui-ci est purement conventionnel. En d'autres termes, sauf dans le cas exceptionnel des onomatopées, il n'y a pas de ressemblance entre le mot et la réalité qu'il désigne.

→ *Sémantique*

SIMULTANÉISME nom masc. – 1. Mouvement poétique dont les deux principaux représentants furent Barzun et Divoire et qui, au début du siècle, cherchèrent à produire des textes évoquant de manière simultanée la voix de l'Homme, celles de la Nature et de la Ville.

2. Procédé littéraire qui consiste à juxtaposer dans un récit des événements se produisant de manière simultanée, mais relevant d'intrigues distinctes.

SITUATIONNISME nom masc. – Mouvement contestataire qui, avec notamment Guy Debord, dans les années 50 et tout particulièrement au moment des événements de mai 68, joua un rôle important dans le domaine de la politique, de l'art et de la littérature.

Le *situationnisme* (terme refusé par les situationnistes) se caractérise par le refus d'une société du spectacle avec un net clivage entre des spectateurs (plutôt passifs) et des acteurs (qui, comme leur nom l'indique, agissent). Cette coupure entre ceux qui subissent et ceux qui agissent leur paraît traduire l'aliénation du plus grand nombre dans la société moderne. Ils proposent la création de situations concrètes en rupture avec cette dichotomie propre au spectacle ; la situation est faite pour être vécue par des participants (d'où le terme de *viveur* parfois employé pour désigner ces participants).

SOCIOLOGIE DE LA LITTÉRATURE – Approche critique de la littérature qui vise à expliquer l'œuvre par son appartenance à une société donnée.

La *sociologie de la littérature* part de l'évidence suivante, soulignée entre autres par Sartre : toute œuvre, aussi singulière et originale soit-elle, participe de la société dans laquelle elle s'inscrit, traduit d'une manière ou d'une autre la conscience qui habite celle-ci. La sociologie de la littérature vise donc à rendre compte des liens qui existent entre l'écrivain et la collectivité, et plus particulièrement entre l'œuvre et la « vision du monde » de cette collectivité.

Fondée par le critique hongrois Lukacs, la sociologie de la littérature s'est développée tardivement en France. L'œuvre de référence reste en ce domaine *Le Dieu caché* de Lucien Gold-mann qui applique une grille de lecture sociologique à l'œuvre de Racine et à celle de Pascal.

Parmi les précurseurs de cette sociologie de la littérature, il faut marquer la place de Taine (1828-1893). Pour celui-ci, la production littéraire pouvait s'expliquer par la *race*, le *milieu* (contexte géographique et social) et le *moment* (situation historique).

SOLÉCISME nom masc. – Faute de syntaxe consistant à employer à tort des formes par ailleurs existantes.

ÉTYM. : du grec. D'après le nom de *Soles*, ville où l'on parlait un grec incorrect.

On distingue le *solécisme* du *barbarisme*. Le solécisme est une faute de syntaxe. Par exemple dire « pallier à un inconvénient » alors qu'il faut dire « pallier un inconvénient ».

Le barbarisme est la faute consistant à employer un mot pour un autre. Par exemple, « il m'a *enduit* en erreur » pour « il m'a induit en erreur », ou à déformer un mot (le « lévier » pour « l'évier »). On note cependant une tendance à employer ces termes pour parler d'une faute quelconque.

→ *Incorrection – Pataquès*

SOLILOQUE nom masc. – Discours qu'une personne se tient à elle-même.

ÉTYM. : du latin *solus* = « seul » et *loqui* « parler ».

→ *Monologue*

SONNET nom masc. – Poème à forme fixe se composant de deux quatrains à rimes embrassées et de deux tercets.

ÉTYM. : de l'italien *sonnetto* = « petite chanson ».

Le *sonnet* se construit sur le modèle suivant :
« abba abba ccd eed » ou
« abba abba ccd ede »

Il est ordinairement en alexandrins, mais accepte d'autres mètres.

À l'origine, le sonnet était une forme propre à la littérature italienne et dont les plus anciens exemples remontent au XIIIe siècle Il fut pratiqué par Dante et tout particulièrement par Pétrarque qui lui donna ses lettres de noblesse. Au XVIe siècle, le sonnet se diffusa à travers l'Europe. En France, s'il fut pratiqué déjà par Marot ou par Scève, il ne s'imposa qu'avec les poètes de la Pléiade. L'œuvre majeure reste celle que composent les 154 sonnets de Shakespeare. Après avoir été délaissé, le sonnet connut un retour en grâce avec le romantisme et fut pratiqué par tous les grands poètes français du XIXe siècle : de Baudelaire à Valéry en passant par Mallarmé. Comme toutes les formes fixes, il fut délaissé par la littérature de notre siècle qui, cependant, n'a pas complètement renoncé à son usage comme en témoignent les *Sonnets à Orphée* de Rilke ou certaines tentatives plus contemporaines (Jacques Roubaud).

SOPHISME nom masc. – Raisonnement faux, mais qui a les apparences de la vérité.

ÉTYM. : du grec *sophisma*, terme dérivé de *sophos* = « savant », « sage ».

Les *sophistes* estimaient que l'on pouvait démontrer une chose et son contraire ; d'où l'importance qu'ils accordaient à l'art de convaincre. Mais la représentation qu'on en a (des spécialistes du raisonnement fallacieux), suite aux critiques de Socrate et de Platon, est caricaturale.

SOTIE (ou SOTTIE) nom fém. – Farce médiévale de caractère satirique.

ÉTYM. : de « sot ».

Présentées quelquefois à l'occasion des mystères ou des moralités, les soties étaient l'œuvre des sociétés joyeuses tels, à Paris, *Les Enfants sans mercis*. Ceux-ci, déguisés en fous, tournaient en dérision les institutions et les grands personnages.

→ *Dit – Fabliau*

SPIRITUALISME nom masc. – Doctrine philosophique affirmant la primauté de l'esprit sur la matière ainsi que son existence indépendante.

ÉTYM. : du latin ecclésiastique *spiritualis*, se rattachant à *spiritus* d'où est venu « esprit ».

→ *Idéalisme*

SPLEEN nom masc. – Forme de mélancolie caractéristique de l'univers de Baudelaire.

ÉTYM. : de *spleen*, mot qui, en anglais, désigne la « rate ». Pour l'ancienne médecine, notre tempérament était déterminé par un certain nombre de liquides circulant dans l'organisme. Ces liquides étaient appelés des *humeurs*. Le mélancolique était celui chez qui prédominait l'« humeur noire » (sécrétée par la rate). On est donc passé de « rate » à « humeur noire », puis à « chagrin », « mélancolie ».

Le *spleen* est le mal du siècle façon Baudelaire ; il se caractérise par l'angoisse métaphysique (le sentiment du gouffre) et ne peut être envisagé séparément du postulat opposé : l'*Idéal*.

Baudelaire s'est véritablement approprié ce terme si bien qu'il n'est pas possible de l'évoquer sans se référer à son œuvre. Il a été cependant utilisé avant et après lui. Voltaire et Diderot l'emploient (en l'orthographiant parfois *splene* ou *splin*). À la fin du XIXᵉ siècle, Jules Laforgue, comme Baudelaire l'avait fait à plusieurs reprises, écrit un poème intitulé « Spleen ».

STANCE nom fém. – Ensemble de vers se répétant de manière régulière tout au long d'un poème et composant l'unité de base de celui-ci.

ÉTYM. : de l'italien *stanza* = « pause », « arrêt ».

Au théâtre, les stances sont, selon la définition de Jacques Scherer, des « *strophes se terminant par des pauses fortement marquées ainsi que par des recherches de style, et constituant un monologue* ». Elles sont l'expression lyrique d'une émotion portée à son point extrême dans le cours de l'action dramatique. Cette

action est comme suspendue, tandis que le héros exalte ses sentiments dans une sorte d'incantation. On peut comparer les
stances aux couplets d'un chant dont chacun a un sens complet.

L'exemple le plus célèbre est fourni par les stances du *Cid*
(acte I, scène 6) où Rodrigue exprime la souffrance résultant du
dilemme devant lequel il se trouve.

STICHOMYTHIE nom fém. – Texte poétique ou dramatique
consistant en un dialogue dans lequel les interlocuteurs se répondent vers par vers (ou par de courtes répliques).

ÉTYM. : du grec *stikhos* = « vers » et *muthos* = « récit ».

Les répliques sont souvent vers par vers, mais, d'une manière
plus générale, la *stychomythie* est une succession de courtes
répliques dont la longueur est à peu près égale.

EXEMPLE (dans *Alexandre* de Racine, cité et commenté dans
La Dramaturgie classique de Jacques Scherer, p. 307) :
« TAXILE. – L'audace et le mépris sont d'infidèles guides.
PORUS. – La honte suit de près les courages timides.
TAXILE. – Le peuple aime les rois qui savent l'épargner.
PORUS. – Il estime encore plus ceux qui savent régner. »

La stychomythie dont le mouvement s'accélère se situe générale-
lement à un moment crucial de la tragédie.

STOÏCISME nom masc. – Doctrine philosophique antique
qui enseigne que le bonheur suppose la vertu et l'acceptation de
son destin.

ÉTYM. : par le latin se rattache au grec *stoa* = « portique ». On
avait parlé de « l'école du Portique » parce que Zénon enseignait
sous l'un des portiques d'Athènes.

Au sens strict, le *stoïcisme* est la doctrine fondée par le philosophe grec Zénon et qui exerça une influence considérable sur la
culture antique. Elle enseigne à l'homme que c'est par la vertu
qu'il peut parvenir au bonheur et qu'il doit apprendre à se détacher de toutes les passions qui naissent des accidents – heureux
ou malheureux – de notre destinée. C'est pourquoi on assimile

souvent le stoïcisme à la force de caractère qui permet de surmonter la douleur, quoiqu'il ne s'agisse là que de l'un des aspects de la doctrine stoïcienne. Chez les latins, Sénèque sera le continuateur de cette doctrine.

De manière directe ou indirecte, le stoïcisme constitue une philosophie dont on peut retrouver la trace chez de nombreux écrivains français. Ainsi Montaigne qui discute dans ses *Essais* de l'attitude à adopter devant la mort. De même Camus dont on peut dire que dans *Le Mythe de Sisyphe* il expose les principes d'un stoïcisme de l'absurde.

STREAM OF CONSCIOUSNESS – Expression anglaise désignant toute œuvre littéraire qui vise à rendre compte directement du flux même de la conscience.

ÉTYM. : l'expression vient de l'anglais et a été forgée en 1890 par William James.

On peut évidemment parler tout simplement de « courant de conscience ».

→ *Monologue intérieur*

STROPHE nom fém. – Ensemble de vers, séparés par une pause ou un blanc, et qui, se répétant de manière régulière dans un poème, constitue l'élément de base de celui-ci.

ÉTYM. : du grec *strophê* = « évolution du chœur » de gauche à droite sur la scène.

On définit les strophes en fonction du nombre de leurs vers. C'est ainsi qu'on distingue – outre le monostique et le distique – les tercet, quatrain, quintil, sizain, septain, huitain, neuvain, dizain, onzain, douzain.

→ *Stance*

STRUCTURALISME nom masc. – Terme par lequel on désigne un certain nombre d'œuvres théoriques, relevant des sciences humaines ou de la philosophie, et qui, au cours des années 50 et 60, procédèrent à un recours commun aux modèles de la linguistique structurale.

Le *structuralisme* ne constituant à proprement parler ni une doctrine ni une école, il est difficile d'en proposer une définition. On a regroupé sous ce terme – et cela malgré les protestations de quelques théoriciens – certaines des œuvres majeures qui dominèrent la scène intellectuelle française des années 50 et 60. Parmi les grands noms du structuralisme, on retiendra : dans le champ de l'ethnologie, Lévi-Strauss ; dans celui de la philosophie, Althusser et Foucault ; pour la psychanalyse, Lacan, et pour la sémiologie et la critique littéraire, Barthes.

Malgré d'évidentes différences, le dénominateur commun réside dans le recours aux modèles et théories mis en œuvre par Saussure, au début du siècle, dans le champ de la linguistique. Ces acquis sont importés par le structuralisme dans le champ de disciplines diverses et permettent un renouvellement de celles-ci. Chaque réalité (inconscient, littérature, systèmes familiaux) est considérée sur le modèle d'une langue qui s'impose aux sujets et dont le discours scientifique doit s'attacher à découvrir le principe de fonctionnement.

STURM UND DRANG – Mouvement littéraire qui se développa en Allemagne à la fin du XVIIIᵉ siècle et qui constitue l'une des sources essentielles du romantisme.

ÉTYM. : l'expression est allemande. Elle signifie « orage » et « impulsion », « désir » ; « Drang » se rattache, en effet, à *dringen* = « pousser » et *Sturm* désigne « la tempête ». Elle fut introduite en 1776 par le dramaturge Friedrich Maximilian von Klinger dans le titre de sa pièce : *Der Wirrwarr, oder Sturm und Drang* (*Der Wirrwarr* = « le tohu-bohu »).

Le mouvement *Sturm und Drang* se caractérise par son refus violent de l'esthétique classique et de la philosophie des Lumières. Il exalte l'irrationnel et le nationalisme et entend contribuer, de manière révolutionnaire, à la naissance d'une littérature nouvelle. Il exerça une influence considérable sur Goethe et Herder, notamment.

STYLE nom masc. – 1. La manière propre qu'a un individu – et tout particulièrement un écrivain – d'utiliser le langage.
2. L'esthétique propre à une école artistique ou à une époque.

ÉTYM. : du latin *stilus*= « poinçon » (servant à écrire).

Le *style* d'un écrivain se manifeste par la nature du vocabulaire qu'il utilise, les procédés auxquels il a recours de manière systématique, sa manière de construire les phrases, etc. Alors que la langue est le bien commun de tous ceux qui la parlent, le style traduit, par un certain nombre de choix et d'originalités, la singularité de l'écrivain. En ce sens, il est un « écart » par rapport à une norme et cela même s'il est vrai que la notion de norme est en ce domaine des plus problématiques. Qui plus est, cet écart, chez un grand écrivain, doit être perceptible par le lecteur : c'est lui qui fait qu'on identifie rapidement une page du *Voyage au bout de la nuit* comme étant du Céline ou un paragraphe de *L'Éducation sentimentale* comme étant du Flaubert. On retrouve ici le sens de la fameuse formule de Buffon qui veut que le style soit l'homme même.

La littérature moderne a tendance à faire du style l'élément essentiel de la création littéraire. Autrefois, le style pouvait n'être que la conformité à l'usage et aux règles de la langue ; alors qu'on ne pouvait lui demander que de s'effacer derrière le sujet, il passe par la suite au premier plan. Dans *Le Temps retrouvé*, Proust le définit comme la vision propre de l'artiste, celle qui donne un sens au monde à travers la construction de l'œuvre. En lui se marque donc la personnalité de l'auteur en ce que celle-ci a de plus profond. Par lui, le réel trouve le principe de cet ordre et de cette cohérence qui lui faisaient défaut. À la limite, l'œuvre moderne se propose comme objectif ce « *livre sur rien* » dont rêvait déjà Flaubert et qui tiendrait par la seule force de son style.

STYLISTE nom masc. – Écrivain parvenu à la maîtrise absolue du style.

ÉTYM. : de style.

STYLISTIQUE nom fém. – Discipline qui se propose l'étude scientifique du style.

ÉTYM. : de l'allemand *Stylistik*.

SUBJECTIF voir OBJECTIF.

SUBLIMATION nom fém. – Psychanalyse. Processus par lequel certaines pulsions sont détournées de leur objectif premier et transformées en conduites qui ne menacent ni l'équilibre intérieur du sujet ni le fonctionnement de la collectivité.

ÉTYM. : du latin *sublimare* = « élever ».

Pour Freud, la création artistique est l'une des formes de la *sublimation*.

→ *Psychanalyse*

SUBLIME nom masc. – Ce qui peut se rencontrer de plus élevé dans l'art, la pensée ou l'existence.

ÉTYM. : du latin *sublimis* = « élevé dans les airs ».

D'origine antique, le concept de *sublime* a joué un rôle essentiel dans l'esthétique classique. Il y désignait cette élévation suprême de l'esprit qui se rencontre particulièrement dans les grands genres et se traduit par ces sentiments et pensées nobles qui bouleversent l'âme et lui désignent l'infini.

Le terme a été repris par Victor Hugo qui définit le drame, et d'une manière plus générale l'esthétique romantique, comme participant à la fois du sublime et du grotesque.

→ *Grotesque*

SUFFIXE voir AFFIXE.

SUPERSTRUCTURE voir INFRASTRUCTURE.

SURNATUREL adj. – Ce qui se trouve au-dessus de la nature et n'est pas soumis à ses lois.

La religion avec ses mystères, l'être même de Dieu relèvent du surnaturel. Mais dans le champ de la littérature, le terme est le plus souvent utilisé pour désigner ce qui appartient au domaine du fantastique.

→ *Fantastique – Merveilleux*

SURRÉALISME nom masc. – Mouvement littéraire et artistique d'avant-garde qui se proposa dans l'entre-deux guerres de libérer l'homme du règne du rationnel, de lui découvrir le fonctionnement véritable de l'esprit et de travailler à son émancipation morale, politique et sociale.

ÉTYM. : le terme fut forgé par Apollinaire et repris par Breton.

Le *surréalisme* se voulut tout autre chose qu'une simple école littéraire et artistique : il entendait déclencher une véritable crise de civilisation qui ouvrirait à l'homme le chemin de sa propre liberté.

À six ans d'intervalle, André Breton – qui fut l'instigateur et le théoricien du mouvement – avança les deux définitions suivantes du surréalisme. Dans le manifeste de 1924, il lia celui-ci à la pratique de l'écriture automatique, le présentant comme un « *automatisme psychique pur par lequel on se propose d'exprimer, soit verbalement, soit par écrit, soit de toute autre manière, le fonctionnement réel de la pensée. Dictée de la pensée, en l'absence de tout contrôle exercé par la raison, en dehors de toute préoccupation esthétique ou morale* ». Dans le second manifeste de 1930, Breton définit le surréalisme comme la tentative pour parvenir à ce « *point de l'esprit d'où la vie et la mort, le réel et l'imaginaire, le passé et le futur, le communicable et l'incommunicable, le haut et le bas cessent d'être perçus contradictoirement* ».

Le surréalisme se voulut d'abord plongée dans les profondeurs de l'esprit, de manière à saisir ce que le rationalisme manquait à comprendre. Par l'écriture automatique, le rêve et d'autres sortes d'expériences et de procédés encore, il se proposait de parvenir au « fonctionnement réel de la pensée ». De cette exploration, le surréalisme rapporte des textes poétiques souvent fascinants où dominent des images énigmatiques et systématiquement incohérentes. Mais il s'agit moins pour les surréalistes de produire une forme neuve de beauté littéraire que de travailler à une entreprise générale de libération et de subversion qui renversera l'ordre de la société bourgeoise et réinventera l'amour et l'homme.

Le surréalisme fut le fait d'individus profondément marqués par le choc de la Première Guerre mondiale. Ceux-ci se retrouvèrent dans l'expérience Dada qu'ils voulurent renouveler et dépasser par le surréalisme. Outre Breton, il faut nommer parmi les principaux poètes du groupe : Aragon, Soupault, Eluard, Artaud, Desnos. Divisé par les querelles de personnes et les débats esthétiques et surtout politiques, le mouvement qui se forma au début des années 20 ne conserva que peu de temps sa cohérence et son unité. Dès les années 30, il est pour l'essentiel défait. Après la guerre, il ne se survit que dans la personne de Breton. Le surréalisme demeure cependant l'un des mouvements littéraires les plus déterminants du XXᵉ siècle. Parmi les grandes œuvres poétiques de notre temps, il en est peu qui ne soient – au moins en partie – redevables à la grande révolution surréaliste.

SUSPENSE nom masc. – Caractère d'une œuvre de fiction dans laquelle le lecteur ou le spectateur attend avec angoisse et impatience la suite de l'intrigue.
ÉTYM. : le terme vient de l'anglais.

SYLLEPSE nom fém. – 1. Syllepse grammaticale : procédé qui consiste, dans une phrase, à ne pas réaliser l'accord en fonction des règles strictes de la grammaire, mais en fonction du sens des termes.
2. Syllepse de sens : procédé qui consiste à employer un mot simultanément au sens propre et au sens figuré.
ÉTYM. : du grec *sullêpsis* = « compréhension ».

Au premier sens, la syllepse peut consister à mettre au masculin un adjectif qualifiant un mot de genre féminin, mais désignant une personne de sexe masculin. Exemple : « Cette sentinelle est courageux. »

Au second sens, la syllepse est une forme du jeu de mots. Exemple : « Le comble pour un horloger, c'est de reculer devant une horloge qui avance. »

SYLLOGISME nom masc. – Argument composé de trois propositions dont la troisième découle nécessairement des deux premières.

ÉTYM. : le mot vient du grec et signifie raisonnement.

L'exemple classique est le suivant : « Tous les hommes sont mortels, or Socrate est un homme, donc Socrate est mortel. » Les deux premières propositions sont nommées les prémisses majeure et mineure ; la troisième proposition est la conclusion.

Par son caractère extrêmement mécanique et formel, le *syllogisme* est souvent apparu comme le modèle même du raisonnement artificiel et coupé de la réalité. C'est pourquoi il est souvent tourné en ridicule comme dans *Rhinocéros* de Ionesco et que le terme est quelquefois utilisé de manière péjorative.

→ *Prémisses*

SYMBOLE nom masc. – Toute réalité (objet, image, personnage, etc.) qui, du fait de certaines de ses qualités et en raison d'une relation d'analogie, se voit attribuer la capacité de représenter autre chose qu'elle-même (abstraction, idée, sentiment, etc.).

ÉTYM. : du grec *sumbolon* = « objet partagé en deux de manière à servir de signe de reconnaissance ».

Par définition, le *symbole* renvoie à autre chose que lui-même. Il ne peut être compris que lorsque sont rapprochés l'objet qui symbolise et la chose dont celui-ci est le symbole. La nature du lien entre ces deux réalités séparées est variable et intéresse l'analyse littéraire. Ce lien peut d'abord être de nature conventionnelle : c'est en ce sens que le drapeau tricolore est le symbole de la France, ou la colombe le symbole de la paix. Dans ce cas, le symbole est clair et explicite ; il est le même pour tout le monde. La littérature joue des symboles de ce type. On en trouve en abondance dans la poésie où ils permettent de donner à une idée une forme de matérialité et de présence qui n'appartient qu'aux images et à ce que celles-ci évoquent concrètement.

Alors qu'avec Baudelaire encore le symbole souvent s'offrait clairement au lecteur – ainsi dans le célèbre poème où l'Albatros est symbole de la condition du poète –, avec les écrivains de la fin du XIXᵉ siècle, le symbole n'a de valeur que dans la mesure où il se soustrait à l'interprétation au moins en partie. Mallarmé écrit : « *C'est le parfait usage de ce mystère qui constitue le symbole : évoquer petit à petit un objet pour montrer un état d'âme, ou inversement choisir un objet pour en dégager un état d'âme.* » Souvent, la puissance de fascination du symbole naît en effet du décalage que l'auteur instaure entre la beauté et la puissance de séduction de l'image qu'il introduit d'une part, et le caractère fuyant et énigmatique de ce que cette image symbolise d'autre part : ainsi le *Moby Dick* de Melville.

→ *Analogie – Métaphore*

SYMBOLISME nom masc. – 1. Recours aux symboles.
2. Mouvement littéraire qui, à la fin du XIXᵉ siècle, en opposition à la fois avec le Parnasse et le romantisme, prôna une esthétique de la suggestion et de la musicalité du vers au service d'une conception souvent spiritualiste de la poésie.

Le *symbolisme* (au second sens) constitue l'une des étapes les plus importantes de l'histoire de la poésie française, mais il n'est en rien une école littéraire au sens strict. Le terme fut introduit en 1886 par Jean Moréas qui entendait proposer avec lui une réponse à l'impasse du décadentisme. Il fut adopté un moment par toute une génération de poètes – aujourd'hui souvent oubliés – parmi lesquels on doit compter outre Moréas, René Ghil, Gustave Kahn et Charles Morice. Forts différents les uns des autres, ces poètes avaient le plus souvent en commun l'admiration qu'ils vouaient à Mallarmé.

C'est pourquoi, en histoire littéraire, le terme de « symbolisme » s'applique moins à la seule génération poétique des années 1885-1890 qu'à la grande révolution littéraire qui eut lieu à la fin du XIXᵉ siècle et dont Mallarmé, Verlaine et Rimbaud furent les principaux acteurs. Entre ces trois écrivains, les différences sont, là encore, considérables. Cependant, si l'on va chercher dans l'œuvre de Mallarmé – comme cela est légitime – la théorie du symbolisme, on peut définir celui-ci comme une esthétique de la suggestion et de l'énigme. Le symbole doit cesser de se présenter de manière explicite au lecteur, il doit être suggéré par un texte qui joue délibérément de l'obscurité, du flou, du mystère, qui, sur le modèle de la musique, doit séduire par le charme de ses sonorités plus que par la clarté de son sens. Ainsi défini, le symbole doit permettre d'atteindre, par-delà la réalité concrète, une réalité plus haute en laquelle l'univers trouve son sens. C'est pourquoi le symbolisme peut être légitimement présenté comme un idéalisme poétique.

Le symbolisme est un mouvement littéraire paradoxal. Il fut baptisé et poussé sur le devant de la scène culturelle par des épigones, et cela après le temps des grandes œuvres poétiques qui avaient été écrites par Mallarmé, Verlaine ou Rimbaud en l'absence de toute doctrine commune ou même de toute conscience d'appartenir à quelque chose qui, plus tard, se nommerait le symbolisme. L'influence en fut cependant considérable : elle s'exerça sur certains poètes de la fin du siècle comme Maeterlinck ou Verhaeren et au-delà sur la grande génération littéraire des Valéry, Gide et Claudel.

SYNECDOQUE nom fém. – Figure qui consiste à désigner un objet en ayant recours à un terme d'une signification plus large ou plus étroite.

ÉTYM. : du grec *sunekdokhê* = « compréhension simultanée ».

EXEMPLES : une « voile » pour un « navire ». La « France » pour « l'équipe de France de football ».

La *synecdoque* qui désigne le tout en nommant une partie (« voile » pour « bateau ») ou qui désigne une partie par le mot se rapportant au tout (« France » pour « équipe de France ») est un cas particulier de la métonymie. Le remplacement est en effet opéré en fonction d'un rapport autre qu'un rapport de ressemblance entre les deux éléments.

→ *Métaphore – Métonymie*

SYNESTHÉSIE nom fém. – Phénomène par lequel des sensations de nature différente sont perçues de manière simultanée.

ÉTYM. : du grec *sunaisthêsis* = « perception simultanée ».

Les *synesthésies* consistent par exemple à sentir une couleur ou à entendre une odeur. Par elles, les différentes perceptions entrent en relation les unes avec les autres. Tel est le phénomène que Baudelaire, après d'autres, évoque dans son célèbre poème « Correspondances ». La nature y parle une langue dans laquelle :
    « Les parfums, les couleurs et les sons se répondent. »
Dans le sillage de Baudelaire, les synesthésies constitueront l'un des éléments clés de l'esthétique fin de siècle et de la poésie symboliste. Dans *Voyelles*, Rimbaud associera chacune de ces lettres à une couleur, écrivant :
« A noir, E blanc, I rouge, U vert, 0 bleu : voyelles
Je dirai quelque jour vos naissances latentes. »
    À la suite de Rimbaud, le poète René Ghil proposera sa théorie de l'« instrumentation verbale » qui reposera sur un système extrêmement complexe de correspondances entre les différentes sensations.

→ *Correspondances*

SYNONYME adj. – S'applique aux mots qui partagent la même signification.

ÉTYM. : du grec *sunônumos* formé sur *sun* = « avec » et une forme d'*onoma* = « nom ».

Il est rare que des mots soient parfaitement synonymes. Même s'ils sont strictement identiques du point de vue de la signification, ils se distinguent par le niveau de langue et les connotations.

→ *Connotation – Dénotation – Niveau de langue*

SYNTAXE nom fém. – 1. Ensemble des relations qui existent entre les éléments du discours.

2. Règles régissant ces relations.

ÉTYM. : du grec *taxis* = « ordre », dérivé de *tassein* = « mettre en ordre » et de *sun* = « ensemble ».

La *syntaxe* est donc la partie de la grammaire se rapportant aux relations des différentes parties du discours.

Le mot est parfois pris dans le sens plus général de grammaire, mais il vaut mieux lui conserver son sens précis.

T

TACITE voir Explicite.

TAUTOLOGIE nom fém. – Proposition prétendant expliquer une idée, mais ne faisant qu'exposer celle-ci de manière redondante.

ÉTYM. : du grec *tautologia* = « action de dire la même chose » de *tauto* (sur *to auto*) = « la même chose » et *logos* = « parole », « discours ». Le mot est venu en français par le bas latin *tautologia*.

EXEMPLE : « L'opium fait dormir parce qu'il a une vertu dormitive. »

TEL QUEL – Revue littéraire et mouvement d'avant-garde qui joua un rôle considérable dans l'histoire intellectuelle française des années 60 et 70.

La revue *Tel Quel* fut fondée en 1960 par un certain nombre de très jeunes écrivains français au nombre desquels le romancier Philippe Sollers. Autour d'elle se constitua assez rapidement un mouvement d'avant-garde qui, dans la tradition du surréalisme, mais sur d'autres bases, chercha à mettre en place les conditions d'une véritable révolution à la fois littéraire, théorique et politique.

Tel Quel apporta d'abord son soutien au nouveau roman, puis se rallia au mouvement structuraliste et post-structuraliste tel que celui-ci était représenté par des théoriciens aussi importants que Althusser ou Lacan, mais surtout Barthes et Derrida. La revue s'engagea également sur le plan politique en militant successivement en faveur du Parti communiste français et du mouvement maoïste.

Sur le plan purement littéraire, *Tel Quel* s'est voulu exploration à la fois pratique et théorique de l'acte d'écrire conçu comme l'expérience limite d'un sujet procédant à la traversée productrice du langage.

Outre Sollers qui fut à la fois le principal représentant et l'animateur du mouvement, il faut citer parmi les autres membres de *Tel Quel* la linguiste et psychanalyste Julia Kristeva et les poètes Marcelin Pleynet et Denis Roche.

TEMPO nom masc. – Littérature. Rythme auquel se déroule l'action dans une œuvre de fiction.

ÉTYM. : mot italien venant du latin *tempus* = « temps ». Le mot est d'ordinaire utilisé en musique.

TERCET nom masc. – Strophe de trois vers.

ÉTYM. : de l'italien *terzo* = « troisième ».

→ *Strophe*

TERZA RIMA – Système dans lequel le poème, composé de tercets, rime sur le modèle suivant : aba bcb cdc.

ÉTYM. : l'expression vient de l'italien et signifie « rime tierce ».

La *terza rima* a été utilisée par Dante pour sa *Divine Comédie*, et cette référence majeure reste pour toujours liée à ce système de versification. D'autres poètes, cependant, l'ont pratiquée : Pétrarque et Boccace en Italie, Chaucer et Byron en Grande-Bretagne, Gautier et Aragon en France.

On citera cet exemple emprunté au *Roman inachevé* d'Aragon :

« Je tresserai l'enfer avec le vers du Dante
Je tresserai la soie ancienne des tercets
Et reprenant son pas et sa marche ascendante
Que brûle ce qui fut avec ce que je sais
Je tresserai ma vie et ma mort paille à paille
Je tresserai le ciel avec le vers français. »

TESTAMENT nom masc. – Texte dans lequel un individu précise la manière dont il veut que l'on dispose de ses biens après sa mort.

ÉTYM. : du latin *testamentum*.

Le *testament* peut devenir une forme poétique comme en témoigne par exemple celui de Villon (1462).

TÉTRALOGIE nom fém. – Ensemble de quatre œuvres dramatiques.

ÉTYM. : du grec *tetralogia*, se rattachant à *tetra* = « quatre » et « logos » = « discours ».

On présentait à Athènes au Vᵉ siècle trois tragédies et un drame satyrique, soit au total quatre œuvres qui formaient une tétralogie. Le terme peut aujourd'hui s'appliquer à n'importe quel ensemble de quatre œuvres dramatiques qui, consacrées à un même sujet, sont susceptibles d'être présentées ensemble. Cependant, lorsque l'on parle de la tétralogie, on pense le plus souvent aux quatre opéras de Wagner qui composent *L'Anneau des Niebelungen*.

→ *Drame satyrique*

TEXTE nom masc. – Écrit.

ÉTYM. : du latin *textus* = « tissu ».

Le terme peut être utilisé de manières très différentes, car il est susceptible, selon les emplois et les contextes, de renvoyer à n'importe quelle forme d'écrit. Son usage a été particulièrement développé avec la critique moderne qui, autour de Roland Barthes et du groupe *Tel Quel*, y a vu un moyen de rompre avec l'approche traditionnelle de l'écrit littéraire.

À propos de *Nombres* de Sollers, Barthes évoque « *cette écriture textuelle, demandée par Sollers, expression qui n'a rien de mystérieux, si l'on veut bien penser que le texte est, étymologiquement parlant, un tissu, un réseau d'écritures – et non un tableau que l'écrivain extrairait de sa conscience ou de la réalité, en recevant parcimonieusement de l'art le droit de les déformer* ».

THÉÂTRE nom masc. – Genre littéraire consistant à faire représenter sur une scène un texte dialogué joué par des acteurs.

ÉTYM. : du grec *theatron* = « le lieu d'où l'on regarde (de *theomai* = « je regarde », « je suis spectateur »).

Le *théâtre* se distingue des autres genres littéraires comme le roman ou la poésie par le fait que l'œuvre ne se réduit pas au texte : il est certes possible de la lire, et certaines pièces importantes – *Le Soulier de satin* de Claudel ou les textes qui composent *Un spectacle dans un fauteuil* de Musset – ont été présentées sous forme de livre avant d'avoir été effectivement montées. Cependant, l'œuvre théâtrale ne prend sa véritable dimension que lorsqu'elle est présentée sur une scène. D'où un certain nombre de caractéristiques qui font la spécificité du théâtre : la présence d'individus en chair et en os (les acteurs) évoluant dans un espace à part (la scène avec son décor), se faisant les porte-parole d'un texte tout en se soumettant à la lecture qu'en propose le metteur en scène ; tout cela se déroulant sous les yeux d'un public.

De la réunion de tous ces éléments peut naître une impression de réalité dont certains dramaturges ont joué : le spectacle est doté d'une présence et d'une immédiateté qui font inévitablement défaut au texte écrit. Mais, à l'inverse, lorsque l'on assiste à une pièce de théâtre, on peut tout aussi bien être frappé par les inévitables conventions qui accompagnent toute forme de représentation. C'est pourquoi, au théâtre, selon un mot de l'écrivain argentin Borges, on trouve des individus qui font semblant d'être d'autres qu'eux-mêmes (les acteurs) devant d'autres individus qui font semblant de les prendre pour ceux-ci (les spectateurs). Le théâtre serait impossible sans cette illusion partagée.

La fonction du théâtre n'est pas radicalement différente de celle des autres genres littéraires. Le théâtre entend divertir ou convaincre, plaire et éduquer ; il représente la réalité, mais soumet celle-ci à une stylisation qui, lui donnant forme et cohérence, la fait accéder au rang d'œuvre d'art. Pour parvenir à ses fins, il dispose d'un langage propre qui pose des problèmes spécifiques. Ce langage n'est pas seulement celui des mots, mais il utilise aussi celui des gestes et des signes (costumes, décors, mouvements, musique, etc.), d'où la question de savoir si le théâtre doit être d'abord un texte parlé (comme chez Racine ou Claudel) ou s'il doit mettre l'accent sur les moyens d'expression qui lui appartiennent en propre (Artaud).

Le langage théâtral, de plus, ne peut aller aussi loin que le roman dans la peinture des personnages ou dans la description des situations : ainsi que le souligne Ionesco, il est contraint à une certaine forme de simplicité et doit souvent se résoudre au stéréotype. Faut-il dans ces conditions jouer à fond la carte de la caricature et de la charge comme nous y invite le nouveau théâtre ou faut-il se risquer sur scène à l'analyse psychologique ou au débat philosophique ?

Enfin, le langage du théâtre est par nature un langage qui s'adresse non pas au lecteur dans la solitude mais au groupe, à la collectivité. Quelle doit être, dans ces conditions, sa fonction ? Doit-il être au service de la catharsis, permettre à l'individu de se libérer des passions qui menacent la collectivité en s'identifiant aux personnages malheureux de la tragédie comme nous y invite l'esthétique antique ? Doit-il, à l'inverse, provoquer une prise de conscience de nature critique et politique comme le veulent Brecht et les dramaturges engagés ?

Le théâtre, par son origine, est religieux. Il naît en Grèce d'une célébration du culte de Dionysos, puis d'autres dieux et héros. Il renaît au Moyen Âge dans les églises puis devant les églises. Il en a gardé un caractère de célébration, de liturgie ou, idéalement, devrait l'avoir gardé. Aussi n'y a-t-il pas lieu de s'étonner de tout ce qui est conventionnel (des jeux de scène à la diction) dans cette manifestation essentiellement symbolique.

→ *Catharsis – Miracle – Mystère – Scène*

THÉÂTRE DE L'ABSURDE – Expression introduite par la critique pour désigner un certain nombre d'œuvres dramatiques que caractérisait, dans les années 50, le recours à une forme d'absurde.

On range d'ordinaire parmi les œuvres du *théâtre de l'absurde* les pièces de Ionesco, Adamov, et quelquefois celles de Beckett, Genet, voire Pinter, c'est-à-dire toutes les grandes œuvres dramatiques qui, au milieu du siècle, ont bouleversé les conventions du genre.

Leur point commun serait d'exposer sur scène une vision absurde de la condition humaine. Elles traduiraient donc dans le langage propre du théâtre une philosophie qu'exposèrent dans le langage de la réflexion théorique Sartre et Camus par exemple. L'originalité propre du théâtre de Ionesco ou de celui de Beckett serait d'exprimer cette philosophie dans un langage lui-même absurde qui réduit les personnages au rang de pantins, détruit entre eux toute possibilité de communication, ôte toute cohérence à l'intrigue et toute logique aux propos tenus sur scène.

Si l'on adopte le point de vue exprimé plus haut, il est cependant nécessaire de reconnaître que le théâtre de l'absurde n'est en rien une école ou un mouvement : Beckett et Ionesco ont par exemple peu de choses en commun sinon la facilité avec laquelle les critiques les ont rapprochés.

THÉÂTRE DE BOULEVARD – Théâtre présentant des pièces d'un comique assez populaire et commercial.

Le *théâtre de boulevard* est avant tout un théâtre de divertissement. Il se développe essentiellement au XIXᵉ siècle et joue d'un certain comique stéréotypé où les quiproquos et les mésaventures des maris trompés ont la part belle. Si l'essentiel de la production est de nature commerciale et d'assez médiocre qualité, de grandes œuvres théâtrales – telles celles de Labiche ou de Feydeau – sont nées sur les planches du boulevard, et, aujourd'hui, lorsqu'il est interprété par des acteurs de tempérament, le genre peut ménager de réjouissantes surprises.

THÉÂTRE DE LA CRUAUTÉ – Terme introduit par Antonin Artaud pour désigner la forme dramatique à laquelle il travailla.

Ainsi qu'Antonin Artaud le précisait lui-même, « *ce mot de cruauté doit être pris dans un sens large, et non dans le sens matériel et rapace qui lui est prêté habituellement* ». Dans son ouvrage majeur, *Le Théâtre et son double*, Artaud précise ce qu'il faut entendre par théâtre de la cruauté. Il s'agit d'un art qui saura frapper au cœur de la manière la plus profonde et la plus violente le spectateur. Pour ce faire, une rupture totale avec le langage de la tradition théâtrale est nécessaire : à un théâtre où domine le mot il faut substituer un théâtre total qui, s'inspirant des spectacles orientaux, fera place en lui aux signes, aux gestes et à la danse.

Les thèses d'Artaud n'ont jamais été appliquées telles quelles, ni par lui, ni par aucun dramaturge, mais elles ont exercé une influence décisive sur le théâtre contemporain.

THÉISME nom masc. – Conception du monde selon laquelle il existe un Dieu séparé de sa création, mais qui n'a pas fait l'objet d'une révélation.

ÉTYM. : du grec *theos* = « dieux ».

Les religions « révélées » sont celles qui s'appuient sur une Révélation. Par celle-ci, Dieu s'est fait connaître (s'est révélé) à des prophètes ; ceux-ci ont ensuite communiqué sa parole à d'autres hommes, oralement ou par l'intermédiaire d'un livre (Bible, Coran). Le judaïsme, le christianisme, l'islam sont des religions révélées.

La distinction entre le déisme et le *théisme* n'est pas toujours évidente. Ces deux attitudes ont en commun la croyance en un Dieu, mais sans rattachement à une religion particulière. Pour Alain Lercher, dans *Les Mots de la philosophie* (Belin), le déiste se caractérise par le refus d'un culte, ainsi, les révolutionnaires qui avaient institué le culte de l'Être suprême étaient théistes et non déistes.

THÉMATIQUE (critique) – Approche critique de la littérature qui vise à mettre en évidence dans l'œuvre la présence d'un réseau thématique cohérent et récurrent.

Héritière des travaux de Gaston Bachelard (1884-1962), la *critique thématique* est l'un des visages de cette nouvelle critique qui renouvela dans les années 50 et 60 notre regard sur la littérature. Ses principaux représentants sont Georges Poulet, Jean Rousset, Jean Starobinski et Jean-Pierre Richard.

THÈME nom masc. – Sujet abordé ou traité dans un texte.

ÉTYM. : du grec *thema* = « ce qui est posé ».

THÉODICÉE nom fém. – Partie de la métaphysique qui traite de l'existence de Dieu sans se référer aux vérités révélées et en ne faisant donc appel qu'à des arguments d'ordre rationnel.

ÉTYM. : du grec *théo* = « Dieu » et *dikê* = « justice ». Le mot provient du titre d'un livre de Leibniz, *Essais de théodicée sur la bonté de Dieu, la liberté de l'homme et l'origine du mal* (1710). Voltaire dans *Candide* se moque des développements sur le mal contenus dans ce livre et surtout des interprétations qu'en firent les disciples de Leibniz.

THRILLER nom masc. – Œuvre de fiction (le plus souvent film) qui, par son suspense, procure des émotions fortes et tient en haleine.

ÉTYM. : le mot est d'origine anglaise et signifie « qui fait peur ».

→ *Suspense*

TIRADE nom fém. – Long discours récité sans interruption par un personnage au théâtre.

ÉTYM. : de « tirer ». « Tirer » s'est dit longtemps « traire » et la *tirade* se dit « d'un trait ».

TITRE nom masc. – Littérature. Nom porté par une œuvre.

ÉTYM. : du latin *titulus* = « inscription ».

Dans le passé, l'usage du *titre* n'était pas systématique : Dante, par exemple, n'a pas choisi le titre de son grand poème que nous connaissons comme *La Divine Comédie*.

Étant donné la multiplication et la diffusion des ouvrages, un titre est devenu une nécessité, car il permet de repérer et de désigner un ouvrage. En principe, il doit fournir une indication relative au contenu de l'ouvrage. Il peut, pour ce faire, en énoncer le thème principal : *À la recherche du temps perdu*, *La Peste*, ou encore nommer son personnage central : *Madame Bovary*, *Le Père Goriot*. Il arrive également que l'auteur choisisse un titre volontairement énigmatique – *Le Rouge et le Noir* – pour attirer et séduire le lecteur potentiel.

Quel que soit le cas de figure dans lequel on se trouve, un titre est un programme qui détermine en partie le sens de notre lecture : ainsi que le fait remarquer Genette, comment lirions-nous l'*Ulysse* de Joyce si ce roman ne portait un titre qui nous révèle le mythe autour duquel l'ouvrage tout entier est construit ?

TOMBEAU nom masc. – Œuvre poétique ou musicale consacrée à la mémoire d'un artiste.

ÉTYM. : du grec *tumbos* = « tumulus », « tombeau ».

Parmi les *tombeaux* célèbres de l'histoire de la poésie, on peut citer ceux de Poe et de Baudelaire par Mallarmé. En musique, le *Tombeau de Couperin* par Ravel.

TRACT nom masc. – Texte bref distribué à des fins de propagande politique ou religieuse.

ÉTYM. : mot anglais consistant en l'abréviation de *tractate* = « traité ».

TRADUCTION nom fém. – 1. Action qui consiste à faire passer un texte dans une autre langue.
2. Texte présenté dans une langue autre que sa langue originelle.

ÉTYM. : du latin *traducere* = « faire passer ».

La *traduction*, qui est l'un des outils indispensables de la communication des cultures, pose dans le cas des textes littéraires des problèmes souvent considérables. Le texte littéraire est en effet de manière indissociable fond et forme, sens et son. Or il est particulièrement difficile et souvent impossible de proposer une traduction qui respecte simultanément ces deux dimensions et l'articulation qui existe entre elles. Une traduction littérale suivra au plus près le texte original et en respectera donc au mieux le sens, mais elle court le risque de proposer un équivalent qui paraîtra artificiel dans la langue de la traduction. Une traduction plus libre – surtout lorsqu'elle est le fait d'un véritable écrivain – pourra constituer une authentique œuvre littéraire, mais qui risque considérablement de s'éloigner du texte de départ.

Toute traduction est une recréation, et il est impératif que les modalités et les enjeux de celle-ci soient exposés de manière claire par le traducteur afin que la traduction ne soit pas une complète trahison. Milan Kundera s'est ainsi élevé contre la version française de ses premiers romans qui en a défiguré totalement et le style et l'esprit. Mais, s'il y a des traductions clairement fautives, il n'en est jamais de définitive ; *La Divine Comédie* de Dante a connu par exemple de nombreuses traductions en français qui procèdent de partis pris opposés : dans certains cas, on rend l'italien archaïque de Dante dans un français lui-même archaïque. Dans d'autres, on en propose un équivalent dans un état moderne de la langue.

TRAGÉDIE nom fém. – Œuvre dramatique en vers mettant en scène, conformément à certaines règles, des personnages illustres déchirés intérieurement par le destin qui les frappe ou les passions qu'ils éprouvent.

ÉTYM. : du grec *tragôidia*. Se rattache à *tragos* = « le bouc ». La tragédie est née du dithyrambe dionysiaque. Le chœur qui exécutait ce dithyrambe était composé d'interprètes jouant le rôle de satyres à pieds de bouc, compagnons habituels de Dionysos.

La *tragédie* naît en Grèce et s'y épanouit avec les œuvres d'Eschyle, Sophocle et Euripide. Le modèle antique sera longtemps la référence essentielle et il exercera une influence considérable sur l'histoire du théâtre occidental. Outre les textes qui sont parvenus jusqu'à nous – des cent vingt œuvres de Sophocle, seulement sept ont été conservées –, la tragédie grecque a été connue à travers la théorie qu'en formule Aristote dans sa célèbre *Poétique*. Pour lui, la tragédie doit présenter au spectateur des événements qui font naître en lui des sentiments de pitié et de peur par lesquels s'accomplit la *catharsis*. À cette fin, elle doit mettre en scène un héros qui sombre dans le malheur.

À partir de 400 av. J.-C., la tragédie disparaît en Grèce et si l'on excepte, à Rome, les œuvres de Sénèque qui exercèrent une influence considérable sur le théâtre anglais, elle ne réapparaîtra pas avant la Renaissance. Au moment où, dans un nouveau contexte religieux, les moralités et les mystères du Moyen Âge cessent de séduire, les poètes de la Pléiade se retournent vers le modèle antique et, s'inspirant du théâtre latin, favorisent l'émergence de la tragédie au XVIᵉ siècle.

On soulignera tout particulièrement parmi les pièces de cette époque – outre la *Cléopâtre captive* de Jodelle qui, en 1553, ressuscite le genre – *Les Juives* (1583) de Robert Garnier. Le grand siècle de la tragédie en France reste cependant le XVIIᵉ. Face à l'exubérance baroque de certaines pièces, s'impose progressivement un corps de règles qui va donner son visage à la tragédie classique : respect des trois unités, vraisemblance, bienséance, etc. Corneille proclame que la tragédie doit choisir comme sujet « *une action illustre, extraordinaire…* » et traiter de « *quelque passion plus noble et plus mâle que l'amour* » même si l'amour y a sa place dans l'intrigue. Racine, quant à lui, fait de la passion la forme essentielle d'une fatalité qui déchire les êtres et les enferme dans le cercle de leur destin. Tous deux portent la tragédie à son degré le plus haut de perfection. Au XVIIIᵉ siècle, la tragédie, certes, ne disparaît pas, comme en témoigne, par exemple, l'œuvre de Voltaire. Mais toujours fidèle à la lettre du classicisme sans être encore habitée par son esprit, elle décline indubitablement.

Le XIXᵉ siècle verra l'apparition de nouvelles formes théâtrales dont le drame romantique qui se construit par le refus même du modèle tragique tel que celui-ci avait été fixé par l'esthétique classique.

→ *Catharsis – Drame – Théâtre*

TRAGI-COMÉDIE nom fém. – Genre dramatique qui met en scène des sujets romanesques sans se soumettre aux règles de la tragédie et en proposant un dénouement heureux.

ÉTYM : du latin *tragico comoedia*. Le terme fut introduit par Plaute pour désigner ses propres pièces dans lesquelles coexistaient de manière assez peu orthodoxe personnages de dieux et personnages de serviteurs.

Au sens strict, la *tragi-comédie* naît en Italie à la Renaissance avec l'apparition d'œuvres dramatiques qui mêlent à la tragédie des éléments comiques ou qui mènent celle-ci jusqu'à une conclusion heureuse.

Le genre est introduit en France par Robert Garnier avec *Bradamante* (1582) et connaîtra une formidable vogue dans la première moitié du XVIIᵉ siècle jusqu'à ce que s'imposent la tragédie et la comédie. Il a surtout été illustré par l'œuvre du prolifique Alexandre Hardy (1569-1632). La distinction entre tragi-comédie, comédie et tragédie est souvent subtile et incertaine : c'est ainsi que *Le Cid* a été défini par Corneille tour à tour comme une tragi-comédie puis comme une tragédie.

Si le comique et le tragique se trouvaient mélangés dans la tragi-comédie, latine, ce n'est pas le cas dans la tragi-comédie française.

→ *Tragédie – Drame*

TRANSITIF Voir Intransitif.

TRILOGIE nom fém. – Ensemble de trois œuvres.

ÉTYM. : du grec *trilogia*.

À Athènes au Vᵉ siècle av. J.-C., on présentait lors du festival dramatique des groupes de trois tragédies nommés *trilogies*. Le terme est utilisé aujourd'hui pour tout ensemble d'œuvres – de préférence dramatiques – qui traitent d'un sujet unique et se font suite.

→ *Tétralogie – Drame satyrique*

TRIOLET nom masc. – Poème à forme fixe de huit vers, construit sur deux rimes dont le premier, le quatrième et le septième vers, d'une part, et le deuxième et le huitième vers, d'autre part, sont identiques.

Le *triolet* a été utilisé notamment par La Fontaine et Théodore de Banville.

On cite souvent ce triolet dû à Ranchin :
« Le premier jour du mois de mai
Fut le plus heureux de ma vie.
Le beau dessin que je formai
Le premier jour du mois de mai !
Je vous vis et je vous aimai :
Si ce dessin vous plut, Sylvie,
Le premier jour du mois de mai
Fut le plus beau jour de ma vie. »

TROPE nom masc. – Figure rhétorique.

ÉTYM. : se rattache à la racine grecque *trop* qui contenait l'idée de « rotation », de « changement ». *Tropos* d'où est venu notre « trope » était une façon de « tourner » un discours, une « tournure », donc une figure de style.

Le mot est peu employé aujourd'hui en dehors du milieu des spécialistes. À titre d'exemples, quelques tropes étudiés dans cet ouvrage : « antonomase », « catachrèse », « métaphore », « métonymie », « synecdoque », etc.

TROUBADOUR nom masc. – Poète médiéval de langue d'oc.

ÉTYM. : de l'ancien provençal *trobador* = « trouveur ».

Les troubadours sont les poètes qui, aux XIIᵉ et XIIIᵉ siècles, dans la langue du sud de la France (langue d'oc), chantèrent l'amour courtois. Les plus célèbres d'entre eux furent Guillaume IX d'Aquitaine (1071-1127), Bertran de Born (1140-1210 ?) et Arnaut Daniel (1150 ?- ?). Leur art consistait essentiellement en une poésie lyrique qui chantait le culte de la dame et de l'amour, en ne reculant pas quelquefois devant un véritable travail sur la langue confinant à l'hermétisme.

→ *Trouvère*

TROUVÈRE nom masc. – Poète médiéval de langue d'oïl.

ÉTYM. : de *troverre* = « trouveur ».

À la différence des troubadours, les *trouvères* s'exprimaient dans la langue d'oïl qui était celle de la France du Nord. Contemporains des troubadours, ils partageaient pour l'essentiel la même conception de la poésie, s'inspirèrent de celle-ci et continuèrent à chanter l'amour courtois lorsque, au début du XIIIᵉ siècle, la littérature des troubadours commença à décliner. Deux des plus célèbres trouvères sont Chrétien de Troyes et Thibaut de Champagne.

TRUISME nom masc. – Banalité.

ÉTYM. : de l'anglais truism, de *true* = « vrai ».

→ *Cliché – Lieu commun*

U

UBUESQUE adj. – Qui, par son caractère grotesque et néfaste, évoque le personnage d'Ubu.

ÉTYM. : d'après le nom du personnage central qu'Alfred Jarry met en scène dans sa pièce *Ubu roi* (1896).

→ *Grotesque*

ULTRAMONTANISME Voir Gallicanisme.

UNANIMISME nom masc. – Mouvement littéraire qui, avec Jules Romains, proclama au début du siècle la nécessité d'une poésie de l'âme collective.

L'*unanimisme* constitue la doctrine poétique d'un groupe d'écrivains qui, outre Jules Romains, comprenait Georges Duhamel, Charles Vildrac et René Arcos. Ces derniers, membres d'une communauté fondée en 1906 à l'abbaye de Créteil, cherchèrent à inventer une poésie qui, sur le modèle de celle de l'Américain Whitman, chanterait des idées de fraternité et montrerait comment l'âme de l'individu est toujours plongée dans une âme plus grande qui est celle du groupe.

Le principal ouvrage de l'unanimisme reste *La Vie unanime* de Jules Romains, publié en 1908. On accorde aujourd'hui assez peu d'intérêt à ce mouvement littéraire, mais il est certain que les idées qu'il exprima furent à la base des grandes constructions romanesques de Romains et de Duhamel.

UNITÉS (règle des unités) – Règle qui, dans l'esthétique classique, imposait aux dramaturges de présenter sur scène une seule action (unité d'action), se déroulant en une seule journée (unité de temps) et en un seul lieu (unité de lieu).

La règle des trois unités est issue de la *Poétique* d'Aristote. Le philosophe grec constate que le théâtre doit être l'imitation d'une action dans laquelle tous les éléments se tiennent de telle sorte que rien ne puisse être modifié sans que l'ensemble soit à son tour altéré. Il précise que la tragédie doit présenter une action qui dure à peu près ce que dure une révolution du Soleil. Il ne parle pas de l'unité de lieu, c'est-à-dire de la nécessité que l'ensemble des événements se déroule dans un espace restreint (celui que l'on peut parcourir en une journée).

Reprises, renforcées et systématisées, ces règles s'imposèrent en France peu à peu à la tragédie et à la comédie du XVIIIe siècle, et cela de manière de plus en plus stricte. Notons qu'il en allait tout autrement dans le théâtre anglais ou espagnol qui se caractérisaient, sur ce plan, par une liberté beaucoup plus grande.

Prenant modèle sur Shakespeare et repoussant l'esthétique classique, les romantiques, s'ils conservèrent l'unité d'action indispensable à la cohérence de l'œuvre, refusèrent les deux autres règles qui, pour eux, allaient à l'encontre de l'esprit du nouveau théâtre. Dans sa fameuse *Préface de Cromwell,* Hugo, avec beaucoup de verve, tourne celles-ci en dérision.

UTOPIE nom fém. – 1. Pays imaginaire dans lequel, sous le règne d'un gouvernement idéal, les individus connaissent le bonheur.
2. Genre littéraire dans lequel l'auteur décrit une utopie (au premier sens).
3. Mirage, chimère.

ÉTYM. : mot forgé par Thomas More à partir des mots grecs *ou* = « non » et *topos* = « lieu ». L'utopie est donc ce qui n'existe en aucun lieu.

Les religions et les mythologies les plus anciennes ont rêvé d'un mode idéal dans lequel l'humanité serait exempte de tous les maux et connaîtrait enfin le bonheur. L'*utopie*, cependant, n'est pas seulement le rêve d'un paradis terrestre : elle est la description politique d'une société idéale. En ce sens, la première des utopies est sans doute *La République* de Platon, livre dans

lequel le philosophe grec explique comment devrait être organisée la cité parfaite dans laquelle régneraient les philosophes.
À la suite de Platon, Thomas More, avec son *Utopie* (1516), et
Campanella, avec sa *Cité du Soleil*, donneront au genre ses lettres
de noblesse et lui permettront de prendre véritablement place
dans le patrimoine littéraire occidental.

L'utopie a toujours une dimension politique. Elle est à la fois
projet d'une société meilleure et critique de la société existante.
En imaginant une collectivité vivant en marge de l'histoire dans
un espace protégé – terre lointaine, île inconnue, voire autre
planète –, l'utopiste peut laisser libre cours à son imagination
tout en développant librement sa vision de la politique, de
l'économie, de la religion et de la morale. En décrivant ce qui
devrait être, il ne manque pas de s'en prendre à ce qui est : la
plupart des utopies présentent un monde renversé dans lequel
tous les maux et toutes les injustices du présent se lisent facilement en creux.

L'utopie – surtout lorsqu'elle est projet plus que critique –
est en général l'expression d'une vision optimiste de l'histoire :
l'écrivain y rêve d'une ère à venir de justice, de paix et de fraternité. C'est sans doute pourquoi le XXᵉ siècle est plus riche
d'utopies négatives que d'utopies véritables : *1984* de Orwell, *Le
Meilleur des mondes* de Huxley décrivent des sociétés cauchemar-
desques qui sont comme l'envers des utopies classiques.

V

VAUDEVILLE nom masc. – Pièce d'un comique léger et sans prétention.

ÉTYM. : de *vaudevire* = « chanson de circonstance ». Dauzat conteste l'étymologie *vau* (val) de Vire (ville du Calvados), dont les chansons étaient célèbres au XVᵉ siècle ; pour lui, il s'agit d'un composé de deux radicaux verbaux : *vauder* (aller) et *virer* (tourner). Par la suite, *vire* n'étant plus compris, un phénomène de contamination avec « ville » s'est produit.

À l'origine, le terme désignait une chanson satirique. Au XVIIᵉ siècle, des chansons de cette nature furent introduites dans les comédies, et le vaudeville devint un spectacle dans lequel alternaient chansons et dialogues. Le terme prend son sens moderne au XIXᵉ siècle et s'applique aux comédies légères telles que celles que l'on présente sur les boulevards.

VÉRISME nom masc. – Mouvement littéraire italien du XIXᵉ siècle proche du naturalisme par sa doctrine.

ÉTYM. : de l'italien *vero* = « vrai ».

Les grands écrivains de ce mouvement sont peu connus en dehors de leur pays. Ce sont Giovanni Verga, De Roberto, Grazia Deleda, Luigi Capuana, Matilde Senao.

Il existe une filiation reconnue entre le naturalisme et le vérisme.

→ *Naturalisme*

VERS nom masc. – Ensemble de mots qui forment l'une des unités du poème en accord avec les règles de la versification.

ÉTYM. : du latin *versus* = « sillon ».

On distingue :

1. Le vers syllabique dont le rythme est déterminé par le nombre de ses syllabes.

C'est le vers français, défini en outre par la rime et dans certains cas par la césure, qui se divise lui-même en plusieurs classes selon le nombre des syllabes du vers :

a) le monosyllabe
b) le disyllabe
c) le trisyllabe
d) le tétrasyllabe
e) le vers de cinq syllabes
f) le vers de six syllabes
g) l'heptasyllabe
h) l'octosyllabe
i) l'ennéasyllabe
j) le décasyllabe
k) l'endécasyllabe
l) l'alexandrin

Ces vers sont d'une fréquence d'utilisation très différente dans la poésie française. Les plus courants sont l'alexandrin – qui, depuis la Pléiade, domine –, l'octosyllabe et le décasyllabe, qui est le vers épique. On trouve cependant des exemples de tout, les poètes ayant expérimenté toutes les formes imaginables. Ainsi Victor Hugo dont le poème « Les Djinns » joue successivement de tous les mètres. Verlaine, pour sa part, a recommandé dans son *Art poétique* le mètre impair et il lui est arrivé de pratiquer le vers de cinq syllabes qui, avec le retour très fréquent de la rime, produit pour l'oreille un effet très musical et obsédant. Certains poètes enfin, comme Aragon, ont écrit des vers dont la longueur dépasse celle de l'alexandrin.

2. Le vers rythmique dont le rythme est déterminé par la place et le retour des syllabes accentuées. Il s'agit du vers anglais par exemple.

3. Le vers métrique dont le rythme est déterminé par sa division en mesures. Il s'agit des vers grecs et latins. Il suppose une

langue dans laquelle il existe des syllabes longues et des syllabes brèves.

4. Le vers libre qui existe sous deux formes très différentes :

a) le vers libre classique tel que le pratique par exemple La Fontaine et dans lequel, si le vers reste régulier, sa longueur varie ainsi que la disposition des rimes.

b) Le vers libre moderne qui, à partir du symbolisme, n'a d'autre rythme que celui qui lui est imposé librement par le poète et qui ne se signale au lecteur que par le retour à la ligne. Son unité, dès lors, n'est plus rythmique mais graphique.

→ *Versification*

VERSET nom masc. – 1. L'un des paragraphes qui composent le texte de l'Ancien Testament.

2. Long vers pratiqué par certains poètes et qui tire son unité, non pas de règles rythmiques précises, mais du fait qu'il est porté par un mouvement respiratoire unique.

ÉTYM. : de « vers ».

Même si Claudel ne fut pas le seul à pratiquer cette forme, c'est dans son œuvre qu'on trouvera la plus parfaite illustration des possibilités rythmiques et poétiques qu'elle permet.

VERSIFICATION nom fém. – Art d'écrire des vers.

ÉTYM. : du latin *versificatio*.

On distingue souvent le « versificateur » qui possède bien les techniques de la *versification*, mais ne fait pas vraiment œuvre de créateur, et le « poète » qui maîtrise, lui aussi, ces techniques, mais s'appuie sur elles pour créer un univers personnel et original.

VILLANELLE nom fém. – 1. Chanson, danse ou poème d'inspiration pastorale.

2. Poème à forme fixe composé de tercets, d'un quatrain final et dans lequel le premier et le troisième vers du premier tercet se

répètent alternativement à la fin de chaque tercet suivant et dans le quatrain.

ÉTYM. : de l'italien *villanella* = « chanson villageoise ».

VRAISEMBLABLE adj. – Ce qui est conforme à l'image que l'on se fait raisonnablement de la réalité.

ÉTYM. : de « vrai » et « semblable » d'après le latin *verisimilis*.

La notion de *vraisemblance* a joué un rôle important dans l'esthétique classique. Ne doivent en effet être présentées aux spectateurs que les intrigues vraisemblables, c'est-à-dire celles qui correspondent d'une part à ce que l'on connaît de l'histoire et du cadre dans lequel l'auteur a choisi de situer son œuvre, et d'autre part à ce que l'on tient raisonnablement pour possible en fonction de ce que l'on sait de l'existence.

Le vraisemblable n'est donc pas le vrai : et certains dramaturges comme Corneille ont soutenu que c'est l'exceptionnel, et donc l'invraisemblable, qui doit être présenté au public. Le vraisemblable peut davantage être défini comme ce qui semblera familier et acceptable à une audience marquée par une conception idéologique, historique et sociale de ce qu'est la réalité et de ce qui ne lui appartient pas.

Mais le principe de la vraisemblance, aux yeux des classiques, se justifie surtout en fonction d'un autre qui est de nature esthétique. Seul le vraisemblable peut en effet émouvoir : si le public ne croit pas à l'histoire qui lui est présentée – quand bien même celle-ci serait vraie –, il ne peut s'identifier aux personnages qu'on lui présente, car il les juge trop éloignés de lui. La vraisemblance est donc nécessaire au bon fonctionnement de la catharsis.

→ *Bienséance*

W-Z

WELTANSCHAUUNG nom fém. – Vision du monde.

ÉTYM. : le mot vient de l'allemand, *Welt* = « monde » et *Anschauung* = « intuition ».

Ce mot est employé notamment par Sartre pour désigner à la fois la façon dont le monde est conçu et le choix d'une attitude face à ce monde.

ZEUGME nom masc. – Procédé qui consiste, par souci du raccourci ou pour produire un effet comique, à omettre un terme déjà présent dans un membre de phrase, dont la répétition serait nécessaire au point de vue du sens et de la syntaxe, mais que le lecteur pourra rétablir de lui-même.

ÉTYM. : du grec *zeugma* = « lien ».

Le *zeugme* (ou *zeugma*) est souvent utilisé à des fins comiques en faisant de telle sorte que le même mot se rapporte à des choses très différentes : « j'avais la tête et les poches vides », « il posa son chapeau et une question ». Mais ce n'est pas toujours le cas. Ainsi quand Victor Hugo parle des veuves remuant la cendre de leur foyer et de leur cœur ou quand il écrit dans « Booz endormi » : « Vêtu de probité candide et de lin blanc. »

Des mêmes auteurs

Philippe Forest

Philippe Sollers, « Les contemporains », Seuil, 1992.
Le Mouvement surréaliste, Vuibert, 1994.
Textes et labyrinthes, Inter-Universitaires, 1995.
Histoire de Tel Quel, « Fiction & Cie », Seuil, 1995.
L'Enfant éternel, « L'Infini », Gallimard, 1997.
Le Roman, le réel, « Auteurs en questions », Pleins Feux, 1999.
Toute la nuit, Gallimard, 1999.
Le Roman, le je, « Auteurs en questions », Pleins Feux, 2001.
Oé Kenzaburô, légendes d'un romancier japonais, « lecture(s) »,
    Pleins Feux, 2001.
Près des acacias, Actes sud, 2002.

Gérard Conio

Le Constructivisme russe (2 vol.), L'Âge d'homme, 1987.
Aleksander Wat et le diable dans l'histoire, L'Âge d'homme, 1989.
L'Avant-garde russe et la synthèse des arts (dir.), L'Âge d'homme,
    1990.
Eisenstein et le MLB, Hoebeke, coll. « Art et Esthétique », 1999.
S.I. Witkiewicz, *L'Unique Issue*, roman traduit du polonais par
    G.C., suivi de : G.C., *Réflexions et commentaires sur la philoso-
    phie de* L'Unique Issue, L'Âge d'homme, 2001.
« La dialectique du double chez Dostoïevski », in *Figures du
    double dans les littératures européennes* (Études réunies et
    dirigées par G.C.), *Cahiers du Cercle*, L'Âge d'homme, 2001.
Les Avant-gardes entre métaphysique et histoire, entretiens avec
    Philippe Sers, L'Âge d'homme, Lausanne, 2002.
L'Art contre les masses. Esthétiques et idéologies de la modernité,
    L'Âge d'homme *(Cahiers des Avant-gardes)*, 2003.

Imprimé en France sur Presse Offset par

BRODARD & TAUPIN

GROUPE CPI

31867 – La Flèche (Sarthe), le 27-09-2005
Dépôt légal : octobre 2005